Koeko Iyawó:

Aprende Novicia

PEQUEÑO TRATADO
DE REGLA LUCUMÍ

COLECCIÓN DEL CHICHEREKÚ

EDICIONES UNIVERSAL, Miami, Florida, 2007

Lydia Cabrera

Koeko Iyawó:

Aprende Novicia

PEQUEÑO TRATADO
DE REGLA LUCUMÍ

-·EDICIONES UNIVERSAL

Primera edición, Ediciones del Chicherekú, 1980
Segunda edición en Ediciones Universal, 2007

EDICIONES UNIVERSAL
P.O. Box 450353 (Shenandoah Station)
Miami, FL 33245-0353. USA
Tel: (305) 642-3234   Fax: (305) 642-7978
e-mail: ediciones@ediciones.com
http://www.ediciones.com

Library of Congress Catalog Card No.: 80-68718
ISBN-10: 0-89729-637-0
ISBN-13: 978-0-89729-637-3

A mi amigo E. L.
con mi estimación y afecto.

Prólogo

En la fecha en que se escriben estas líneas —marzo de 1980— se cumplen cuarenta y cuatro años de la aparición del primer libro de Lydia Cabrera: *Contes nègres de Cuba*. El presente volumen *Koeko Iyawó: Aprende Iyawó*, confirma una vez más que «en puridad todo escritor auténtico tiene un tema, y sólo uno, como tiene una personalidad y un acento, un tema que lleva dentro, clavado en la entraña y que se va desplegando de mil maneras a lo largo de su obra y de su vida. Este despliegue sin término da lugar a producciones distintas»[1]. El gran tema de esta escritora es el estudio de nuestros negros, más de cuatro décadas ha dedicado Lydia Cabrera a investigar la presencia del folklore africano en Cuba: «¿qué pedazo de suelo nuestro no estaba saturado de secretas influencias africanas? ¿dónde no vibraban viejas resonancias de un alma que era negra?»[2].

LA AUTORA

Lydia Cabrera nació en La Habana, Cuba, el 20 de mayo de 1900. Creció y se educó en el ambiente de una familia criolla de la época. De niña, pensó dedicarse a la pintura. Hizo los cursos del bachillerato en su casa, «por la libre». En 1927 está ya en París, en Montmartre, donde vivió varios años. Estudió las culturas y religiones orientales; asistió a *L'Ecole du Louvre* —«pasé dos años pintando»—, de donde se graduó en 1930. En París comenzó a sentir una gran inquietud por acercase a «lo negro». Recordando uno de sus viajes a La Habana, de vacaciones, dice: «hice mis primeras investigaciones sobre los negros en el barrio de Pogolotti, por medio de Omí Tomí, fue ella quien me ayudó a penetrar en su mundo . . . sería por el año 1928: había descubierto a Cuba a orillas del Sena».

Con intervalos de algunos viajes a La Habana, pasó en Europa los años comprendidos entre 1927 y 1938. En 1936 la editorial Gallimard publicó en París su primer libro: *Contes nègres de Cuba, traduits de l'espagnol par Francis de Miomandre*. Al terminar la década del treinta, son los años anteriores a la segunda guerra mundial, el panorama europeo se tornó sombrío y Lydia regresó a Cuba. Desde su regreso en 1938 —hasta nuestros días—, ha continuado sus estudios sobre la cultura y religiones negras. Viajó por toda la isla, buscando siempre desentrañar esa «influencia sutil, incalculable, en un aspecto ontológico, que los africanos ejercieron y ejercen»[3] en todos los niveles de nuestra sociedad.

Lydia Cabrera vive en La Habana, en «La Quinta San José» en Marianao; junto a María Teresa de Rojas proyectan y llevan a cabo «el museo que recogía la evolución histórica de la casa cubana»[4]. Esta existencia pacífica y laboriosa —numerosos son los libros de investigación folklórica y de imaginación que publica durante estos años—, se ve truncada, como tantas otras, por el comunismo internacional que se apodera de Cuba.

El 1960 emprende el camino del exilio. Pasarán diez años antes de que vuelva a publicar una nueva obra: «Escribir no podía, padecía de mal de espíritu. Esos años los dediqué a intentar hacer algo por la liberación de Cuba; trabajamos mucho. Luego, comprendí: Cuba no entraba de inmediato en el juego político de los Estados Unidos. El exilio sería largo.» Se instala en Madrid, se enferma, regresa a Miami y allí vive actualmente. En 1970 aparece un libro nuevo: *Otán Iyebiyé, las piedras preciosas*. Desde entonces escribe, publica. Lydia Cabrera nos ofrece a sus ya próximos ochenta años, un admirable ejemplo de continuidad y de fidelidad a su vocación de investigadora, su obra y su vida las ha dedicado «a recoger la tradición oral que desgraciadamente se pierde, a trasladar al papel las enseñanzas aprendidas de los viejos». En sus libros de investigación folklórica destaca «la parte tan directa que han tomado en él los mismos negros. Son ellos los verdaderos autores»[5].

La personalidad de Lydia Cabrera posee múltiples e interesantes facetas. Su profundo entendimiento de la juventud, poco frecuente en los escritores de tan larga edad, ha permitido que esta mujer sea en nuestro exilio un constante estímulo para los más jóvenes, una compañía siempre alentadora y una amistad generosa y comprensiva.

LA OBRA

Como investigadora del folklore afro-cubano su propósito ha sido «ofrecer a los especialistas, con toda modestia y la mayor fidelidad, un material que no ha pasado por el filtro peligroso de la interpretación, y de enfrentarlos con los documentos vivos que he tenido la suerte de encontrar»[6]. El gran interés de Lydia Cabrera es transmitirnos el legado africano de nuestra tradición cultural. Durante «años de paciente aplicación» se ha acercado a sus viejos informantes «fuentes vivas inapreciables a punto de agotarse»[7] sin que nadie se ocupase en aprovecharlas, en registrarlas (de entre nuestros escritores debemos mencionar a Fernando Ortiz, cuñado de Lydia, pionero de los estudios africanistas en Cuba), para transmitir a las generaciones siguientes estas formas de cultura que no son susceptibles de una apropiación sin comprenderse su sentido. La obra de Lydia Cabrera contribuye de modo único a enriquecer el hecho fundamental de nuestro proceso histórico. Sus libros constituyen una acumulación de la herencia social africana. Las informaciones que éstos nos transmiten eran, hasta sus respectivas fechas de publicación, «secretas», desconocidas. Un estudio cuidadoso de sus páginas «no deja lugar a dudas: a la par que sembraban los campos de cañas, los esclavos yorubas, iban dejando en esta tierra la simiente perdurable de su vieja cultura»[8].

Su obra narrativa puede dividirse en dos grupos: 1-libros de investigación folklórica y 2-libros de imaginación. Al primer grupo pertenecen: *El Monte* (la más completa y ambiciosa de sus publicaciones); *Refranes de negros viejos*; *Anagó, vocabulario lucumí*; *Yemayá y Ochún*; *Anaforuana*; *Francisco y Francisca*; *La Regla Kimbisa del Santo Cristo del Buen Viaje*; *Itinerarios del insomnio; Trinidad de Cuba y Reglas de Congo*; *Palo Monte Mayombe*. Libros de imaginación publicados: *Cuentos negros de Cuba*; *Por qué . . .*; *Ayapá, cuentos de jicotea* y numerosos relatos no recogidos aún en forma de libro.

KOEKO IYAWO: APRENDE IYAWO
(Pequeño tratado de Regla Lucumí)

El presente volumen se divide en once capítulos antecedidos por una «Nota Preliminar» a modo de introducción. Lydia, desde la ciudad de Miami, «capital del exilio cubano», destaca la proliferación de los comercios llamados «Botánicas». Menciona varios de los múltiples objetos que pueden verse en una Botánica y el hecho de que ahora «por hacer dinero, todos son Santeros y Santeras», antes, por contraste, «hacer Santo era una necesidad no una moda». Este libro se ocupa precisamente del **I - Iyawó: el que ha sido iniciado.**

El *Iyawó* es la persona —niño, mujer u hombre— que ha pasado por las pruebas de iniciación en la Regla Lucumí y ha sido Asentado, ha hecho Santo. Durante un año los iniciados deben vestirse de blanco «y someterse a un régimen muy severo de castidad y abstinencia . . . vivirán en olor de santidad, evitando el menor contacto que pueda mancharlos». El Asiento supone —como la consagración en toda vida religiosa— la muerte del iniciado para la vida profana y un nuevo nacimiento o renacimiento en la vida de religión.

II - Ilé Oricha: Templo y sacerdocio.

Nos explica la autora en qué consiste el templo: *Ilé Oricha* o *Ilere* y cuáles son las funciones del sacerdote o sacerdotisa: *Oloricha* e *Iyalocha*. «No todo el mundo nace para ser *Oloricha*.»

III - Lo que se encuentra en un Ilé Oricha

Con excelente claridad y detalle enumera y explica los objetos del culto que hay en un templo: *Ilé Oricha*. Nos habla de las «piedras sagradas» que se guardan «en soperas, antes en jícaras, en cazuelas o vasijas de barro». Destaca la importancia del maíz: «siempre tendrá maíz a mano un Padre o una Madre de Santo». Como ejemplo fehaciente del sincretismo religioso de nuestros negros —la fusión entre la liturgia de la religión católica y las prácticas heredadas de la tradición africana—, citemos lo que anota la autora al ocuparse de las imágenes de santos católicos que se encuentran en un *Ilé Oricha*: «hay imágenes de la Virgen de la Caridad del Cobre, la Virgen de Regla, la Virgen de las Mercedes, Santa Bárbara y San Lázaro, no sólo en los interiores de Santeros acomodados sino en muchas casas y en los jardines de innumerables devotos». Estas imágenes son «bajo un aspecto católico y con un nombre en español, los mismos *Orichas* lucumí. Sus equivalentes en tierra de blancos»[9].

IV - Ayuba. Moyuba. Ebé: Permiso. Oración.

El *Iyawó debe aprender lucumí para saludar, «reverenciar», a los Orichas*. Los saludos tienen gran importancia. Leyendo estas páginas comprendemos el significado religioso de una antigua costumbre —saludo—, que vimos practicar mucho en nuestros barrios: arrojar en la puerta de la calle un poco de agua «para mantener las casas frescas, para que no penetren en ella malas influencias».

Cada *Oricha* tiene sus oraciones propias, Lydia nos ofrece una lista de muchos de los «rezos —*ebé*— que se conservaron en Cuba». El sacerdote «dispone de un gran número de oraciones. Cada casa de Santo tiene las suyas».

V - Obí: Adivinación por medio del coco

El *Iyawó* debe aprender también a «tirar los cocos». Con ellos puede interrogar a los *Orichas*: «el coco puede hablar mucho con las cinco letras de que consta». El coco, inseparable de la liturgia lucumí «es ofrenda obligada a los muertos y a los dioses». Este capítulo recoge numerosas oraciones para tirar los cocos y la interpretación de las respuestas «de acuerdo con las posiciones que presentan al caer».

VI - Dilogún: Adivinación por medio de los caracoles

El *Iyawó* aprende realmente a hablar con los *Orichas* cuando sabe «manipular los caracoles, que son los portavoces de los dioses». Según Lydia, conocer a fondo este oráculo es tarea muy difícil. Dieciséis —aunque por lo general sólo conversan doce— deben ser los caracoles «arreglados» que reciben el nombre de *Dilogún* («debía decirse *meridilogún*, que en anagó quiere decir dieciséis»). Explica cómo se lanzan los caracoles «y por su posición al caer, unos por la parte superior y otros por la inferior, se interpreta su significado». La consulta, nos dice, «puede prolongarse todo el tiempo que juzgue necesario el augur». Abundan los refranes en lucumí que se aplican a una predicción o a un consejo[10]. Este capítulo contiene una información completa —la única—, que se ha publicado hasta la fecha referente al *Dilogún*.

VII - Los Pataki o Apataki: Ejemplos

Los *Pataki* son relatos antiguos «hoy los Santeros no los cuentan como antes . . . historias de cuando empezó el mundo, de cuando hablaban los animales y andaban los *Ocha* en la tierra». Son narraciones a manera de parábolas. «Ilustran mucho y explican por qué debe hacerse *ebó*, por qué en tal y tal circunstancia parecida sucedió lo que a uno puede sucederle.» Para Lydia Cabrera Los *Pataki* representan la rica cantera de la literatura oral lucumí, «y en este caso particular la que acompaña a la adivinación», especialmente al *Dilogún*.

Muchas de las narraciones que pasarían a formar parte de sus libros de ficción las recogió Lydia de las negras «de su casa», para transformarlas después en esas magníficas piececitas literarias que son sus *Cuentos negros de Cuba*: «Raro fue el tiempo en que las niñeras negras no fungiesen de Patronio con los niños blancos que tenían a su cuidado, acompañando un consejo o un regaño, una prohibición, con algún ejemplo tomado de la cantera africana que, por lo menos en nuestro caso, quedaba grabado en la imaginación infantil, que entonces encantaba Esopo, las *Mil y una noches*, Perrault, La Fontaine, Anderson y Grimm. 'No comas tanto; te va a pasar lo que a Kumanengue', y nos contaba la historia del glotón de Kumanengue, o de la niña que por desobediente se la robó un ogro de la noche»[11].

VIII - Ebó: Ofrenda. Sacrificio

Este capítulo nos explica «lo que se debe dar al Santo» según lo que éste nos ha dicho por las revelaciones del *Dilogún* para «aplacar la cólera de un dios, alejar o desviar una desgracia, conjurar la enfermedad o la muerte, modificar el destino, atraer la suerte, obtener, en fin, lo que se anhela».

Las limpiezas, purificaciones o despojos, son inseparables del *ebó*, por medio de ellos se gana la voluntad del *Oricha*. La limpieza tiene por objeto «prevenir o quitar un mal de cualquier género, de una persona o cosa». Según la creencia lucumí, un padecimiento o hechizo es transferible a un animal o a un objeto, de ahí que «el pollo o gallo que se pasa por el cuerpo del creyente en esta operación —limpieza o despojo—, recogen el daño y máculas».

Lydia menciona diversos y múltiples *ebó* que puede indicar el *Dilogún*. Nos habla de la costumbre, ya desaparecida, de vestir «el hábito de algunos santos católicos —el de San Francisco, Nuestra Señora del Carmen, San Lázaro, el de las Animas—, promesa usual de los devotos de los *Orichas*». Se ocupa también de cómo debe proceder una Madre o un Padre de Santo en una «rogación con ave».

IX - Eborí: Dar de comer a la cabeza

«Es de importancia vital para toda criatura humana cuidar de su *Eledá*.» El *Eledá* es una parte de la divinidad que el mismo creador nos entrega «para acompañarnos a lo largo de la vida», especie de Angel de la Guarda: «su función es la custodia de la persona». *Eledá* reside en la cabeza, por este motivo «la cabeza es objeto de la mayor atención por parte de los adeptos de la Regla Lucumí y nos explica por qué infunde tanto temor a las madres del pueblo que a sus hijos se les toque la cabeza». Nos informa de los ritos para cuidar de *Eledá* (la cabeza).

X - La Matanza

Minuciosas explicaciones de cómo se procede en los sacrificios de animales y su jerarquía: «los cuadrúpedos son los más importantes . . . las aves ocupan un segundo rango». Se ofrecen también jicoteas, frutas —«sobre todo el plátano, razón por la cual éstos nunca faltan en los *ebó*»—, golosinas y bebidas. Cada *Oricha* tiene sus animales o platos preferidos.

En las ceremonias de ofrenda por los muertos, «fiestas de Santo», se toca el tambor y se baila. Los muertos «de los blancos piden Misa. Los nuestros, tambor . . . Los tambores, las danzas, son esenciales en el culto de los *Orichas* y antepasados». Son tres los tambores sagrados. Los sacrificios se acompañan de cantos que inicia el *Babalawó* y contesta el coro. Este capítulo nos ofrece varios ejemplos de estos cantos ceremoniales.

XI - De la conducta de los Iyawó.
De las yerbas y otros conocimientos que deben adquirir

El *Iyawó* debe, en todo momento, observar una conducta honesta, para poder así «cumplir las funciones del sacerdocio a que Olorun los destina». Su conducta moral le permitirá ganar el favor de los *Orichas* y el respeto de los creyentes.

Las yerbas tienen una gran importancia en el culto de la Regla Lucumí, «la futura *Iyalocha* y el *Babalocha* deben conocerlas bien». En este libro la autora presenta una lista de las yerbas más conocidas, conocerlas todas parece tarea si no imposible, sumamente difícil: «cada *Ocha* tiene ciento una, dicen Achadí Orí y otros *Olochas*»[12].

«La imposición de collares es un rito que precede al Asiento.» Los collares o *ilekes* protegen al creyente. Es necesario seguir ciertos ritos —que en este volumen se explican muy bien— para ensartarlos como para imponerlos[13]. Hay también amuletos o «resguardos».

Según la tradición, cada día de la semana es regido por un *Oricha*: el lunes corresponde a Eleguá, Ochosi y Oko; el martes a Ogún; el miércoles a Changó; el jueves a Obatalá y Olofin; el viernes a Yewá; el sábado a Ochún y el domingo a Olodumare, el Todopoderoso. En los apuntes finales de este capítulo se pone una vez más de manifiesto nuestro sincretismo religioso: a los nueve días de morir un *Oloricha* o una *Iyalocha* debe celebrarse una Misa en la iglesia católica y terminada la ceremonia «trasladarse todos los asistentes, *iworos* y dolientes, a la casa del difunto para el *itutu*[14]: ofrecerle *obí . . .*» (Esto sin mencionar las múltiples correspondencias númericas y simbólicas o las populares novenas —nueve días de rezos y oraciones— que preceden a tantas fiestas religiosas del santoral católico). Lydia nos dice que en la Regla Lucumí «no puede recibir collares ni Asentarse quien no esté bautizado por la Iglesia». «Para que un amuleto sea operante no faltará en su composición agua bendita de la Iglesia, y con frecuencia se introducen en ella escapularios.»

Apuntes finales

Por su intención y su contenido *Koeko Iyawó: Aprende Iyawó*, resulta realmente un tratado breve de Regla Lucumí. Lydia Cabrera continúa en sus libros la labor iniciada por Fernando Ortiz en cuanto a romper «los prejuicios de una mentalidad todavía provinciana y mal informada, que lejos de estimular el interés de posibles investigadores, lo desvían como algo vergonzoso»[15]. Muchos estudiosos de la literatura consideran su obra como «popular», acaso porque en sus páginas quedan registrados los temas del folklore negro. En sus trabajos lo popular es el resultado de largas y complejas reflexiones estéticas. Guillermo Cabrera Infante afirmó: «el mejor libro cubano de todos los tiempos fue escrito por una mujer: *El Monte* de Lydia Cabrera»[16]. Pierre Verger señala que «no son sus libros un exponente frío y pedante de sus investigaciones, es una profunda integración espiritual en el mundo inmenso y poético de las mitologías africanas»[17]. Lydia Cabrera consigue transformar los materiales de su experiencia producto de sus investigaciones y por virtud de su arte de escritora, les confiere el valor estético que logrará preservarlos, para poder transmitir a las generaciones futuras este rico arsenal de estudios de nuestro folklore negro.

Finalmente, sólo me resta agradecer el honor que me ha hecho Lydia Cabrera al pedirme que escriba el prólogo de *Koeko Iyawó: Aprende Iyawó*. Su amistad me enorgullece; mi deuda de gratitud hacia esta mujer cubana es muy grande por lo mucho que debo a sus enseñanzas y su afecto.

Rosario Hiriart
Nueva York

1. Francisco Ayala: «La nación argentina de Eduardo Mallea», *Los Ensayos*, Madrid, Aguilar, págs. 1239-1240.

2. Lydia Cabrera: *Yemayá y Ochún*, Prólogo y Bibliografía de Rosario Hiriart, Madrid-Nueva York, Torres, 2da. edición, 1980, pág. 17.

3. *Ibid.*, pág. 19.

4. Rosario Hiriart: *Lydia Cabrera: Vida hecha arte*, Madrid-Nueva York, Torres, 1978, págs. 24-25.

5. Lydia Cabrera: *El Monte*, Miami, Colección del Chicherekú, 1971, pág. 10.

6. *Ibid.*, pág. 8.

7. *Ibid.*, pág. 7.

8. Lydia Cabrera: *Anagó, vocabulario lucumí*, Miami, Colección del Chicherekú, 1970, pág. 9.

9. Insistiendo en el sincretismo religioso de nuestro pueblo me parece pertinente esta nota: «Si algún foráneo, en ayunas de esta influencia profunda que las creencias religiosas de los africanos importados a Cuba desde los albores de su historia han ejercido tenazmente en el misticismo de nuestro pueblo, se hubiera hecho transportar a Regla el ocho de septiembre con ánimo de presenciar una fiesta católica, su asombro no hubiese tenido límites al ver desfilar la procesión que, danzando al son de los *Batá*, los tres tambores litúrgicos yoruba, y entonando cantos (*oriki*) en 'lengua lucumí', conducía una imagen de la Virgen desde la casa o Cabildo de una santera hasta las puertas de la iglesia, donde era recibida por su sacerdote católico . . .»: *Yemayá y Ochún*, Op. cit., pág. 17.

XIV

10. Véase Rosario Hiriart: *Lydia Cabrera: Vida hecha arte*, Op. cit., págs. 44-46.

11. *Ibid.*, pág. 45.

12. Para una relación más amplia de las yerbas y plantas medicinales debe consultarse *El Monte*. Op. cit.

13. Véase «Imposición de collares» en *Yemayá y Ochún*, Op. cit. págs. 120-127.

14. Véase «La entrega. El último rito. Itutu», *Yemayá y Ochún Ibid.*, págs. 342-359.

15. Lydia Cabrera: *La sociedad secreta Abakuá*, Miami, Colección del Chicherekú, 1970, pág. 8.

16. Rita Guibert: «Guillermo Cabrera Infante», *Seven Voices*, New York, Vintage Books, page 388 (La traducción es nuestra).

17. Pierre Verger: Contraportada de *Yemayá y Ochún*, Op. cit.

Por qué se publican estas notas

Sin duda una de las cosas curiosas que al observador le ofrece Miami, capital del exilio, refugio de más de medio millón de cubanos que en menos de veinte años lo han transformado de villorio en ciudad, son los comercios llamados Botánicas, aunque en éstas no se ve una sola planta. A ellas van a proveerse hispano parlantes de todos colores, inconfundiblemente *cubans* devotos de los «Santos» lucumí y practicantes, hasta ahora taperujados, de la magia conga; los primeros, de cuanto se necesita para el culto a los *Orichas* («Santos»), y para sus artes mágicas, los segundos.

Allí alternan con una serie de objetos sin sentido para el profano, soperas de todas calidades, la flecha y el arco del dios Ochosi, el rostro de perfil, en cerámica, de un indio, la manteca de coco, de corojo y de cacao, el Agua de Florida, los perfumes que alejan de las casas las malas influencias y atraen las buenas, como la mirra y el incienso, las imágenes de bulto de todos los tamaños, de Santa Bárbara, de la Virgen de Regla, la Caridad del Cobre, del Santo Niño de Atocha y de San Lázaro; las oraciones de la Iglesia, los libros de Allan Kardec, la estatuilla del Hermano José, etc., etc.

En una de esas Botánicas me enteraba con sorpresa al contemplar en primer término de uno de sus anaqueles, que el popular Amansa Guapo se utilizaba ahora en *spray*. La Santería, evidentemente progresaba. No pude contener la risa al verlo así manufacturado, recordando la virtud que nuestro pueblo le atribuye a esta planta humilde y a la vez tan poderosa, cuando una mujer de color, ya entrada en años, se allegó a mí y me dijo confidencialmente:

1

«¡Esto nuestro se acaba! ¿Verdad que sí? ¿Ta mirando? Ahora aquí ya todos son Santeros y Santeras, para hacer dinero, y lo peor es que no saben ná, señora. ¿Puede usted creer que ya no saludan ni le hablan a los Santos en lucumí? No rezan, no contestan los cantos, claro está ¡si no saben nada! Y los padrinos y las madrinas, y hasta muchos que sí conocen su religión, se han echado a perder y no enseñan a sus ahijados, para aprovecharlos. La *Yawó* no aprende ni a dar coco ni a *moyubar*, a decirle sus palabritas en lengua a su Santo, que es lo que al Santo le gusta y es lo que debe de ser . . .»

Para consolarla hubiera podido recordarle que ya nuestros sacerdotes no dicen la misa en latín.

Era sincera la inquietud que reflejaba su rostro simpático al darme estas quejas. Otras semejantes, sobre la ambición desmedida de los Santeros, se dejan oir insistentemente.

Esta fidelidad al ancestro, esta preocupación por conservar puras sus creencias y tradiciones, los ritos que no admiten otro idioma que el lucumí (*yoruba*), no podía menos de conmoverme, a mí, que a lo largo de mis encuestas admiré siempre el amor respetuoso que sentían por su tierra de origen los descendientes de africanos en Cuba, y me indigna, más bien me entristece, la indiferencia, el despego que ya muestran tantos compatriotas nuestros por sus raíces; el castellano que hablan algunos «cubichiches», que hasta tartamudean imitando a los yankees, buscando la palabra que no les cuesta trabajo encontrar, pues la mayoría son más ágiles de mente que sus modelos, y constatar la pérdida gradual de ciertas cualidades.

Las observaciones de esta buena mujer que no conozco, y la coincidencia poco tiempo después, de encontrar en una vieja maleta un montón de fichas que datan de los años felices en que recogía voces *yorubas*, estas que no aparecieron entonces entre las que incluí en mi libro *Anagó*[1], me animaron a publicarlas.

Provienen en su mayoría de la provincia de Matanzas, en la que algunos viejos *Olorichas* muy estimados, se preciaban de hablar el mejor lucumí, «el de Oyó», aseguraban. Por su parte Ayalúa y Saibeke me facilitaron copias de los cuadernos originales de vocabularios que conservan preciosamente, uno de ellos dado a Sixto Samá por su padrino, «que era muy sabio, vino de Sierra Leona, sabía escribir y falleció cuando do explotó el Maine en el puerto de La Habana».

Otros que se decían descendientes de *egbas, yesa, ketu, iyebu takua, sabalú*, etc., me dictaron gran número de voces.

«¿Y los *yoruba*, quiénes eran? Nunca se los oí mentar a mis viejos.»

Muy interesante que la misma pregunta e idéntica respuesta aparecen repetidas veces en mis fichas. Los viejos de Cuba no conocían esa denominación.

2

Sobre mis ulteriores conocimientos del idioma lucumí, perdón, sobre el *yoruba*, lamento tener que confesar lo mismo que hace largos años. ¡No sé nada! Continuo escribiendo las palabras tal como se las oía pronunciar a mis informantes. No disponía en aquellos tiempos de una grabadora, lo cual no hubiese agradado nada a mis amigos, se habrían mostrado muy reticentes, y me convertí en grabadora, escribía cuanto oía. Deliberadamente no poseía un diccionario, ni traje al exilio el de inglés-*yoruba* que Pierre Verger tuvo la gentileza de enviarme poco antes de mi partida de Cuba.

Saber que se habían entendido en Nigeria las voces contenidas en *Anagó*, según me escribió Verger, y que los criollos que tuvieron allá en Cuba contacto con marineros *yoruba* que solían ir al puerto de Cárdenas, y que aquí en Miami y en New York pueden cambiar impresiones y entenderse con ellos sobre su religión —«le dicen a Eleguá lo mismo que nosotros», nos cuenta con emoción Luis Herrera— me impulsa a ofrecer estas notas a los celosos conservadores del legado cultural de sus antepasados, en el exilio y tan temerosos como la mujer de la Botánica, de la intromisión en la Regla —Regla por religión, como se decía antes y no Santería— de individuos desaprensivos y de blancos charlatanes.

Para los *Iyawó* que desean de veras *soro anagó, edenia arogbo, koeko*[2], y para cuantos se interesan por el estudio de la Regla lucumí tal como secularmente se practicaba en Cuba, añadimos al vocabulario que les ofrecemos al final de este volumen las informaciones que sobre las funciones del sacerdocio, —adivinación, purificaciones, rogativas, sacrificios (*ebó*), imposición de collares, rezos que acompañan cada rito, etc.— que nos facilitaron los viejos inolvidables que nos acordaron su confianza. Como siempre, a ellos les cedemos la palabra en las páginas que siguen.

El interés y el valor que este libro puede tener para creyentes, estudiosos o . . . curiosos, estriba en el cuidado que ponemos en no alterar el pensamiento, los conceptos, el sentir, los modos de expresión de quienes nos hablan. Ese ha sido siempre nuestro propósito: la más exacta transcripción, aun a riesgo de aburrir o confundir en ocasiones al lector, de todos los documentos vivos consultados desde que nos asomamos al mundo insospechadamente rico, y entonces secreto, —¡y no hicimos más que asomarnos!— cuyas puertas nos abrieron hombres y mujeres muy humildes, de piel negra, claveros que con tanto amor las guardaban.

Aunque en este país todo se adultera y se pierde, recuerden los *Aborichas* que quejas muy semejantes a las de la desconocida de la Botánica, también se escucharon siempre allá en Cuba; piensen para consolarse, que también han cruzado el estrecho *Babalorichas* e

Iyalochas, que seguidos y protegidos por sus *Orichas*, defienden su Regla con sincera honestidad. No siempre los viejos tienen razón al decir de los jóvenes «de los nuevos»: *Omó oguru abosayé ochano* . . . esto es: que echan a perder la religión.

I
Iyawó: El que ha sido iniciado

Si a alguien por pura curiosidad, le intriga el título de este libro, pierde algunos minutos en hojearlo y se pregunta qué significa este nombre, *Iyawó*, sepa que es el que se da a esos hombres y mujeres de cualquier edad, a veces niños, negros, blancos y mestizos, que veíamos en Cuba transitar por las calles —buscando el lado de la sombra—, en las iglesias, preferentemente en la del Espíritu Santo, y ahora, cada vez más numerosos, aquí en Miami, New York, New Jersey, California, Puerto Rico, vestidos y calzados impecablemente de blanco, las cabezas cubiertas con pañuelos blancos las mujeres, los hombres con gorras blancas. Han pasado por las pruebas de la iniciación en la Regla o religión lucumí, es decir, han sido «Asentados», han «hecho Santo», y durante un año deben adoptar este vestuario porque blanco es el color del *Orishanla Obatalá*, Dueño de las Cabezas, símbolo de su pureza inmaculada, y someterse a un régimen muy severo de castidad y abstinencia. En este período que sucede a la iniciación —*Kariocha*—, vivirán en olor de santidad, evitando el menor contacto que pueda mancharlos. Su cuerpo y su alma han de mantenerse limpios, y añadiremos que también su ropa, que cambian a diario. En el hogar separan sus pertenencias de las del resto de la familia y comen aparte. Solteros o casados, interrumpirán toda relación sexual. Nada impuro debe contaminarlos. No dirán ni oirán malas palabras. Las conversaciones de doble sentido no se tienen en presencia de un *Iyawó*. Los que saben de estas cosas los saludan con una ligera inclinación de cabeza, los brazos cruzados sobre el pecho. Los *Iyawó* no dan la mano, no abrazan ni besan. Para los *Iyawó* que trabajan fuera de casa, a veces son muy difíciles de cumplir estas obligaciones, pero en la medida de lo posible se vencen las dificultades, y cuando terminan las horas de trabajo, revisten su traje de azucena y recobran su aire comedido, un tanto lejano, que suele caracterizar a quien ha sido escogido por una de las divinidades del panteón lucumí para que la adore particularmente o para que dedique por entero su vida al sacerdocio, en bien del prójimo que solicite sus auxilios.

En este último caso los *Iyawó* se convierten en Padres y Madres: *Iyalochas, Babaochas.*

Como toda iniciación, la del Asiento o *Kariocha*, supone la muerte y la resurrección de quien «nace en la Regla»; nace a la vida religiosa y muere a la vida profana. Por eso los *Iyawós* son considerados y tratados como párvulos los días siguientes al Asiento, a su nacimiento, —«son recién nacidos»— en el mundo de lo sagrado. También durante un tiempo los *Iyawó* quedan bajo la tutela del Padrino o de la Madrina, y con ellos los elegidos aprendían a continuarlos mucho más pronto que ahora. Las instrucciones que en nuestros días se les dan en una libreta antaño se escribían en la memoria del *Omó*, porque los *Oluko* (maestros) muchos de ellos no sabían leer ni escribir, y para saber no necesitaban de lo uno ni de lo otro. «En tierra de lucumís no se escribía.» Uno de mis viejos opinaba, quizá con razón, que leer confunde la mente del *Iyawó*. «*Omó* con libreta no hace esfuerzo para recordar», y, «nuestra religión se aprende oyendo y mirando», decía Odedei.

Desgraciadamente la tradición oral se pierde y vale la pena de trasladar al papel las enseñanzas de los viejos para los que quieran saber, y para los incautos que caen en manos de charlatanes y explotadores que les piden sumas exageradas para Asentarlos, la mayoría de las veces sin necesidad. Por puro afán de lucro. Las divinidades autorizan a sus sacerdotes a cobrar «sus derechos» (honorarios), proporcionándoles así los medios de sostenerse honradamente cuando «el Santo no les permitía trabajar»; pero no les permite robar. Claro que todo tiene un precio, —«en las iglesias ¿no se pasa el cepillo?»— pero si un indigente ha menester de una «limpieza», debe darle un gallo a Changó, un pollo a Eleguá para que le abra la suerte, y aun algo más importante, un carnero, y si no tiene dinero, se debe hacer cómo se acostumbraba antes: «no se le cobraba». Pagaba cuando podía, cuando veía el resultado del «trabajo del Santero».

Consecuente con su responsabilidad y deberes paternales los Padrinos y Madrinas no esquilmaban al ahijado o a la ahijada; su deber sagrado es cuidar de ellos, protegerlos, aconsejarlos.

El *Ilere* o templo lo constituía una familia espiritual más o menos numerosa y bien llevada, de padres e hijos respetuosos y de hermanos que se amaban y ayudaban mutuamente. Este sentido de fraterna solidaridad será extensivo a todos los que rinden culto a los *Orichas*. Pero . . . —«Las cosas aquí no han variado mucho», se comenta. Lo primero que se le inculcaba a los futuros *Olorichas* era, como condición imprescindible para ser oído y amparado por los dioses, la de ser honrado y abrigar buenas intenciones, imponerse la obligación de ser veráz, justo y compasivo. «Respetar a los mayores en edad, saber y gobierno». Son estos los principios, y no dejarán de ser, —pues de abandonarse perecerá la Regla, vaticinaba Olodomí— que deben observar y en los que se inspirarán para bien propio los *Iyawó* que un día *Oriché*, «trabajarán Santo».

Hace largos años, refiriéndose a los malos Santeros, una *Iyá* muy respetada, F. Diago, sentenciaba: «*eto pa cha buruka eñakán lo ni buruku tó umbo ni pa ko*», y traducía: el mal que se le hace al prójimo, así caerá por la mano de Dios sobre el que lo hizo.

II
Ilé Oricha: Templo y sacerdocio

El templo, localizado en la misma casa del sacerdote, recibe el nombre de *Ilé Oricha* o de *Ilere*. La habitación en que se practican los ritos de iniciación y otros: *Igbodu*. *Niyara Ocha, Iporicha*, no son denominaciones corrientes. El Santero, o mejor dicho, Padre de Santo: *Oloricha, Babaloricha, Baba Ocha, Abiocha, Oluboricha, Iworo, Oricha Awó, Olúo*. La Santera o Madre de Santo: *Iyaloricha, Iyalocha, Mama Locha*. La de mayor edad: *Iyaré*. Las *Iyalochas* viejas, importantes: *Abilolas*.

Asistentes de la *Iyalocha*, que cuida del neófito o *Iyawó* durante el proceso de la iniciación o Asiento: *Oyugbona, Oyigbona*. *Yubona* es también una *Iyalocha* de experiencia y su responsabilidad es mucha. Se le dice Segunda Madrina de Asiento. *Babalorichas, Iyalorichas*, adivinan por medio de *cauris*, caracoles importados de Guinea.

Mandadero o persona de confianza del *Oloricha* o de la *Iyalocha* para ciertos menesteres delicados del culto: *Onché*.

A la cabeza del sacerdocio está el *Babalawo*, el supremo adivino, representante en la tierra del *Oricha Ifá, Orúmila, Orunla*, «secretario de Obatalá».

En una habitación de su casa se desarrollan los ritos de *Ifá*, y ésta se llama: *Nibodo*.

Awó es el *Babalawo* que ha sido Asentado antes de ser consagrado *Babalawo*. Estos pueden presenciar las ceremonias de la iniciación en los *Ilé Orichas*. Adivina con una cadena semejante a un rosario con ocho glorias que algunas son de metal, de semillas de mango —*Irú Oro*—, otras de pedazos de carapacho de jicotea o de dientes de

caimán, y según viejos informantes, antaño de pedazos de marfil —*eyirin*—. Esta cadena que «es hembra de un lado y varón de otro», recibe el nombre de *Okpelé* u *Okuelé*. El *Babalawo* adivina también con dieciséis *Ikis* (semillas de palma).
Su tablero de adivinar se llama *Até*. *Okpó Ifá*.
El que recibe *Ifá*: *Ifabori*.
Hijo de *Ifá*: *Omó Ifá*.
La mujer que cuida de *Orúmbila*: *Apesteví*. Debe ser hija de Ochún.
Mandadero del *Babalawo*: *Agbe*.
Devotos de los *Orichas*: *Alawo, Aboricha, Isayu*.

FUNCIONES DE OLORICHAS E IYALOCHAS

Estas consisten en adorar, atender privadamente el culto de su *Oricha*, si como señalamos al comienzo, el *Iyawó* ha sido elegido por el dios para cuidarlo, no puede en este caso ejercer el sacerdocio, es decir, satisfacer consultas y practicar los ritos que conllevan. Se limita a ofrendarle, a alegrarlo con una fiesta de tiempo en tiempo, o cuantas veces pueda sufragarlas, y a cumplir cuanto le ordene. Esta *Iyawó wo che to Ocha*[3]. Tiene acceso, puede presenciar las ceremonias vedadas a los no iniciados. Si su *Ocha* dispone que «trabaje», —*un wá ti ochiché Ocha*— que su *Omó* se dedique al sacerdocio, «porque lo trae marcado de arriba, para que sea su instrumento, haga el bien a sus semejantes aconsejándolos, curándolos, alejando de ellos el mal», no podrá oponerse a su voluntad. Así occurría cuando no había tantos Santeros . . .

«Por razones de salud se imponían los *Ileke* (collares), se hacían medios asientos, pero como todo el mundo no nacía para *Oloricha* no se asentaba a quien no había por qué. Hacer Santo era una necesidad, no una moda».

Una moda peligrosa ahora, porque lo de menos es que con los precios que se piden aquí en el exilio por un Asiento —cuatro o cinco mil dólares, tres mil haciendo un favor, diez mil y quince mil por una ordenación de *Babalawo* sin *Olofi*, es decir, ilegal— se arruine el devoto y se enriquezca tan pronto el Santero, sino porque «le trastornan el güiro; su *igba lorí* —la cabeza—». Güiro le llamaba a la cabeza Mamá Adé.

Es lógico pues, que las *Iyawó* que elige el *Oricha* para *Iyalochas*, aprendan a saludar, a reverenciar (*ayuba*) y a rezarle en su idioma a los dioses, como lo han hecho a través del tiempo los descendientes de lucumí.

¡*Koeko Iyawó!* (Aprende *Iyawó*).

EN EL ILE ORICHA - SALUDOS

Saludar al *Oricha: Kiloricha.*

Saludar el *Omó,* y el devoto postrándose a los pies del *Babaloricha* o de la *Iyalocha: Foribale, Fibale, Mo foribale, Dobale, Odobale, Balé.*

El *Oloricha* que cuenta menos años de iniciado, «de nacido en *Ocha»,* saluda al que cuenta más que él y debe considerar mayor, echándose de bruces al suelo: *Mo foribale.* El mayor, que de acuerdo con la verdadera edad del menor es más joven que éste, le apoya cortésmente su mano en el hombro para impedir que se eche al suelo. Si es más joven le dice: *Didé nile.* (Levántate del suelo).

De rodillas, arrodillarse: *Kunle.*

Bendición: *Iferesi.*

Recibir la bendición de la Madrina o del Padrino: *Ache mí. Akuleyán.*

El *Babalawo* que cuenta menos años sirviendo a Orula, saluda primero al mayor. A *Ifá* y al *Babalawo* se le dice: *Olúo Iboru, Iboyé iboyá ború bochiché.*

Al *Omofá,* hijo de Orula que es *Foka,* que posee sólo «media mano de *Ifá»* —que está parcialmente iniciado— se le saluda tocando el suelo. Se dice: *Oburu loyá.*

A los hijos de Santo se les dice añadiendo a la voz *Omó* —hijo— el nombre de su *Oricha* tutelar: *Omó Changó, Omó Ogún, Omó Obatalá, Omó Yemayá, Omó Ochún,* etc.

Creyentes, practicantes, asiduos al templo: *Enisín Oricha, Isayu, Aboricha, Chayu.*

Visitantes, forasteros, «gente que viene de fuera»: *Awoni, Aleyo. Aleyo* es también un desconocido, un extraño ajeno al *Ilere.*

Los que no están iniciados, «no tienen Santo hecho»: *Aberikulá, Taino, Eniferí.*

III
Lo que se encuentra en un Ilé Oricha

Allí, en una habitación de la morada de *Babás* e *Iyás* se guardan las piedras sagradas del culto, *Otán Oricha*, en que se han fijado las divinidades para proteger a sus *Omó*, y ser adoradas por ellos, recibir ofrendas y sacrificios —*ebó*— de cocos, frutas, aves y animales de cuatro patas (perros, chivos, carneros, venados, en ocasiones cerdos). Estas piedras, habitáculos de *Orichas*, no son grandes, pues se tienen en soperas, antes en jícaras, en cazuelas o vasijas de barro; las de algunos dioses en «bangaños», bateas de madera y en unas tazas grandes de loza llamadas «tazas bolas», que ya no se encuentran. En la actualidad, a las soperas corrientes y tradicionales de loza blanca, han sucedido en el exilio las ostentosas, caras y discordantes de Limoges y Capo di Monte de las prósperas Botánicas. Antaño en todo tipo de vivienda se colocaban directamente en el suelo, o como hemos visto en pueblos de Matanzas, en una plataforma de ladrillos. Lo usual en La Habana, —Guanabacoa, Regla— y aún aquí, es tenerlas adornadas con los collares de cuentas de colores correspondientes a cada divinidad, en los *Apotí-Oricha*, canastilleros, por lo general armarios en forma de rinconeras, que guardan también sus atributos, *Fifuni*, en lucumí, y en el lenguaje corriente de la Santería, «las herramientas de los Santos».

Ante el canastillero, para invocar a los *Orichas* varones y que presten atención, se halla siempre una maraca, el *acharé* o *chaichá*, y para las diosas Yemayá y Ochún una campanilla de metal. La de Obatalá es curva. Para llamar a Eleguá, a la antigua usanza, un pito: *sufe*. Se le invoca con un silbido o golpeando en el suelo.

No descuidaban algunas viejas *Iyalochas* de tener a mano un mazo de cascabeles para auyentar los malos espíritus. Se llevaban con frecuencia cosidos en los bordes de la enaguas y les daban, unas el nombre de *pariwo*, otras el de *chaworo, chekecheke, cheriwó ichabaró*. En algún rincón veremos un *odo*, un pilón.

Siempre había en el *ilere* una buena reserva de velas, *ataná, itaná*. Una botella con agua bendita: *Bé tutu*, u *omí ilé Olofi*. Y tabaco, *achá*, y en todo momento *obí*, coco, —«sin coco no hay Santo»— para ofrecerla al *Oricha* y para interrogarlo, pues sin la aprobación de las divinidades la *Iyalocha* ni la *Iyawó* han de emprender nada.

Algodón: *ou*.

Jutía: *eku, ekuté*.

No faltaban en el *Iyara* tradicional, abanicos, —*abebé*— para refrescar a los *Orichas* cuando estos se manifestaban enojados o simplemente acalorados. Mantones para Yemayá y Ochún, para Changó un delantal o pantalones cortos o de bombacho rojos, y *oché* o *kumanbowo*, un cetro. Otro cetro para Obatalá, *opa, ite Oba*; un bastoncito, *lemo* o *alisbo* para Eleguá; un *iruke* para Oyá . . .

Iruke: cada *Oricha* ha de tener el suyo. Estos *iruke* son rabos de vaca, de buey o de caballo, con los mangos adornados con caracoles y cuentas de los colores simbólicos de los dioses: azules y blancos para Yemayá, rojos y blancos para Changó, de todos colores para Oyá, blancos para Obatalá, amarillos y verdes para Ochún, negros, y negros y rojos para Eleguá, etc. Son espanta moscas . . . «Espanta malo y todos los Santos los usan.»

Allí estará la estera imprescindible, *eni*, la fresca estera de paja que vendían los chinos, que no faltaba en ninguna antigua casa cubana, y que extiende el *Olocha* para interrogar a su *Dilogún*, dieciséis *cauris* que auguran, pero que de éstos, a lo sumo hablan doce.

El bolso en que los guarda y que debe tenerse siempre en el cuarto de los Santos, se llama *apotí dilogún*.

Pescado ahumado: *eyá wiwí*.

Cascarilla de huevo: *orí*.

Ekrú: una pasta de frijol de carita.

Ekó: una pasta de maíz. El *ekó* es importantísimo, afirman los viejos, porque en cualquier momento inesperado puede ser indispensable. Cuando lo exige un muerto, y entonces, mezclándolo con limo de río, se riega en el *ilé*. Para evitar o terminar a tiempo una riña se emplea añadiéndole a la fórmula anterior manteca de cacao y cascarilla en pequeña proporción, bledo blanco o prodigiosa. Con miel, se le ofrece a los *Orichas*, y a esta composición se le llamaba *saraeko*.

Con el mismo fin de derramarlo por toda la casa cuando lo pide Eleguá y porque es muy grato a Babalú Ayé, siempre tendrá maíz a mano un Padre o una Madre de Santo. Aunque en este punto varían las opiniones, unos *Olúos* dicen que el maíz debe ser tostado, y así tienen por costumbre tostarlo.

Se veía en Cuba colgada detrás de las puertas de entrada de los *ilé* más tradicionales de *Olorichas* y devotos, una mazorca de maíz: *agbado, aguadó, eguadó* para Babalú Ayé u Omolú (San Lázaro), y un pan, o bien su emblema o atributo, una escoba en miniatura: *ajá, akisa.* Para buena suerte, se veía mucho en las primeras décadas de este siglo, en las casas del pueblo, una herradura de caballo: *echín batá*, clavada detrás de la puerta o en la pared. Claro que éstas ya no se encuentran en las calles en la posición favorable al afortunado transeúnte dibujando una U frente a él, y las que se conservan son inapreciables. Al desaparecer los caballos en las ciudades desapareció esta superstición.

Junto a la puerta, oculto en un velador, está Eleguá, el portero, el guardián del *ilé*, la piedra con ojos y boca de caracoles que lo representa. Eleguá no consiente estar tapado en sopera y todavía prefiere una cazuela de barro.

Abundaban en Cuba, y no hay por qué hablar en tiempo pasado, aquí advertirá el curioso ajeno al sincretismo religioso de nuestro pueblo, la presencia de estampas —*ere oibo*— e imágenes católicas de bulto, a menudo de tamaño natural de la Virgen de la Caridad del Cobre, la Virgen de Regla, la Virgen de las Mercedes, Santa Bárbara y San Lázaro, no sólo en los interiores de Santeros acomodados sino en muchas casas y en los jardines de innumerables devotos.

Para quienes lo ignoren, estas imágenes de nuestro Santoral son bajo un aspecto católico y con un nombre en español, los mismos *Orichas* lucumí. Sus equivalentes «en la tierra de los blancos».

Cuando el africano oraba ante el altar de los amos, se hincaba ante el Espíritu Santo, Dios Nuestro Señor era el mismo Olodumare u Olofi, el Creador. Echu, Eleguá, el Anima Sola, el Niño de Atocha, etc. (Eleguá cuenta muchos «caminos», avatares y aspectos). Ogún - San Pedro. Ochosi - San Norberto. Agayú - San Cristóbal. Babalú Ayé, Omolú - San Lázaro. Oricha Oko - San Isidro. Orúmbila - San Francisco de Asís. Odua - San Manuel. Obamoró - Jesús Nazareno. Ochagriñá - San José. Agidai - San Bartolomé. Inle, Erinle - San Rafael. Ibeyi - San Cosme y San Damián. Osain - San Silvestre, San Ramón *non-nato*, San Ambrosio. Iroko - San Tobías. Changó - Santa Bárbara. Obatalá - Nuestra Señora de las Mercedes. Yemayá - La Virgen de Regla. Ochún - la Caridad del Cobre. Oyá, Yansa - La Virgen de la Candelaria (Santa Teresa en la provincia de Santa Clara). Yewá - Nuestra Señora de Monserrate. Oba - Santa Catalina. Awañi - La Virgen del Rosario. Alaguema - Santa Filomena.

Estas asimilaciones varían según las provincias y suelen confundir.

IV
Ayuba. Moyuba. Ebé: Permiso. Oración

La *Iyawó* llamada por Olodumare para ejercer el sacerdocio debe esforzarse en aprender a *moyubar* en lucumí, esto es a reverenciar, a «saludar, pedir permiso» a los *Orichas*.

Derramando tres libaciones de agua en el suelo, *moyuba* para implorar la protección divina y ejecutar cualquier rito.

Diariamente, para mantener la casa fresca —*tutu*—, para que no penetren en ella malas influencias, arroja en la puerta de la calle un poco de agua y reza: *Chibú meta dié omi tutu ilekun mi gbogbo ilé tutu. Orí tutu, okán tutu. Ache díe. Omo tutu, Aché. Gbogbo wani tutu. Awó aikú Baba wa.*

Saluda el día, *Alarun*, al Sol, *Oru*, «que en la luz del sol se recibe la bendición de Dios».

Todos debemos saludar y pedirle a Orun, que nos da la vida, «para eso no hay que ser *Yawó*», nos enseñaba una descendiente de lucumí por los dos costados: «coja una jícara, eche tres poquitos de agua en su puerta, salga al patio por donde da el sol y aprenda a decir: *Sabó rimi omodé ilé ekuedún gbogbo kuedún ayayai dun aya mi edun Olofi oto Olofi omó arikú Babá*».

Se dice también: *Okán yedún dodu emi ké ka firé oku adé.*

O brevemente: «*Kuekue edunbobó juedún ayeyai edún.*»

Permítasenos esta disgresión: —«*Edun* y *Odo*», nos explica Gaytán, «quiere decir año. *Orumole*, luz del sol, y día se dice *oyo*. Pero todo en la naturaleza se saluda . . . Se saluda al río, al mar, los árboles, la luna, el arco iris, todo eso.»

Otro viejo de los Herrera saludaba así al Año Nuevo: «*E ku edun eku aya iya mo dún ka yifó edun ka yi fo edun ka yi wa bo ka maye te kun ka ma ku lo mo dé kama do wo so si kama fo pata leni mo ye bo.*
—¿Qué se le dice al Año Nuevo?
—Pues que nos traiga a todos salud y suerte, no la muerte, que nos permita vivir años tras año, mes tras mes, semana tras semana. Aprenda: *Ekuyé duni oro dun to dun, aya niya madun odun té ímbo ko yo ba ni awara wa pada ko ma teté kuo.*
   A todun todun
   A tó ché toché
   A tó si tosí.

Los *Ikú*, los muertos se *moyuban* primero: *Bo wo Ikú, mbelese Olodumare, ayuba ibaé bayé to nú.*
Una *Iyá* muy meticulosa, oriunda del Perico los saludaba así: *Ayuba Ayaí amina ayuba Otoloñú ayuba. Adufe ayuba. Bamboché ayuba. Chailu ayuba, ibaé bayé to nu bowo okú oluo belese Olodumare. Kosi iku, kosiaro, kosi eye, kosi ofo. Arikú Babawán.*
Ahijados, Madres y Padres de Santos saludan siempre a sus Padrinos muertos y vivos y en sus rezos les piden a todos su *aché* y su bendición: *Aché bowó iworo. Kinkamaché Odedeí. Kinkamaché Omilana. Kinkamaché Echubí.*
Así se dirigía uno de los Hernández después de invocar a Oludumare, a Obatalá y a Changó, al *Egu* (espíritu) de su Padrino difunto, de su *Oyugbona* y de otros *Olorichas* desaparecidos: *Maferefún Olofi, Maferefún Obatalá. Maferefún Changó. Mo yuba Ayaí. Mo yuba ateketé. Mo yuba Ochún-Miwá. Mo yuba kikiló. Mo yuba Changó Gumá. Mo yuba Omi Saya keke ibé Ogún Ara. Onu mbelese Oludumare kinkamaché Omilana, kinkamaché Changó ladé. Kinkamaché Oyugbona Omí Tolú. Kinkamaché Olúo.*
«Sin cortesía o humildad», advierte una viejita de Regla, «no se *bere* —no se le implora al *Oricha*— y sin respetar muerto no se vive en paz.»
Ya Echubí en una de mis primeras visitas a un templo me explicó cómo debía saludar inclinándome —*kunle*— ante las soperas que guardan las piedras sagradas, tocando el suelo con las yemas de los dedos y besándolos después. En aquella ocasión le había dado pena pedirme que hiciese un *foribale* en toda regla, esto es echarme al suelo de bruces, pues no sabía cómo yo lo tomaría.
A petición mía Soidé me enseño también a expresarles en voz baja mis respetos a sus divinidades. Podría decirles, por ejemplo: *Gbogbo Oricha ha agba mo bebe yín:* a todos los Santos mi devoción. Y pedirles: *Asa mi Oricha mio:* defiéndeme *Oricha. Ye mi be biyé ni de*

bobo mi: Santo, te ruego que seas bueno conmigo, me aumentes lo que tengo y me ampares. Los que visitan el *ilé Oricha* —son *aleyos, owono, aware*—, aunque completamente ajenos al culto deben mantener una actitud respetuosa. —«Esas personas que se meten en las casas de los Santeros cuando hay tambor, a bailar y a comerse la comida de los Santos, sin *tetité Ocha* sin adorar Santo, que es lo que quiere decir *tetité Ocha* o *aborí Ocha*, ¡que se anden con cuidado! . . .» que los *Orichas* difícilmente perdonan lo que se les antoja ser una injuria.

Después de *moyubar a* Olodumare y a los *Ikú* la *Iyá* o el *Babá* saluda a Eleguá, a quien Olodumare otorgó el privilegio de ser el primer *Oricha* que se saluda y que recibe las primicias de una ofrenda —«que come». Para saludarlo en las mañanas o a cualquier hora, y desde luego, siempre al inicio de un rito, retengamos esta breve oración que Niní la *Iyalocha* enseñaba a sus ahijados: *Eshu awo Eshu awo Lagwana Eshu awo oribó de ba ni Iyá toná da koma.*

A continuación ofrecemos a los elegidos de los dioses para ser sus *Iyawós* o futuros *Iyalochas* y *Babalochas*, —Padres y Madres de Santos— *Ayubas* y rezos que son tradicionales en los *ilere* de la Isla. En su mayoría nos fueron dictados por habaneros, matanceros y villaclareños de ambos sexos. Están tan cerrados los caminos para los cubanos que aportamos una larga lista con el fin de que Eleguá consienta en abrirlos ya sea por tierra, mar o cielo, «pues Eleguá tiene vara alta con Olofi». Dueño de los caminos los abre y los cierra a su antojo.

Eshu Beleke alaroye kiroché Babá wuona Inle Oricha modupé Babá akoko yumá mokuá eló sisé kuán kuá ona Babá.

Padre mío, que tu poder me abra el camino:

Elegbara mo yuba re Ibá ra wán agó mo yuba omade komadé koni koyú baragó Moyuba.

Bara Laroye Echu kaika lagwala un belekún sekun Laroye ún cheche anitán Olorín.

Mo kunlé Aroye wu orogó ye ma lé omo Eleguara, agó moyuba.

Eleguá awoyá ya mana osika kuboro kua kua rara koma ni komaná.

Echubaragó ago moyuba kibase omodé sile isu baragó Eleguara.

Elegba ago é, Elegba ago é, moyuba la osún Eleguá nita laroya sokú é Eleguá ni ta.

Omodé kosi baragó agó mo yuba Eleguá chulena.

Mo yuba Eleguá Laroye asa koma che icha fafa wara. Omi tutu ona tutu, obi tutu, Babamí.

Bara ago suayo ma kikeñao Echu odara bara awo suayo makikena Echu Babá yí rawo Eleguá awo Oricha.

Moyuba Eleguá moyuba Eluweko asi Osain matidié ekón Ogué mi lu titi Olubé re asere agó go Ayé mo yu agué kinsoro oyo obe litana eyegún soro eleté eganga le té lodi awo yudi obi ogodo oni kulenkue oma omo kulenkue Ogué be ori odo yawo. (Para Eleguá y para Changó).

Mi anu, kosi ku, kosi aro, kosi eye, kosi arayé, kosi achelu, kosi ofolu ele un afonfo moleí de lo omadé.

Eleguá Alagwana ata kokorí biya moni moni kondoro Aledó Echu re.

Laroye aki loyú oguro te te onu. Apagura aka ma sese. Arele tu se oba mulé omubata kolofofo, okoloñiñi. Toni kan ofo. Omoró gun, oyona Alayiki Mo yuba.

Eleguara ago é moyuba la osun Eleguara agó. Mo yuba la osun, Eleguara nita Laroye so ku é Eleguara nita Laroye soku é.

Alalé é lu ku pache awa meko. Mo yuba Eleguá Laroye asu koma ché iche fafa gu ara, Omi tutu, ona tutu, obi tutu, Babamí. Kosi ikú, kosi aro, kosi eye, kosi afolú ele un afonfó omolei de lo omadé.

Wé se Obara me fa pai be se kapu temi wanw gin sún ona wite Ogún eyo a brusu aún bame arayé oun egun semé ona che Olodumare.

Eleguá Alaroye Echu kaika la wala un belekun Laroye un cheché omi kanu nikun Olorín.

Eleguá oki boruo Eleguá ki boyé Eleguá oki bo chiché Ala koma kó ofo ofo re tu le obe bé niye ala mu lamu achuré aiko owo achuré achuré aiko achuré owo achuré omo adele wanto lokun Eleguá awó oguio gadá ala komakó ala mi lamu obebeniyo omó maratuno osa ko lumi ofofo ro tule loni soko umbelerín sokán arayé. Un sueyi komo mi kochi wayu koma keri keri agó odara Eleguá agó, omi tutu, ona tutu Alaroye obí kokoro bi yo bí Olodumare Baba mí obara nani koyu owo meyi okán delu Bara chechemí.

Eleguá ke boru ke boye tori tiru laya fi yo ru aré.

Aki boru aki boriabo bochiche ata so de alako ma ko ala ma ni ni bata lo idale ya koya wana oloku usukoni be le kun puku Alaroye ni mi eyo.

Alaguana ichi ago ti agongó Echu ayo ma weña mo yuba oluo, Moyuba Oyugbona mo yuba Iyalocha kinka ma ché moriku ka ma rano kama rafo kama ina kamara yí omo ile Laroye unlo arayé unlo ofo, unlo ke bo fé ogue boada.

Eleguá Erinayé ala kamikara beku Eba ye kaba ibá iba iye ekeriende Egu node yi ki ereofé ka yari ile tutu enu tutu ere lafín Orimaweye.

Bara ba najá mana kafún arifi ma sokun oko Ayagada itá meta di jo katá ago ogu lo dé eko ero Echu chacho koma keño. Obara kikeño kinkamaché kamariku kama ri ún ma marí eye, kamarí ofó kamariyé bi poná.

Oku Eleguá ire Oluwami te rí obe ide Oricha ka na wá bobo Oricha aladó Mo yuba mi Ocha iluni awa ete bu obe.

Eleguá ko ima agó agó Laroye akón akó niki baragó akon ko Eleguá Laroye Baragó baragó akonko agó agó Laroye boroku agó ibara boruku akutu laró ke kolo koruko Akutalaro Akuta Eleguá.

Eleguá obara agó kidúa didé emi fumi se tié omituto anatutu Eshu bara kikeño aña ago Orúmila kosi aro, kosí ikú, kosí eyé, kosi ofó, kosí arayé, kosí iña, kosí achalu ire owó ilemí.

Bara daku añale Echu Babá wa ra Babá wara egu bara Laroye asu ku ina achena usa yé wara ki ba ro Laroye Babá ala kamasi Echu ma bara kikeño. Kosi ikú, kosi aro, kosi ofó, kosi arayé enu, kosi ire ara ere kosi miche Elegbara gungate ma kua to Babá wara odo luma ferefún Echu mafere fún Obatalá, ma fere fún Olofi.

Echubí iche akua de su edo keché ofere mío akelo beru bolé oyi oro ofimiwo ochiché Orissa.

Echubí agogó Echu Alawana Echu agotigoyó Echu agomama keño moyuba Oyugbona, mo yuba Iyalocha kinkamaché kamariku kamarí oyo ko ma ofo ko ma ina, koma arayé, aro únlo ki ro fo ké wada.

Elegba agbo Obara layiki onibobe oko oba Alaroye obebe nijó apa gbara atunkan ma cheicha asokoloní apeye lo lá.

Echu barakikeño baralayike magá piwana Laroye atowá bi ya akon kabo oloyu fimene fakua bará atuku mo ché Echu ete wa biya.

Eleguá awa okidigaga alakó maku alu mubata obeleruyo ama sa tuna oko lu ni un bele mio Osun Laroye un su eyo kamakuín ko che wa yi re komo ma keni keke mi ago odaro Eleguá oriya alagaragara de alua yokuta ebi di esa Echu yiyé Ogún ochegún adosile akere opiko ye re dé tutu orí tutu tutu dagún aro ma wayi oché.

Agogo Echu Alagwana Echu agotigongó Echu ayo mamaweña mo yuba olúo Oyugbona moyuba, mo yuba Iyalocha kinka maché kamariku kamarano kamarafó kama enu kama arayé aro unlo un ló ofo ke bo fe ke boada.

Echu Bí oché aki dere odo kesi ofere mio akebo bembole oyí yibo ofé ungo ochiché Orissa.

Babamí Omibode Echu Atawana Echu Babamí obaroko yo odiyetan odiyeta kete Echuwana.

Eleguá charabó rayé Ochún kaikase iwala mi chelekún sakún Laroye un chiché aroni ka nu oni kundo un Eleguá Akiború aki abán bo chiche omami oma teyé oma atakasandi ala komakó olona mi eba tié adorida po ko ma kuna elekun un sun si imbeyesi su ko Alaroye un suyé.

Eleguá Obara Alayike Alaroye elekun usokun Alaroye Usokun se ye aki be yo osu kaka oya gada olufaná Kolaná ire fumi kamarikán, Echu kamari ikán arayé kamari ikan, afoyú ona kamarí ikán okiki ayé ke ite tutu ke ona tutu Eleguá olú loná.

Aroye Obara layiki onibodé oko agbana obebé niyo obebeniyo ra apa gbara atunkan mache icha asoko loni apaye lolá fiyedenu Eleguá.

Echu ade nge Echu Olawana Echu ada ti gogué Echu agó mana kene. Moyuba Oyugbona, moyuba kinke ma ché kamarí kuea ma ri aro ko obe ko, ina ko mo arayé aro unlo ikire fi ke awo dá.

Echu o bi bi ata eni are mo ni sún moni loro.

Echu elú kamachacha Onie e meni kando Iyé komo yagatá Eleguá Inku Laroye un egwé niga Alaroyí Ebe legüe epopó ni pe re epé penipó re da komo da komo efudá komo epé re añi ni epé re epá mo ru gún eyé omá.

Eleguá baralayikío Elekún un sokun Alaroyé un seyé akileyo Osukaká ayagada Echu cheketé ten be loná ke ilé tutu ke oná tutu Laroye ko osi ikú kooisí arun koosi arayé ke iré owó, ke iré omó ke arikú Babawá iagundelo tolokú.

Alaroye aki loyu Bara Barabá Echu bori Echu bo Echu bochiché Echu Echu Bara Bara kikeño.

Echu Laroye obe niyo onipá fa wora ana si ese atukán ma che ichan asoko loni afú eye niga niba odun oni ku mo ni kondori oún lo buele iki cha omá do aturé.

Baralayiki ené bedé ekaré ala mu lomó bata ala komakó atuké kama chacha eni semi meni meni kon duro eyé kama ya ga ta efefe efeni Eleguá nga bo ye Laroye ebe la we fumí tu eni adaseé.

Echu é biritu kama checha inisé meni kando eye komo ya ga ta Eleguá inka Laroye ún ewe niga Alaroye ebe lewé epo poni fere ejé jení feré da ko mo da komo efuda komo eferé eñiní eferefá monu gun oye oma.

Elegua orunaso alaká okasá baku aba iba yo ko ba iba Babá iba Iyá oguriode ogumó le akese apokayese ilé tutu tutu ona tutu oda lafié oruma wayo.

Elú pami Alaroye akiloyu apawora anasé ese irabeture alamu mubata obebé niyo Ada.

Eleguá Laroye Echu Beleke inka Echu Echu Bí Mama weña ofé mi moforibale Olodumare ba ma lé ba mi lowo, oku lowo, eye lowo, ofo lowo iwa rayé aboyé kere kete.

Aki bo mi aki lo sise Orunla ofo eyo kulaé ata kapo de abakó mako alama mi bata Odobale yoko yeru apoko naguí Babá aro bisi yo é alede patu imbo eru.

Alaroye akilo yú Bara Barabá Echu bora Echu bo í Echu bochiché Echu Bara Bara kikeño.

Ba daga nú ele Echu Babá ki ara Egun Laroye okukuana Echu na ela

kodura Eleguara abo ala miya meye Echun Beleke ki bade Babá ala ko
masi ma Echu ma Barakikeño sesi iku obe che Elegbara wankoti ma
kute Bara warasi de lu ma. Ferefún Echu maferefún Olofi, maferefún
Obatalá.

Echu Eleguá oga bobo na mi ri ita Alagbana Babá mi mo ló na
burubu nitosi lé chon chon ku elu kinkuki kosi ofo, kosi eye, kosi ikú
kosi aro ni oruko mi gbogbo omo nile fú kuikuo odi kue Babá
mi Eleguá.

Echu Laroye Obeniyo omi pa fa gura aná si ese atu kán ma che ichán
asoko loni afú eye niga niba odun oni kimo ni kondorí oún lo bué le iki
cha ona do se turé.

Echu Alagwana kochi were awo unlo oto niwo adafún bo osi Obatalá
mi tani ebo oni lo aban Echu gbogbo arayé to ba ru bó ebo adawó ki
che Bara osu be sa ni ofo de wantolo kun eban tete te awa tete te.

Al terminar este rezo el *Oloricha* se toca la boca con la mano derecha,
toca después el suelo y dice: *ebó tele bó.*

Eleguá orunaso ala ka okasá boku aba iba yokoba iba Babá, iba iyé
oguri ode ogumó le akesé apokaye se ilé tuto ona tuto oda la fié oru ma
wa yo.

Echu bí eché akuade se edo ke ché oferé mio Akueló besubole oyi
oko ofé mi wo ochiché Oricha.

Echu agogó Echu Alagwana echi ago ti gongo Echu ayo Mama weño,
Moyuba Iyalocha kinkamaché kama ri ku ko ma omó koma ofé koma
iña koma arayé unló ona ke bo fé ke bo ada Ochosi ode kuta ode masa
Babá Oricha.

Echu ebiri etu kama checha Onisé meni kando eye ko ma yagata
alewé ika Laroye ún ewe niga Alaroye belegue opóponi pere
epepeniperedá komodá ko mo efudá komo epere eñiñi epere eñamo
rogún eyeoma.

Echu Beleke Alaroye kiro che Babawona ilé Orisa modukué Babakuá
akoko yumá mokuá eló si se kuán kuana ona Babá.

Agongororango Laroye agongorango Laroye kío agonrongoyá to
kuá abukendé Ogún ató kuá abiagó ewá eleguedé abiwao ewá.

Ma wo fun ma wo fun Oricha Bara layiki Moyuba Oricha Ta ma na ka ku bo Oló wamo omaleka lé onun Oba orisá até koko ro biya oda koma bé bé la abé Babadé be omarokún.

Bara wo su wa yuo makiñero Eshu bé Beleke o Eleguara bara awó su wa yo makikeñero. Eshu Odara Bara yi ra wo ichoncho a bé a bé odara ko lo ri leyo abé abé Echoncho abé.

Akenikio aladó Eleguá gaga akenikio Eleguá efe bara lera ban.

Kiriña kiriña. Agó. Kiriña Eleguá ta cho ré agorona okuago awara wa lekín bara Osu Onile. Agó go tina Osu Onile agogó tiñá Eleguá agoro ku awa.

Iwawa be fa odemata iwá wa be fa abiama kurawaro iwawa be fa Orisá in lé o ala gogoyé o.

Barala yiki o Echulona kuaku Laroye kuaku Laroye ode mata. Alongolongo biniyo agongoló.

Elueko eleuko Echu ré adoino adoiko aoló ura yé boda fu mi Olodé aro bi mi aroyo re ekolowimi Bara Okuán Laroye ekorokán odara. Odara Babá Orisá.

Sokunla aroyewo worogoyé malé omale Eleguara agó mo yuba . . .

«Y en todo», insistía Alberto Zayas, El Melodioso, «como sabemos, Eleguá, el revoltoso, es el primer Santo a quien se saluda y se le canta», y entonaba con su linda voz sus *Orikis* y rezos. Cuando Eleguá baja, es tan travieso que por precaución se le retira pronto, él lo despedía así: *Ewa bi awo loro bara Layikio bara suayúo dudu bini sawo Eshu gagaga Ma kikeñaó tan tan lowo Aroye Eshu Odara alado Eshu re Babá yi rawo Eleguá awo Oricha, Kariku kamarano Bambe Laiyo kariku kamarano Eleguá, Komoni kondorú Alamubata.*

Para implorarle y enaltecer «afamar» a cada *Oricha*, dispone el sacerdote de un gran número de oraciones. «Cada casa de Santo tiene las suyas», pero en todas se les pide protección, benevolencia, compasión, salud, ¡*owó*! tranquilidad, y se les da muchas gracias.

PARA OGUN.

Mo yuba Ogún ña na nile Ogún kobu kobu Alagbedé re owó Ogún Yumusu Ogún Finamalú Nguele yei nda loro Ekun feyú tana wara wúre osibiriki alalún, Ayuba.

Ogún oguniyé afiyi ile kobu kobu oni isé le yo ama kon okeni Ogú mi oguniyé ile kobule ama komó ise leyo.

Ogún Arere awe niyé ajiko oke bubá orere iba lona iba kana iba echu la re ogún mokén.

Ogún ñansa bo ché o dudu si se da un we ra cha jaké eye ma lo kere fenitola komo timo timo alajeré emi Ogún afon ni sile afón jeke alowo eke lejé omo kon omi kanka choché.

Ogún Arere akuá beleniye komo kaché kobu kobu oke Oguniyé onko olobale odefín Ochosi aberikika alarefín oún ya ire du yí baluda chieché ku ena tobayó.

Ogún niye ise be yo ama kan Oguana si Orisá okonko yí bawo.

Ogún aguaniyé ile kobu kobu omi ire beyo amakon okeni Ogumí Oricha. Mo yuba rio Aguaniyé ile kubule amakorío ire be yo.

Ogún ñansa boché o dudu siseda usuru ocha jeke eye ma lo ke re fe ri tolá omo timó timó alajere emi Ogún afon misile afón yegué alakeré okou ogúo ewe, lejé omo kan omí.

Ogún Arere awa bereniye komorío ka ibé koba koba oké awaniyé nko oloba le odefin Ochosi aberí kisá aberi unyá iré keré duyi baluda li echi kuena tobayo.

Awa beneniyo omo kamilé koba koba Ogún oke alakeneye omo oto bale Oba de fun Ochosi obirikika aburefun iya ire kire Odeniyo inya ise kiré ise iyo bonié bi eche kué mi otobale otolayá.

Ogún agbaniyé Babá alagbede kueluré le eche na kifé lai lai toni kiwi nitosi gbogbo ni la aiye nitosi la unyé Olodumare nina agbara ati ni gbogbo na kiché ba wo chiché odara ati burubu Baba Ogún mo la ba lomí.

Ogún Agwaniyé ewilena omokan onile kabu kabu ese ti fe yutana.

23

Ogún Arere awa beleñi omokán ile kobu kobu Ogún Oké otobale obete fun ba kutano wa Ogún Awaneyí ilé kobu kobu obe lego omokán oké awoni Oricha Omó ye bo mo ku.

Ogún ibiki Alalúa etu fe yutana Ogún ale re ewene yu lejín omo okán loro aye tutu oye bi ke omo oni be afe yewe Ogún ode omo okán.

Ogún Ateré Agbá be be niyo omo kamile kobu kobu Ogún oké ala keneye omo oto bale obadefún Ochosi obirikika abure fun iya iré kiré odemi ya inyá ise iyo bonié bi eche kuemi otobale.

Ogún Arere Aweniyé agi ko oke Arere iba lona iba kana iba echu lare go oguen mo ken.

Ogún kabún kabún Ogún dei Ogún walona Ogún boboguisá emi fumi omituto ana tutu Ogún chi beriki apenté ure Ogún asá saná Ogún aro pado eyi padó fe pado eyó pado arayé padó iña padó Achelú padó owo ile Ogún Arere.

Ogún Aweniyé ire be yo omo okán oke Alagwana awanese owo.

Ogún awa si tan yeré ayé da uro koyí kotié oni abé ye we oma ewó onile kolo bi kan oñí abé yewé Moni tie dake ibarogún Ogún mo yuba omadé okoni ibaragún Ogún onile akoni.

Oriya niso oriyá niso niso oré Ogún aladó miso oreo oriya niso niso oré.

PARA OCHOSI

Ochosi ode mata ata mata osi lorí obí lori kika obiri kika Borí kuota boranú ota boroyí ota borofota oto bale Ochosi achoni keré ode mata baru borosiyo akakamo siere.

Ochosi ode mata Oni bebe ayuba.

Ochosi asagururú awaniyé ekeré orojano onuyá oyé ke foye okuayurana okué yubá akateli odubele bele bela abeké akeraniya se be dié Ochosi afikere eyan iyere keré ode mata ade osin ún salá yo kamá sefe ewá ewá agaleye achochún kan cha lo wa lo un beché unre kin laré yeún.

Ochosi acho mi wire iyan iye ode mata ode boru ba oliyo Akuko mo si ere kamariku kamarano kamo aleyo kamarofe.

Ochosi ode mata ma ta se ode suto baro uyo kamariku kamarano kama leyo kararofé.

Ochosi ologuro ogoroniyo ode ata mata ode dudu ba ode agufo bara bariwotafo ire si mi.

Ochosi eregwari goroniyo ala matasé ode afifi Babá bebé bebé ele fe wasukun obe achisi e kokun idiún tan tan.

Ochosi oro buru agoroniyo oke matiyé, oke oro jono akejolé akua ya ma mo be mo okuá yumá bo ku etá oché bilé labo ole legún okerán un sokúa di o.

Ochosi alugba ni bogbo na ode ati Oricha ché ché ode mata mi ati bogbo omo nile fu mi okán ona ire atíku chere afaduro gbogbo burubu kiwa nitosi odupé Babá mi.

Ochosi ode mata iwarao odefa emí fumí etie Omi tuto anatuto ode aro wan lo iku wan lo eye, wanlo arayé wan lo iña wan lo owo ile mi ode.

Ochosi oragurúru awaniyé ogure orojano onú ya eyo ke foye akua yuraná akua yubó akateli ode bele bebé bebé abuke awarán yu se bedie Ochosi efigueré eyón yeye keré Odemata, ode osin uré salayo kama se fe ewá ewa agaleyé achochun kan choló wa lo un be che un rekun laré yekun kawe ka ura muyé darín.

Ochosi ochonikeré eyán eye ku ire eyán ode mata baru boro si yo akaká mo si ere.

Ochosi ocho mi kere iyán yekere ode matu ode baru bañaluyú okakó ma siré kamariku kamarano kamariyo kamarifo.

Ochosi ayí lo da alamalá de yiré yiré Ode mata kolona yiré yiré Ode mata kolona. Ochosi omo mi wara wara oki ode mata.

Ochosi Ode mata burukuruniyo ata mata matasí duru kuduru mata odé kruko ode otá Obara ode ofá Ochosi okorona Ochosi lobé lobé ode mata yumú.

Ochosi la kesa aweredún lekú lanka duro Ochosi ode mata atatá mata sí.

Ochosi ode mata burugúru niyé ata mata matasi duru mata ede kusé ode Obara ode ofá Ochosi okorona Ochosi bele bele ode mata yu mu.

Ochosi ologuro orogoniyó ata mata ode atamata ode dudu ba ode agufó ibara bari wotafo iré si mi.

Ochosi oragurururú awaniyé ogueré orojano omú ya eyo ke foyé aguá yuraná aguá yubó akateli oré bele bebe lebe abuke awarán yu se bedie Ochosi afigueré i eyoni yeyé kueré odemata ode osin wié salayo kama se fe ewá. Ewá agraleyé achochún kancholó waló un beché unre kun laré yekun intekueka urá mu yea darín.

Ochosi ochonikeré eyan eyé Ochosi kiré eyan Ode mata baru boro si yo akara mosiere.

Ochosi ode mata buruguruniyo ala mata matasí durukanduru mata odé kuko odé ota Obara ode ofa Ochosi akoroná Ochosi bolé bolé ode mata yumu.

PARA CHANGO

Changó Obakoso kisieko akamasi kawo kabie si Changó.

Moyuba olueko asasain cherere adaché kokomí jikoji omolá duferini chere binu Oluoso bówo ayalú koso, Ayuba.

Obakoso kisieko akaka mesí okumí basuburu kuenlo lo abachakatá kawa kabiesí Changó.

Obiniyo obiniyo obiniyo binilawó obiniyo benilareo aré oromú e e Babá idé Aladó kuele kuele mio Yansa idé awó agogó no yo binilagero are oronuá e e eleweko kabie kabiosile sawedé Olodumare eyí bara fe eyí bara fa ifarawé.

Changó okosó kisieko aku mafío aguní un li orón buru bubuka kintán lewo Babá chokotá.

Changó Oba koso kisieko ma se okara okani bubaín kilonse anó abá ebo kotikane kawo kabiesile Changó.

26

Olufina okuko ayaya ñaña iko muka omayo Obakoso kisieko ana ké o eti koko beliyo arabade Obadé Osogún ma sa kakaweí jei Iya mi aladé kolú acho si Yemayá kuerira ye wu kofi edensí kawa kabie sile.

Babamí Changó ikawamo ileru alaya ti la chani nitosi kiko gba mi miré aro nigbati wa ibinu ki kigbó nina orin ati gbogbo omo niyín gbogbo wi nina ku elú kui kuo berú nitose dilowo ikawo de mi iwo bagbé Babamí ki awa na ku ni okán nitosi kunle ni iwa niré elese ati wi Changó alamu Oba la yo ni na ile agbeoni.

Olueko Asosaín abenibí ida inioba ororí eni ekue onodó Oricha guichán ofe se bale abagada añá ebi ti kuá inchoro akoko ikoroi alaparapara fibo Oluami okikan beni bi idan dobale mini. (Postrarse en el suelo.)

Achá Adañá akatá jerijeri oli ire ka sa agó ejo aya mi bi akoro mi koroi orí made elegui Obara tichá se abeni moyé se Changó Obakoso kisieko akaka masiawo bodidú ki do go Elueko Asiosaín. Mo yuba Alafín kabo kabiesole elueko asiosain elú a mí bambi oyó akata jeri jeri ekún se mi wo Olufina akokué bitiko olú mo che adodoma kulengué.

Changó Olufina elueko kabie sile emi emi fumi etie omi tutu ana tuto Changó kosi aron, kosi ikú, kosi araye, kosi ofo, kosi iña, kosi achalú iré owo ilemí.

Olufina mo kokiki Babamí Oba nipe Mo yuba.

Olufina kogwé ti de ya lejé mi Onikoni Alafia oni nantikan arogumá ti de akakaferi jeri ate fiché eguná.

Obakoso kisieko akaká ma si Okuni bubarukó lowo Obachokotó kabiesile Changó.

Olueko asasain chereré adaché kokonijikoji omola duferini cherebinu Oluoso bowó ayalu ko so. Ayuba.

Olufina eku ayaya Changó ise mina omaye obasese kutasieje ana kete ati sere beliye alabaín abeie Ogún ma ka dara wei wei eye mi Eledá se ya Ochogún Yekun ya kuerira Yewá ladé awañeko Osen Changó cho kiela Kawe kawosile Changó.

Oba koso kisieko akaka ma siá okuní buruba paniko kitón lowo Oba chokotó kabuko kabie sile Changó.

Chango Obaoso kisiero akaka mari okuni bururuko ke tonló abachó kotó labí o kabiesile.

Changó labí osile Olufina olueko si Osain akaragerigé Changó kawo kabiesile.

Changó Babamí ye mi obebiye asami.

Changó Olufina olubuako kabie exile emi fumí etié omo tutu ana tutu Changó kosi aro, kosi ikú, kosi ofó, kosi iña, kosi achelú ile mi.

PARA AGAYU

Agayú solá kinibá kinibá sogún ayaroró kinibako ewemi niyo etala boyú bagadagwa ayuba.

Icho la tereré Agayú tereré o mara icho la le le le aya tereré icho la tereré Agayú telé o mara mai mai choro choro Agayú choro choro mai mai.

Cholá guiriba chofú ibá oloni. Ayuba Agayú solá kinibá kinibá sojún ayaroró kinibako ewemí niyo etala. Oyuba gadawa, Ayuba.

Agayú cholá iye kini Oba akara cholá ojina Oba ni na Oké gbina misi siyí airá oun nile gbogbo teriba awa ofé kiko de ma gbina atena burubu Babá mi balonú.

Agayú Icholá icholá ope kniba chegún.

Agayú ida to ere lere asiwé ese lomá ekuón okeré mima tu né gberí ekuón oguirini ma so.

PARA LOS IBEYI ORO

Ibeyi Oro labako ndunda abane fie mine Ori malé wamale suriá yemi arikú nisé chekun ota afigueremo kinkamaché mi se arikú kosi aro, kosí eyinu, kosí ilé tutu ona tutu la ónle.

Ibeyi Oro labá é indeínda ababé siré fe fumini ori male gwámale surise yemí rea arikú miré otá afigueremo kinkamaché mire arikú kofi aro, kofi ayenu, kofi ntuto oná toto bonle.

28

Ibeyi Oro awá keke sugbón agba nitori ti otán kuelú na choro timbé la aiyé yifá Ogún si ma ibeta kiko iro fe ri ma yi kuoyo sugbon ba si pa ide ati itawa meyi na keké ati agba na Ibeyi wa ologo afefé Ibeyi ko wa ilé eleme wilé alakisi ba bé ayo nijín gbogbo chiré adu kue si Ibeyi.

Ibeyi Oro araba rainá Kainde, Ideu, ayuba.

Beyi Oro, Oro laba kainoé inda abemasé gan fumini orumale gwanamale niré ayé nike arikú nire achegú nota kofiedeno kikoba aché nire niku kofo aro, kofo eyé, kofo ímbe tutu ona tutu baraye.

Ibeyi Oro simiwin sile iré bobolobó Iyae ibá ibe bi bi iba ye ma yi le pe mayi lepe Ibeyi Oro, omó mokué o Orunla apestebí ayi aina alabá iwe Ideu Kainde.

PARA ORICHA OKO

Ocha Oko mo yuba yé Babá ogodó moku leneme temi ture Ochachaguín Babá te mi lo ogodó.

Oricha Oko afefé Ikú afé eyé une akorín cheché fun oworo kutu kutu ku elú na ni gbogbo na wa Oricha Oko alabóbo ilé nitosi fu agbara nitosi rigba si gbogbo awa ba wo chonchó nitosi churé mu unyé funi eléuya Babá Oko odukué.

Oricha Oko, Oricha Oko ikú afefé orogodó gailoti waro. Ayuba.

Oricha Oko ikú afefé Orogodo waloti waro ayuba Inle, Inle abata onsé ma koloweni alaganá oré gu ékun ayuba koikoto ayuba ayano ayuba.

Ocha Oko ofé fe éku ari ayé.

Oricha oyi bale mi Babá ogo do mo ku fenkue taní turé Ochachaguín Babá temí Ogodó.

Moyi bale Ocha Oko Babá mi ogodó makulenkue tani chachakin ba temí logodó.

PARA INLE

Inle makué aro kabo arawanile urawá Inle arawaniyé.

Inle abé ta onsé maro legweni alagana o ore we kua mo yuba.

Inle awé fa ko yerí tiwó lo mí, ayuba.

Kinkamaché Inle ye mi obé biye asamí moré mí modupé Babá mi Inle.

Inle Ayayá aka arabaniyi.

Inle ekaere makué makué makué afata mabí enichegún ara arakaba arawanile araniye arawa Inle.

Inle fumi alaya iwi bawo onichegún atiré eyá bagbé che bo nitosi la ya ma omo niná awo kuelú re eye ki awa gba aterewó na ku osalo na ilu ki uwo otiwa nitosi che gbogbo odara dara odupé Babá Onichegún Inle ika wo mi.

Einle abatá osemako leweñi alaganao oregwekún. Ayuba.

PARA BABALU AYE

Babalú Ayé ni ka ayén atí fumi afiyedeno awana oní gbogbo atí omó iwo imo ki Oricha bawó iwo kosi kan Ologo mi owodowó agba mi tasa Chákuano Ayano ¡mo dupé!

Babalú Ayé ogoro niwo awó bitasa Babá san la o iba elowi Agrónika Chakuana ibá eloni jekuakei Babá.

Abeokuta awa be ri okuó oni Babá Babalú Ayé awá beré oni Babá.

Agrónika juapitasé chururu Magino afiwawé modorá doyé.

Aguduede achanla omobitasa oni wawadó konkuaniyé konkuaniyé oba talogún.

Babalú Ayé ofó roni juán ajá bitosa igba eloni eloni.

Babá Arayeo, Babá si arayeo Owimbío ayé uro Babá la sé ye o Babá layé layé Okuni Babá Babá mo tí mo tí Babá layé layé Babá kokún kokún ekuá Babá o ayeuro ¡Oh Babá la se yeo Okuni Babá

PARA OSAIN

Osain Awaniyé yi se ikelese mi ye ayere obebé buyo.

Osain alere le se kan oni koleyú yu besi meyi aroni ika agba ologun.

Osain obitichuré ko pelese ilese me le chi odobale iroko mowo riré Ochagriñá eleyu motobale la kué fun iba eloni aleyu motobale lakue fun iba eloni iba koda aché ara Babá ru bo.

Osain aweniyé tini tini lawodínyé ra sakeré meye meye la se kan meye elé komo arubo wanwanró lo koloma bowo ewe Ayuba kosi ikú kosi aro kosi eye kosi ofó Arika Babawa.

Osain Aweniyé niyi lese koyú lese meyi ló kukurú tibi tibi awadi yera Babá mí saré kere wereye Osain ibulona.

Babamí Osain aweniyé lese koyú lese meyilé kukurukukuá tibi tibi alagwadiyere Osain ibu alona.

PARA YEMAYA

Iya mí laté o Yemayá asayabí Olokun ibutá gana dedé wantolokun okaba yiré ayaba ibú la onu kofiedeno Iya mí ayuba.

Yemayá Asayabí Olokun kuiridi umbolúo obelirín.

Yemayá Olokun Ataramawó oyú be de keo mawó ti bali seresi o Iyá mio.

Yemayá sabaté Olokun aunkisié bo de o ateín.

Yemayá Ataramawao asayadí Olokun kofi edenu yenyá i Iyá re mi agaba oyí re.

Yemayá Ataramawó chiguidí ni ni buodo mowarí mowarí mowarí.

Yemayá Oricha obirín dudu kuele re ma ye abaya miré aba ya ano rigba okimi Iyá Mayelé oga gbogbo okun Yeyé omo eyá lajún oyinari re ta gbodo okún nibé iwo nire olowonitosi re mo teriba Modupué Iyá.

Yemayá akere gún asayaba Olokun nkidé umbuduo abelegún

Yemayá olodo Iyá lokoto Olodumare. Iyá omi tuto omi oyé sina woto abila Iyá mi onio moké taró ero awa lu ma fon ma yon minie ma yon ba tioko eminiacho kuerio.

Aché re re re Iya mí Yemayá asabí Olokun ibú tagana dedé wantolokun okoba yire o araba ibulaomi, kofiedeno Iyá mí Ayuba.

Yemayá Taramagbé asayú bekún baralé ofé yidé akié kuma sasabí aluá Yemayá mayeyé abó ayé abayé se alakana kiere kun aguyé sabá su ilé Ocha kun ori ale afamba.

Yemayá asabiyi Olokun agunié agunié un be yo abele kún.

Yemayá asabaté lokun agún oun be se de ilé kun.

Iyamí Yemayá saramagwá sarabioloku babodé maré Iyá mofé ya omi tutu obí tutu Iyá kekereyé ibila Iyá Yemayá ekua elo mofe ya okedé erabafun kuekueye erabafún batioko erabafún emí ma cho emi acho.

Osine bá o ekó yale ye lodó osinebá o Iyamí yenyaó eko Oloma ba o edun yale yé lodó oloma ba o Iyamí yen ya eko ye yamí opti eko edun yale yi lodó yale omi ra Oba Iyá Oloku eko yale ye lodo Omi ra be Yemayá.

Yemayá olowoyó un we mi iwó obiní olufina.

(Aquí se pide protección a Yemayá como mujer de Changó —*obiní Changó*—. Se considera a Changó como hijo de Yemayá, aunque también se nos dice que lo es de «la Obatalá hembra», catolizada Nuestra Señora de las Mercedes . . . «Porque Obatalá y su mujer Obatalá Yemu son los padres de los *Orichas*».)

PARA OCHUN

Ochún mori Yeyeo Obini oro be be oro bebe oro sun woní kolaleke Iya mí koyú so un Yeyé Kari wañari ogalé ku ase. Aña ayuba.

Orí Yeyeo aladé koyú ayí masé Ochún Ori be te eko afiweremo otora lefán eniweñi maguani ododo ka li ye mi Iyá mí.

Iramo Oloyeo awañani awañani irosi abireka Iyamí Ochún iwá Iyamí iwa Iyamí ikolosi Iyamí wasi Iyamí moró Oriyeyeo Ochún.

Ochún morí Yeyeo Obiní Oro abebé oro osun oni kolaleke Iyamí koyú soúm Yeyé Kari wañari wañari Oga le ku asé ana. Ayuba.

Moyuba moyuba Ochún Yeyé. Alabo mí Iya mí.

Ochún morí Yeyeo koyú eñí malé odun enitite eko afí edeno oló be fun eñikekado ñawañiñá wani ko lo ri.

Ochún awajere idu rugán ga la bosun.

Ochún Yeyé ni oga mi bobo ibu laiye nibó gbogbo Omo Oricha lowé notosi gba ma abukon ni omi didume nitosi oni Alafia ati ayo Obinirín kuelé re aché wawo atiré maru achó gelé nitosi yo Ayaba ewa kuelé re reri atiayo su abón be tonichó nitosi ko mo nigbati wa ibinu Obirín ikú ikó Olofín modukué.

Yeye Kari oni bowo awaganidé wañari wañari kowo si Ochún Moró Yeyeo odemokán odemokán.

Yeye Kari oni bowó awá ganidé kuañari kowosi Ochún Moré Yeyé Ochún Moré Yeyé odi moken odé mokan.

(Se hace *foribale* y se toca el suelo con los codos.)

PARA OBATALA

Obatalá Oba Obataisa Obatayamo Obiriwalano kuá ti oké okuní kofiedeno Babamí Ayáguna le yi bo jekua Babá Orúmila odu aremu. Asa be yi Olodu Babamí. Ayuba.

Obatalá erú ario Obanla ekuario mowayé mowá aché Babá aché jekua Babá.

Orichanla okerinate ati obirini laiye Eledá ni bobo na darada atiburu ka Oba ati Ayaba afín agá mina tala atí gbogbo na ché chi Babá ala Iyé alabo mi atimi gbogbo na ijím daradara Babawá afín alamó kakún badami.

Piriniwa omi garalano dedé le laboru dedele abo tenti eko Babá.

Eriare eru omo eru owo eru arikú na bawá jekua Obatalá.

Obatalá erú are Obatalá mo wa ye mowo mowó Ogún aché, Babá aché, Yeyé aché, jekua Babá.

Oba alamoro Oricha agba lagba Obatalá eurú wara waka, jekua Babá okoni wankoko jekua Yáguana mo fe ri soro.

Obatalá Obatasi Obadabado bada nesa ye se oku lala oku alaché olobo aché omo aché ku boba aché Babawá.

Babá biriniwa Alabaché oniwolona afichu Ocha afuru bío ye akatiowa jekua aiyala abikoko adu mula alakuma ru ma titi alabache oro notono oro notono wo.

Obaila mo wari Obala a akatí oke aledana guru guru bí oyé che chu uro kiema kuaní aro ma.

Obanlá eru aré Obatalá eruaré mowá ye mowá egun aché Babá, aché Yeyé aché Olodumare jekua Babá.

Babá biriniwa oniwa jekua oro akua locha odua ebe yí oni iba olu iba olocho iba ribe Babalocha iba Yeyé tolo kun.

Babá Alamoró Oricha agbalagba Obatalá euru warewaka jekua okoni wan koko jekua Yáguna mo fe ri soro.

Obatalá Olaísa Obatalá kawa ajeni layo Olofi adé un lé ko na bi nseye é.

Eru aye mi bo se roko ekuaye mi Babá Obatalá ka fi ri seré sere bon sere komoiña serere mi Babá.

Ayáguna esiná ko da aché Babá baribo adaba ite baí la gadé kete fun yumá oka eyuma naro kofiedeno kika baché omi lawó jariku Babawa. Babá ¡jekua! Obanlá seremi wa Oba ta ke Ochanla.

PARA OYA - YANSA

Oyá ayé gue ayi loda obini yago oguidimule obitiko chiní choto-buenkuén taló kueri Oyá yumoso, ayuba.

Yansa riri jekua jeri Oyá ye gué mbe ré kite jekujeri jeri Akalo kuna fe le le kan to mi jeri jeri Oyá oriri atotiletó Oba achabako omo loya Iyá *mí imoruno riri olo mí.*

Yansa Orire Oyi ayí loda eya na le le lu ayi mé mo Oyá nti omó kukué aye jekua jei kofiedeno Orumba mio ta lembe asi kosi ikú, kosí arón kosi ofo kosi oyú mi lo jekuakei Yansa oro. Yansa oro kumitelu ayí loda iyé wenu kola oré o akará mo ba afí rowe.

Oyá mi da bo ro tika ni boyá Oyá tinibó boticho Laroye Iyá to ko lorun Inle aketé oloruyé ibarayo biniye obiniye Oyá de ko tiere otenu amalá se mi oleiko otinwá aleyumú barala finlaó Oyá eri kara ayeké Babá lodé ni sango Oyá o erikara ayere.

Jeri jeri obini dodo Yansa jekuajei.

Yansa jekuajei be a anila jekua, Oyá jekua.

Oyá orí oma se si mi omó iwó ta riba nitosi le orí acheni iwo nitosi gba yo doka kosi aro, kosi eyé, kosi ikú, kosi ofó fu mi aikú aladeno modukué.

Oyá yegba Iyá me sa oyó orun afefe ikú le le bi oke ayaba gbogbo le ya obinirín oga mi ano oga mi bogbo ogún Oricha ni abaya Oyá ewá o Yansa oyé ri jekua Iyá mí Obiniré ni kuiko le fun Olugba mi ofofí nitosi wá Ayaba ni kua ¡odukué!

Oyá wiri elu olú ekon bi ti oke oriri atamasí Ayana bakulo Obanka jekua kei.

Yansa oro kumitelu ayilodá iyé wenu kolu oreo akara no ba afirowé. Oyá Yansa ayewé ayi loda obini yago oguidí mulé obitiko obiní chokobunkuén taló kuere Oyá yu muso. Ayuba.

PARA YEWA

Orimasa akankaro bo Obayí kadá iba ba ba iba yeye agón ode awón odo Inle akeré ofó kayé eri mbe tutu ona tutu adalufon.

Yewá obiriri atu gaba osawo owariwó mele wola Yansarini aikadeta obiní ikú Ayaba Ilé mi ku. Ayuba.

Yewá orokini so lo dé Yewá ro nile orokín solode Yewá ronile.

Yewá ori omasé si mi omo iwo ta riba nitosi dé orí aché ne iwo gba yodoka kosi aro, kosí eyé, kosí ofó fu mi aiku. Aladenu. Modupé.

UN REZO PARA TODOS LOS ORICHAS

Alaroye Oni ma seké emi eni okolo fofo okolo toñi okolo fo mó Orogú yoná aki kalé owo ada wa Oloyú ite bi Eleguara Ogún ona eyi eyo omi ke ré ile aya ya ko gu añaga ewe lene Ogún jei Ogún tiwarere awo Ochosi o gu ko soni kere gangala ye ko yu ilé Oyansa amalá kuoká ebe mi awe niye Iyá kere be ieye osi obe adion kué kué oni Chegún agwé araé Olufina orí kosá Ogún egwé egwé emi la ye eleukue ayo bo Yemayá kokoró yewe yewe kokorí yo bí yabí. Iyá alasé bora ilá omi ban ba Orúmila iboru ibo chiché agwe mi awo Orun Yemayá jekua jei Obo osí ayé bo ni le.

PARA OCHUN Y LOS DEMAS ORICHAS

Yeyé kari afiweremo Iyá mi mo ra Iyá mi atutu mi te Iyá mi akere wo Yemayá alaté ayibó nile jekua jekua Obalufá okuá mi ko yé mi, jekua Odudúa, Oko, Agrónika oni wa wado. Olomalú guda guda mo ta kuá Ogún sakuatá Naná Burukú kokoro yewé yewé obadudu undo gu aché koto kuá kelé Osun kué mo su kuemí wilé.

Está demás decir que sólo se reproducen aquí una lista reducida de los rezos —*ebe*— lucumí que se conservaron en Cuba.

PARA ORUMBILA

Orúmila Akualore awó akakafotiku apata jeliyo akua aché Babaribo oda baiti bai lagade kite efún efún Oyumaroku eyuma maro so bo ikisekueyo kofiedeno ki ko baché emí lowó jariku jariku Babawá.

A OSUN

Osun gagala baosu Osun omo dubule, Oso ediolo, Osun edioma, arikú Babwá.

A DADA

Aburu Dada omo kuyala ayuba bañari.

V
Obí: Adivinación por medio del coco

Los *Iyawó* aprenderán a «tirar los cocos». Este es un conocimiento primario utilísimo, indispensable en opinión de todo el sacerdocio lucumí, porque así puede interrogar con ellos a los *Orichas* por cuenta propia, obtener sus respuestas y saber de inmediato lo que debe hacer. Es el primer sistema de adivinación que se les enseña. El más sencillo y rápido. Como se verá, inseparable de la liturgia, el coco es ofrenda obligada a los muertos y a los dioses.

Al momento de romper el coco hemos oído decir: *Aché Oludumare. Mo yuba baribo faché. Mo yuba Olosunde. Mo yuba Ochabí oyibona temí. Mo yuba akakadiaka. Mo yuba Ma Ayaí awanasá. Le mó yuba oidami akoló sedá akodá sedá ase mí da ase ni dare omi tuto tu ni tutu Laró di iro pesi la be wé.*

Con tres libaciones de agua se les ofrecen fragmentos a los *Orichas* en el número que corresponde a cada uno, pues cada divinidad del Olimpo lucumí tiene sus «marcas», es decir, son dueños de una cifra, como lo son de un color, de un elemento, de una planta, y se dice: *Obi ni eyé, obi ni ofo, arikú Babawá.*

Con cuatro pedazos —*obino*—, se les interroga, y en una simple consulta se dice dos veces: *Asesé iru awani alaketa Dada losun si to ye.* El santero se moja las palmas de las manos en el agua derramada en el suelo, que tocará tres veces, y dice: *Ilé mo kué, Eleguá mo kué.* Si hay otras personas presentes éstas responden: *Akué ye mo kuo kosi ku, kosi aro.*

Se santigua empuñando los pedazos de coco y al lanzarlos: *Obí re o obí ke no Obí Eleguá,* y pronuncia el nombre del *Oricha* que se invoca y cuya respuesta se solicita.

Para tirar los cocos, ha de aprender las siguientes oraciones: *Alaru fu si le Oricha ba daro fu mí abo nitosi soro atí ibé re na obí atí Dilogún niná oruko gbogbo Oricha ti pué nitosi kan Iyé wo modupué Obí Eleguá.*

Omi tutu ana tutu tutu laroye edé ero posí posí baloké jelede ekibona kara lodé ilé mo fe apoyé le ma bea apué ye ilé mo feo apoyé. Obí akuaña obí akuaña obí akuaña Mokuoloni un tarikú Maloni makuoloni untori oma makuoloni untorí afó modó bafún loni egun mezila ye eba mi omo tan omo si eché kunsé echa kunté eche kunfé eyi be o temitán temí tiché omo Yewá eyioko temitán temí tiché obán loyé Obakoso adó kiko akuko.

Este rezo se aplica también al *Dilogún,* de que luego trataremos.

«Por ejemplo yo digo», explica Aché Ilí, «*Moyuba Obayeni, Elefún, Alatikú,* etc., y continúo, *Babá Oluo Tekuni Yansa, Babá Alakan, Tako, Obarini ibá yen tineye Oga yen temé, Ibá, Babá, Babá yinile Ofun Babá ayilese ibá apotí bi ayafá iba kaba chelé osí Babá ika iniya ni eba ti bi ni laré senú ku adé Babá alawuana, Mo yuba.* Y digo antes de echar los pedazos de coco: *kosi ikú, kosi aro, kosi eyé, kosi achilú, kosi ibayé, kosi ina, kosi arayé, kosi ikú un bele amayo unle Egun, ika be ayu fi ebe ara.*

«Los que están conmigo contestan: *Ekuaña ibá re.*

«Y tiro los pedazos de coco y pregunto.»

Otros rezan: *Omí tuto laro ero pesi le be we koko lodé pelerí wi bo mo iga bo ye chiché ilé mo kueo ilé ma kuko o mi peloni intori mopeloni intorí, mopeloni eyé intorí mopeloni aro mopeloni ofá mo da bi peloni eborí ikú aro obí eyé obí ofó obí lé ba. Akuaña.*

Si es un *babalawa* dirá: *Igbá Babi, igbá yeyé, igbá Eshu Alawana, igbá atanameta bulagada kinkamayeni Oyigbona kinkamaché mi ori kinkamaché mabada aré kamá dalé abé niche ewani aún aré un obini che wane amaba na wi Mama awini amabena emini kakaché.*

«Son muy imponentes los rezos que se cantan para darle *obí* al Muerto», nos comentaba un viejo de apellido Olano, pariente la la famosa Dominga, bruja que tenía fama de volar, y que anotamos: *Moyuba Iyaré mi. Moyuba ba male mi, Moyuba Aranu, Moyuba Egun, Moyuba obere bebé kamilé ina iba ma ka ekuyí Egun akueyé.*

El coro respondía: *Ko ko ko oro koko koro Yeyé koro koko chú wane.*

Un vecino del barrio inolvidable de Pogolotti, antes de tirar los cocos saludaba así a los muertos: *Ibayé mi bayé to nu. Mo yuba Iyalocha, Olocho Alabó, Moyuba to lobo.*

Al romper el coco le escuchamos al viejo Gabino: *Aché, aché Olodumare. Mo yuba igbá ribé fe che, Moyuba. Mo yuba Olosunde. Mo yuba Ochabí Oyugbona temí. Mo yuba akakadiaka. Mo yuba Ma*

Ayaí awarasá le. Mo yuba Oidamí akolo se akodá sedá asamí da seni da ro omí tutu tuni tutu laró di iro pesi pesi labewé.

Si sólo se le ofrenda coco a Eleguá, se desprenden los extremos de tres pedacitos, y majados con las manos humedecidas en el agua de la libación, se le van poniendo y se dice: *Ilé mo kueo okué omo Eleguá mo kueo.*

Los *obinu* se pasan por ambas mejillas y al lanzarlos se dice: *Obí, obí ri kikeño, obí Eleguá.*

Se atribuye el hallazgo de este tipo de oráculo a un *oluwo* eminente llamado Biagué. Adiototo, su único hijo heredó exclusivamente su arte de predecir, mientras otros que no lo eran, al morir Biagué lo despojaron de todos sus bienes que le correspondían legítimamente. Adiototo se hallaba sumido en la mayor pobreza cuando una mañana, arrastrándose por las calles de su *ilú*, oyó pregonar su nombre. El Oba lo citaba a su *afín*. Se trataba de poner en claro la propiedad de unas tierras de las que se habían apoderado unos hijos adoptivos de Biagué alegando ser suyas sin tener pruebas. Adiototo se presentó ante el rey. Con el acento inimitable de la sinceridad contó lo acaecido y le pidió que interrogase al propio Biagué, dando a conocer por primera vez el mecanismo de su oráculo, que mantenía secreto. Oba obtuvo las respuestas que necesitaba y Adiototo recuperó los bienes materiales que por derecho propio le pertenecían.

Aunque el coco puede «hablar» mucho con las cinco letras de que consta, no se extiende tanto como el *Dilogún,* el sistema de adivinación por medio de los caracoles, que después han de conocer a fondo *Iyalochas* y *Olorichas,* indispensable a su sacerdocio.

Valiéndose de cuatro pedacitos de coco, diciendo como el matancero Salazar: *Obí osi ikún kun eyo ofé,* el *Oloricha* o la *Iyawó,* de rodillas o de pie, inclinándose, los lanzan al suelo. Antes de comenzar el interrogatorio, «saludar» a los muertos y a Eleguá, derraman en el suelo las tres libaciones de rigor: *Atanu che oda li fu aro mo be aché aché mí, aché omó be omi tutu ana tutu tutu ilé tutu Laroye.*

Hilario, para tirar los cocos, «en todas las ocasiones», rezaba: *Baba layiki ma jara mana Laroye até koko biyá ika.* Y después a cada *Oricha* comenzando por los santos varones:

Eleguá: *Alaroye akiloyú bara bara kikeño Echu boro Echubí Echu bí chiche Echu barakikeño.*

Ogún: *Ogún chibinike alá olúo kobu oke Baba mi biriki kualo to niwá osun duro oru duro gago labo si e.*

Ochosi: *Ochosi odé mata ata mata si duro oru duro mata.*

Los Ibeyi: *Ibeyi oro omó mokué o Orúmila Apesteví Ayaí, Aina, Alaba yu igué, Ideu, Kainde.*

Changó: *Elueko Asosain akatá jeri jeri kawo kabie sile ayá tután ayá* *layí apende ure Alafia kisieko tu ni yeyeni ogán gelé yu o okuré ari kasagun.*

Inle: *Erinle ma kueko ara arawanile ara wa Einle awara niye.*

Yemayá: *Iyá mio atara mawá mio jojo acheré Ogún Ayaba tiwa odun Omio Yemayá Asayabí Olukun awoyo awoyo yogún ewó ayaba lo ewomi emi boché Iyá Olomi akara bi aye Yemayá eweré ekun asaya bi Olokun ya bi eledé Omó arikú alajaja de yuoma kamariku kamariku arun kamari eye kamari ofó kamari yeu bi pene.*

Ochún: *Ochún iwá Iyamio iko bosi Iyá mi wasi Iyamí mo Yalode okido abalá abé de bu omí malé ado eleweni kikiní sikede to che ni kuelé kuelé Yeyé moró.*

Oyá: *Yansa orire omá lelú Oyá koyé kofiedeno Oyá ayí lodá ayí me mo omo nti omo kuékué ayé orunla mio talembo mi lo jekua jekua jei Iyansa oru ikú jeri Obini dodo.*

Obatalá: *Obatalá Obatasi obada bada bada nera ye okulaba okuala aché Olobo aché Omó aché ku Babá.*

Obatalá di be ni wa binike alá lola a aché afiyú Oricha ailala obí koko alarú matile.

Ika Akokofó akokoforó alailá fi mon soki pa wará atiká ma che echá ate kokobiya bara layiki adadamo atuya da komó obé wabada ko me ya ocho kododo bimo sa dodo eye pu yana bi mo se yana.

O esta otra oración: *Omi tutu laero pe le ri la be keke koko laró pelerike bomo gan lorí gan bo yé iga ibori bí chiché* —toca el suelo con sus dedos y los besa— *ilé mo piko mo poleni untori ikú mo poleni untori ofó mo da ri mo poleni obí eye aro ile Obí oyo, Elewara. Akuaña.*

También lo hemos oído pronunciar y lo hemos visto escrito, con esta ligera variante: *Omi tutu laro ero pesi pesi Beleke koko lodó pelerikí bo ma iga lo rí iga boyé iga bochiche ile mo kué. Mo peloni untori ikú, mo pelomi untori arún mo pelomí untori ofo mo da bi funlé ni obí ikú, obí ofo obí ilé ba re o.*

Como siempre al finalizar los rezos, se responde *Akuaña.*

Un ahijado de Sandoval, muy cascarrabias, saludaba a sus muertos y a sus santos varones antes de ofrecer *obí: Ibayé mi bayé to no. Ayuba.* A las *Orichas* no las saludaba. Con las santas no quería nada. ¡Extraño tipo de misógeno! «Con mujeres», decía, «ni la Gloria».

Y después de saludar a Eleguá continuaba:

Ogún *awara awaneye Ogún chibiriki.*

Ochosi *gugú ode mata matasé.*

Changó *kabiesí elueko osí Osaín fi na maná fi na ma Laroye maraní owó maraní omó Babamí osí Osaín apente ure karé kamá si.*

Agayú *Cholá ki ni ba be ibá eloni.*

Ibeyi Oro *Alaba Kainde achoniré wa fu mi orumale iwá malé niré*

ayeniré arikú kofiedenu oín laché niré ikú kofá anatuto Laroye.
Osain *awé ne yé awó awaní omó ti ché bewán idé de wan to lokun.*
Ocha Oko *afé fe ikú orí ayé Oricha Oko mo bi baré o oke.*
Inle *kinka maché, Inle dada obaloke kinkamaché.* *Ainá Dade beyi oro tawe, Kainde Alaba, alafí kunlueo, Olodumare.*

Por último, pecando de machacar en lo que ya está dicho, copiamos al dictado la lección de Yaiola:

«Derrame tres chorritos de agua, cierre la mano izquierda con los pedazos de coco dentro, toque el suelo tres veces con la derecha y diga cada vez: *Ilé mo kuo mo kueló mu untori ikú, untori aro, untori eye, untori ofo, untori mo de lifún loni.*»

Y luego: «*Obí Obikú obiaro Obí eye, obí ofó obí re Obí keño Obí . . .* (el nombre del santo), y tire.»

Una vieja *Iyá* nos explicó la primera vez que la vimos consultando, que sin estar iniciado, «cualquier cristiano», yo por ejemplo, podía valerse de *Obí* para salir de una duda, tomar una decisión: «que a todos contestan según caen, unos boca arriba enseñando lo blanco» —la pulpa— «otros lo prieto» —la corteza. Esto es, que se interpretan las respuestas que nos dan, de acuerdo con las posiciones que presentan al caer. En principio, el mecanismo es semajante al de *Dilogún,* —los caracoles.

De este modo, a tres pedazos de coco que al ser lanzados muestran, uno la pulpa y dos la corteza, se llama *Okana Sode* y nos advierte: «abre bien los oídos, hija, que dice que tienes la cabeza muy dura».

Se murmura: *Okana Sode oru atí Sodi. Okana* expresa no. Se indaga, se vuelven a tirar los *obinu* para saber qué desea Changó o el *Ikú,* pues ambos responden en esta combinación, y pedirles que nos ayuden. Los cuatro *obí* u *obinu,* como se prefiera llamarlos, ocultando la pulpa, hacían exclamar a mi vieja informante: *¡Yansa jekua keri apuyanfú apuyanfú Oyá ara oro!* Porque es un augurio nefasto: «una letra pesada, mala». Responde un no rotundo y anuncia muerte, como que es letra de Oyá, la dueña del cementerio. Pero añadía, «es letra que siendo muy mala podía a la vez ser buena». Aconseja encenderle una vela a los muertos. *Oyekun* es su nombre, y además indica que los *Orichas* no están dispuestos a recibir el *adimú* o la ofrenda que se les promete porque están molestos. «Hay que aplacarlos.»

Tres *obí* blancos y uno oscuro se llama *Itawo.* Se reza: *Itawo ita bo ta arikú Babá arikú bawo.*

Otras *Iyalochas* le rezaban: *Obara oni oni Bara. Obara koso telerío ayé kikaté alakamaké arayé. Eluwekón aché saín. Ogún Arere la boko. Itawo* responde sí. Para confirmar que dice sí se repite la pregunta, de lo contrario puede no ser una afirmación definitiva. No ofrece seguridad.

Dos que caen mostrando la corteza y los otros dos la pulpa, es *Eyifé,* signo que también responde sí, y como *Otawo* advierte que se esté alerta y anuncia visita. Aquella buena *Iyá* a que me refiero decía entonces: *Eyifé olobo, Eyifé omó arikú, Babawá arikú Babawá.*

Los cuatro *obinu* blancos es *Alafia*, buena letra, «pero que también tiene sus más y sus menos» si no reitera su sí, que entonces no deja lugar a dudas. Cuando se formaba el signo u *odu Alafia* la vieja decía: *Alafi olo be Alafi omó Alafia odá Alafi ke ebí adá.*

Con su habitual laconismo Plácida resumía quizá demasiado a la ligera su lección:

«Si va a tirar el coco y ve dos pedazos boca abajo y dos boca arriba, es que le están contestando que sí a lo que pregunta. Eso es *Eyifé*.

«Bueno, ahora, tres boca abajo y uno boca arriba le dicen que no. Es *Okana Sode*. Es malo, dificultad, no. Pregúntele a Changó qué pasa. ¿Por qué esto, lo otro? ¿Sí, no?

«Todos boca abajo, malísimo, *Oyekun*.

«Tres blancos y uno prieto, *Itawo*. Regular, quién sabe . . . porque no es un sí seguro el que da.

«Los cuatro cachos blancos, *Alafia*. Muy bien. Segurete, un sí en firme».

Los *Orichas* que responden en los *obinu* son, según unos *Olorichas*, porque en estas atribuciones algunos difieren ligeramente: En *Eyifá*, Eleguá, Ogún y Ochosi. En *Itawo*, Changó, Yemayá, Inle, Ochún. En *Oyekun*, Oyá, Yansa, Changó. En *Okana sode*, Oba, Yewá, Oyá, Naná Bulukú. En *Alafia*, Obatalá, Orula, Los Ibeyi.

Otros entienden que en *Okana Sode* hablan además de los Guerreros (Eleguá, Ogún, Ochosi), el dios Osain. En *Oyekun*: Yewá y Yansa. En *Okana Sode* los Muertos y Babalú Ayé, y también Changó. En *Alafia*: Orúmbila. *Alafia quiere decir paz, tranquilidad. Para consultar el obí las preguntas serán breves. Por ejemplo: si el obalafuni*, el devoto, la *Iyawó* o la *Iyá* desea saber de inmediato si un *ikú* o un *Oricha* está satisfecho con la ofrenda que se le promete o se le ha cumplido; si antes de acometer una tarea, cerrar un negocio, establecer unas relaciones, efectuar una diligencia que le obliga a alejarse de la casa, desea saber cómo se desarrollarán las cosas, si una enfermedad se presenta, etc., bastará con que repitiendo las tiradas, el *Oricha* o el *ikú* ratifique su respuesta, como se nos ha dicho, con la afirmación indubitable de *Alafia* si va seguida de *Eyifé*: la negativa insistente de *Okana Sode* o una posibilidad de *Itawo*.

Se insiste en que en todos los ritos que se practican en la Regla de Ocha, el coco es esencial. No se *Mo yuba* sin cumplir con el requisito de ofrecer, acompañando las tres libaciones de agua —*Omí wanfún ocha*— un *ibu* —pedacito— de *obí* a los Muertos y a los dioses, «saludando a los primeros con la oración que conocen todos los *omó*: *Mo wo ikú Olubo mbelesé Oludumare Ayuba. Igbá e ba ye*, etc. Muchos santeros no se olvidaban de saludar a Biagué y a su hijo Adiatoto: *Oché bi we Biagué Babadona Orun Adiatoto adafún alá kenta Dada omo tié Agó.*

Terminaremos recordando que es importante, al anunciar *Oyekun* la muerte de un pariente o de persona relacionada con el consultante, o alguna otra desgracia, deberá encenderse una vela. Naturalmente, se preguntará al *Oricha* o al *ikú* qué *ebó* —sacrificio— es necesario para impedir el mal que se avecina. O bien se tomarán los cuatro pedazos de *obí* y se depositarán en una jícara de agua con ocho pedazos de manteca de cacao —*orí*—, se toca el suelo y se reza[4]. Si los *obinu se presentan en la situación Eyifé*, el *Babaocha* los oprime contra su pecho y dice: *Iga soro iga kocheché Eshu kabie sile*, los remoja, arroja el agua a la calle, vuelve a empuñarlos en su mano izquierda, que golpea rápidamente cuatro veces con su mano derecha y vuelve a arrojarlos: *mo fe loni ló ló tó ri ofó.*

Ante *Okano Sode* lo procedente es tirarse de las orejas, abrir en grande los ojos, y al obtener la respuesta satisfactoria mediante *Alafia*, la vieja o el viejo a quienes debe imitar todo aprendiz, besar el suelo. El consultante y los asistentes, si los había, hacían *foribale* en acción de gracias.

VI
Dilogún: Adivinación por medio de los caracoles

La palabra de los *Orichas* es la que esclarece, guía, reconforta, protege, cura y salva a sus hijos —que hijos de los *Orichas* son todos los hombres— nos decía la ejemplar Odedei. Cuando un *Iyawó*, un predestinado a ser Madre o Padre de Santo, «aprende a hablar con ellos», es decir, aprende a manipular los caracoles, que son los portavoces de los dioses, los interroga y entiende sus respuestas, actuarán a lo largo de sus vidas ciñéndose rigurosamente a las indicaciones que reciben. Por su propio bien y para bien de quienes los consultan.

Conocer a fondo este oráculo, leer el *Dilogún*, descifrar, trasmitir sus mensajes, aprovechar los consejos, los múltiples recursos y remedios aplicables en cada caso y circunstancia, según el número en que caen, como en el *Biagué*, invertidos o presentando la faz exterior, no es empresa fácil. Claro está que ayuda en esta función, cuando se practica para los demás, la intuición, mediunidad o facilidad de palabra de santeros a quienes se les puede llamar *olotos*[5]; conscientes y respetables. Lejos de nuestra intención, tratándose de ellos, a las dotes inventivas, a la viveza o elocuente picardía de los que son desgraciadamente y cada vez más numerosos, explotadores de ingenuos o de ignorantes del culto lucumí.

Un *Oloricha*, una *Iyalocha* no puede prescindir del *Dilogún*. Continuamente ha de recurrir a él. Porque en la indagación más sencilla, en las consultas particulares, para los *ebó* más elementales o más importantes, están obligados a interrogar a los *Orichas*, a conocer y cumplir su voluntad.

A los caracoles que se emplean para adivinar, —*cauris Cypres monetaque* «no siempre eran de Guinea», de la India se exportaban a Africa y de Africa iban a Cuba en todo tiempo, se les lima la parte superior, que no muestra la hendidura que llaman *bolifuni*, boca, la boca por la que lógicamente habla el *Dilogún*. «Se lavan con *aché* de Orúmila. Ñame, ceiba, canistel, clara de huevo, siempreviva, *totón*, agua bendita, agua de coco, polvo de chayote, cascarilla, un grano de pimienta, mirra y canela. Se enciende una vela mientras se lavan. El oficiante se echa en la mano polvos de tarro de buey[5] y los sopla a la calle.» Se consagran y «beben sangre».

Dieciséis caracoles así arreglados, parcialmente huecos, que reciben el nombre de *Dilogún*, «debía decirse *meridilogún*, que en *anagó* quiere decir dieciséis», constituyen este oráculo que reciben consagrados los *Iyawó* y que de tiempo en tiempo se refrescan y refuerzan, «comen». A estos ,disciséis caracoles, teóricamente son dieciséis los que auguran —pero por lo regular sólo «conversan» doce—, hay que añadir dos más, pues lo que se dice una «mano de caracoles» consta de dieciocho según unos *Olorichas* o de veinte o veintiuno según otros. De los dieciocho se apartan dos «que vigilan» —se les llama *adele*—, y de los veintiuno, cinco. Acompañan al *Dilogún* una piedra pequeñita y oscura y un caracol distinto a los *cauri*, que se busca en las playas, una semilla de guacalote, una cabeza de muñeca de loza y un trocito de cascarilla de huevo.

A este conjunto de cosas se le llama *ibo*, pronuncian unos, otros *digbo* o *kigbo*. La semilla de guacalote: *ewe ayo, ayé*. La cabeza de muñequita: *Orí, Aworán* o *eri awona. Aworankí. Aworasasé.* El trocito de cascarilla: *Eyeki Ofún.* El caracol: *Ayé.* La piedrecita: *Otá. Ota kigbo. Ota Ibo*, y un huesecillo del animal en cuya sangre se bañaron los caracoles. Son «aguantes» que se dan al consultante en el proceso de la adivinación.

Después de *moyubar* y de rezarle a los *ikú* se le reza a Eleguá: *Echu Laroye obeniyo oni pa pa kuora ana sié se atukan ma che ichán asoko loni apueye niga niba odun oniku monikón dori oún lobu ele iki cha onado ture.*

Echu ebiri etu ka ma cheche onise meni kando eye komo yagatá Eleguá ikán Laroye un eweniga.

Se recita esta oración: *Barikiri keda adenso ademo iba aye reti kinka maché Olúo Iyalocha. Kinka maché Oyugbona, kinka maché Iyá te bo iba Babi tobí Owo locha iba Babá iba Yeyé iba koda iba chedú iba godelifé iba Olodumare kofá che se le milekun le mi kolobo kolo bu ela koché odadeso Ocha wibe ana ba kun peregún ofé bayanido kun omi labé osunle owalá meyi obí olo otiwé obí tiwó igui osunle owalá meyi obí olo otiwe obi tiwó igun merilaye igui baje lo ni iré la fakuá fikocheri ochare ochanio Odaché eyí fe oye.*

O las siguientes: *Baragui de gaga alakomako alamula mubata abebé niyo afó foré tu le ama mara tu mama arako loni apaché Babá aché Oyugbona kanikara araba bonigué ounde ite baralagalé kiti nfo ayukana ra do aba si eyo nefa ayo ma ro titilalogué ayalun Babá Babái unlo ayadun Babá.*

Barakidiwa ala komako ala mo ché bata alaleniyo aché Babá aché Araba ayuma ma roko loriki eye aché Babá ta bini aché Yeyé to bi ni aché Olodumare ikofé isi lu lenu morí laye ché ifé Ocha re o.

Bara okitigada alakomakó alamuliné omó ma ra tun osoko to ni apá eye lanu. Aché Babá, aché Yeyé, aché Olúo si wa yu Oyugbona kaña akodá achedá araba Babá brike oún badá le la ilé le aki etié fun Oyu ma maroko ba la sié yo la larián eyé, aché Babá Obini, aché Olodumare iko pa ché isimi lenu igun merilayé aché ifé achabeo.

Echu Alawana akokoro bi bi la Eleguá Alaroye Eleguá ala komakó ofó rotule obebe le yu Alamaí Babá omó moró ntuno komadú aché re achere ogúo achere omó odede Legúa tolo kun.

Se frota las manos con cascarilla, empuña los caracoles con su mano derecha, les sopla su aliento, su *aché,* y la apoya en la frente del consultante, luego en los hombros, en mitad del pecho, en las rodillas, pronunciando la fórmula obligada: *kosí ikú, kosí aro, kosí eye* (no haya muerte, ni enfermedad, ni sangre) y *Kosoro da wi pa oda, ó un soro bi pa ofó* (no hables bueno para malo ni malo para bueno), los lanza, lee, analiza la posición en que han caído las «letras» u *odus* y le pide al consultante que abra una de sus manos, que ha tenido cerradas y cruzadas. Este guarda en cada una de ellas el *ota digbo,* la piedrecita, y el *ofún,* la cascarilla, que le había dado previamente y que ahora retira de su mano izquierda o derecha, según le indiquen, para tocar con una u otra los caracoles.

¿*Eboda*? inquiere entonces el Santero. Los vaticinos —las «letras», como habitualmente se dice en los *ilere*— se deducen por el número de los que caen «boca arriba o boca abajo», invertidos o de frente, y así se pregunta si «vienen por buen camino o por mal camino». Dicho también de otro modo, «si traen *iré* u *osobo*».

«Eboda», nos aclaran, «quiere decir sí, que el Muerto o el *Ocha* que habla acepta el *ebó,* una ofrenda o sacrificio que arreglaría las cosas.» Cuando es *iré,* un bien, una suerte propiciada por los muertos, «que viene por camino de muerto», se vuelve a preguntar. Si el sí se afirma, se considera un sí seguro, lo que se entiende por un *iré* perfecto, entonces le oiremos decir al *Oloricha: Moyaré.*

Es imperfecto en cambio, cuando después de la primera pregunta no indica qué *iré* trae. El *Olocha* murmura entonces: *Koto yaré . . .* ¡y corriendo hay que hacer *ebó*!

Son muchas las causas y procedencias de una buena suerte, de un bien.

Las que se deben a los Muertos: *Iré ikú.*

Las que vienen del cielo: *Iré otonowá.*

Las que conceden los *Orichas*: *Iré elese Ocha.*

Las que proceden de este mundo: *Iré aiyé.*

El bien que se debe a sí mismo, que se alcanza por propia mano: *Iré lowo.*

La suerte que viene por conducto de un hijo: *Iré omó.*

Por la propia cabeza: *Iré Eledá.* «Que se tiene bien asentada»: *Iré ori yoko.*

Por la mano de un hombre: *Iré okuni.* De una mujer: *Iré obini.*

Suerte que viene del mar: *Iré de wantolokun.*

De un Muerto: *Iré elese Egun.*

De dinero: *Iré owó.*

Bien que se recibe de manos de un viejo: *Iré arugbo, Iré agbo.*

De un hermano: *Iré alese aburo.*

Que proviene del campo: *Iré araoko.*

Del más allá: *Iré elese araoru.*

Suerte para vencer al enemigo: *Iré achegún ota.*

Suerte por los Cuatro Vientos: *Iré ogún mereayé.*

Suerte que proporciona una lotería: *Iré elese ewe.*

La que da Orula: *Iré elese Orunla.*

Todo lo opuesto al bien: Muerte; *ikú.* Enfermedad; *aro.* Crimen; *echenla.* Peleas; *yiyé, yika, iña.* Las malas intenciones de la gente; *ikarayé.* Desgracias, calamidades, vergüenza; *egán, ofó.* Miseria; *ochí.* Traición; *eche.* Odios, envidia, riña; *ilara.* Golpes, castigo; *ina, oná.* Derramamiento de sangre, tragedia; *eyé.* Mal de ojo, brujerías; *oyú, ochó, arayé.* Revolución; *kkiká, akoba*; todo eso significa, es *Osobo.*

Igualmente esos males vienen por la mano de Dios, de los Santos y de los hombres. Así tenemos:

Muerte por Dios: *Ikú Olodumare.*

Por el Cielo: *Ikú otonowá.*

Por los *Orichas*: *Ikú elese Ocha.*

Por un muerto: *Ikú aleyo elese Egun..*

Enfermo por voluntad de Dios: *Arún Olodumare. Arún yale.*

Por el cielo: *Arún otonowá.*

Por los *Orichas*: *Arún elese Ocha.*

Por mal de ojo y brujería: *Arún arayé. Ochó.*

«Una *Iyawó* que va a ser santera aprenderá a conocer muy bien todo esto», pontificaba la vieja Florinda, que no logró hacerlo comprender a su ahijada más querida, «que fue por mal camino», abandonó sus deberes con la religión y acabó en el hospital de las Animas.

Ahora, a los que desean documentarse, a los que se quejan de la morosidad de sus padrinos en enseñarles, con licencia de los *arugbo* sobre todo y de algunos que aún eran jóvenes hace treinta y pico de años pero que se habían educado junto a ellos, a la antigua y no renuncian a sus tradiciones, ofrecemos los informes que conservamos referentes al *Dilogún*.

Niní y otras contemporáneas suyas comenzaban a enseñar el significado de los *odu* de este sistema, dando una cartilla de pocas hojas, para grabarlas más fácilmente en la memoria de los ahijados. Quizá si eran aplicados llegarían a conocer con los años, muchos «caminos» de letras. «Pero ya con veinte o treinta se defiende un santero».

El estudiante, —*obiní lewi*, mujer con libro, me llamaba Salakó cuando anotaba lo que le escuchaba— escogerá para comenzar, entre la breve cartilla de Niní que a continuación reproducimos, o la de una comadre suya de Guanabacoa, en algunos puntos más extensa. Pero antes de escuchar a Niní he aquí la enumeración y los nombres de los *odu* del *Dilogún* que memorializará el *Iyawó*.

1 *Okana*	5 *Oché*	9 *Osa*	13 *Metala*
2 *Eyioko*	6 *Obara*	10 *Ofún*	14 *Merinla*
3 *Ogunda*	7 *Odí*	11 *Ojuani*	15 *Manula*
4 *Eyiorosun*	8 *Eyeúnle*	12 *Eyilá*	16 *Meridilogún*

Hasta *Eyilá* augura «habla», el *Dilogún*. Después de *Eyilá* es el *Babalawo* quien determina. Es Ifá, Orúmila, repetimos, «secretario de Olodumare», el gran *Oricha* de la adivinación, señor de los destinos del panteón lucumí y su representante en la tierra, el *Babalawo*, «incontestable» sacerdote máximo de la Regla a quien ha de consultarse y quien aclara y resuelve con sus *ikis*. A él remiten los *Olorichas*. Pero no es aquí donde diremos lo que nuestros *Olukos* nos enseñaron sobre los sacerdotes de Ifá.

Algunos santeros aluden a los *odu* por su número.

1 *Okán chocho*	5 *Manú*	9 *Mesán*	13 *Metanla*
2 *Meyi*	6 *Mefá*	10 *Mewa*	14 *Merinla*
3 *Meta*	7 *Meye*	11 *Monealá*	15 *Manula*
4 *Merín*	8 *Meyo*	12 *Meyilá*	16 *Meridilogún*

o, me rectifica uno de mis viejos informantes:

1 *Eni*	5 *Erún*	9 *Esán*	13 *Metánla*
2 *Meyi*	6 *Mefá*	10 *Mewá*	14 *Merinlá*
3 *Meta*	7 *Meye*	11 *Okanla*	15 *Medogún*
4 *Merin*	8 *Eyo*	12 *Eyilá*	16 *Meridilogún*

Se lanzan los caracoles y por su posición al caer, unos sobre la parte superior y otros por la inferior, se interpreta su significado.

Okana: cuando cae uno solo mostrando la «boca».
Eyioko: cuando son dos los que la muestran.
Ogundá: si son tres.
Eyiorosun u oyorosun: si son cuatro.
Oché: cinco.
Obara: seis.
Odí: siete.
Eyeúnle: ocho.
Osa: nueve.
Ofún: diez.
Ojuani: once.
Eyilá Chebora: doce.
Metanla: trece.

Algunos santeros se extienden hasta *Metanla*, pero este signo le corresponde a *Babalú Ayé*, el *Oricha* de la lepra y de las enfermedades venéreas, y omiten su lectura.

Estos *odu* se clasifican en mayores y menores.

Son mayores: 1, 2, 3, 4, 8, 10 y 12. Es decir: *Okana, Eyioko, Ogundá, Eyioroso, Eyeunle, Ofún, Eyilá.*

Son menores: 1, 5, 6, 7, 9, 11.

Secundino añadía a los *odu* mayores el 12, 13, 14, 15, 16, y por menores tenía el 5, 6, 7, 9, 11 y 12.

Cumplido el rito ya descrito, libación, *Ayuba*, rezo, el *Oloricha* arroja los caracoles sobre la estera o sobre una mesa cubierta con una tela blanca, y ya aparezca un *odu* mayor —*Eyioko, Eyeúnle, Ogundá*, etc.— o uno menor —*Oché, Odí, Obara*, etc.— vuelve a tirarlos sin pedir mano al consultante, pues en las dos primeras tiradas no se pide *ibo*, y aunque sea una letra mayor la que aparezca, se vuelve a tirar por segunda vez.

Es muy importante que el estudiante no olvide, se nos repite; que si los *odu* que aparecen son menores se tira dos veces y si son mayores una sola vez.

Cuando el *odu* que sale es mayor se pide la mano izquierda. Cuando es menor, la derecha.

Si el mismo *odu* o, letra, se repite, es decir, si los caracoles caen dos veces en la misma posición se llaman *meyi*, y se vuelve a pedir la mano izquierda.

Una vez esparcidos los caracoles y visto los *iré* o los *osobo* que anuncian los *odu*, se pide *ibo*.

Así también queda establecido y consignado en los cuadernos que utilizan los *Olorichas* y por los que se guían los instructores «para refrescar la memoria».

De manera que se pide mano derecha en *Okana* y *Oché* (1 y 5)

Derecha en *Ogundá* y *Odí* (3 y 7)
Derecha en *Odí* y *Osa* (7 y 9)
Izquierda en *Ofún* y *Eyeúnle* (10 y 8)
Izquierda en *Ofún* y *Obara* (10 y 6)
Derecha en *Ojuani* y *Ogunda* (3 y 11)
Izquierda en *Eyilá* y *Ogunda* (3 y 12)
Derecha en *Oché* y *Eyilá* (5 y 12)
Izquierda en *Ojuani* y *Oché* (11 y 15)
Izquierda en *Ojuani* y *Osa* (11 y 9)
Derecha en *Oché* y *Obara* (5 y 6)
Derecha en *Obara* y *Eyilá* (6 y 12)
Izquierda en *Manulá* (15)
Izquierda en *Eyioko* y *Obara* (2 y 6)
Izquierda en *Eyiorosun* y *Ojuani* (4 y 11)
Derecha en *Odi* y *Obara* (7 y 6)
Izquierda en *Ofún* (10)
Derecha en *Ojuani* y *Okana* (11 y 1)
Izquierda en *Okana* y *Eyioko* (1 y 2)
Derecha en *Osa* y *Ojuani* (9 y 11)
Derecha en *Odi* y *Ojuani* (7 y 11)
Izquierda en *Ojuani* y *Obara* (11 y 6)
Derecha en *Oché* y *Odi* (5 y 7)
Izquierda en *Eyioko* y *Odi* (2 y 7)
Derecha en *Ojuani* y *Ofún* (11 y 10)
Izquierda *Merinlá* (14)
Izquierda *Meridilogún* (16)

En el curso de la consulta, que puede prolongarse todo el tiempo que juzgue necesario el augur, los profanos oirán pronunciar palabras en lucumí que no entienden, como: *Lariché.* Por ejemplo, cuando ya interpretado un *odu* que entraña *iré* u *osobo*, el santero tocando con el *ibo* (piedrecita o cascarilla) pregunta: *¿Lariché? ¿Iwoní lariché? ¿Kilaché? ¿Kilaché adimú? ¿Ebochuré? ¿Ebó keun odunkeun? ¿Kilaché ebó? ¿Loriché?*: se refiere «a la cabeza del consultante», es decir, ¿su *Oricha* va a revelarle algo?

Un *adimú* significa una pequeña ofrenda, una golosina, algo que sea grato al *Oricha. ¿Kiloché? ¿Qué desea? ¿Ebochuré? ¿Un poco de todo? ¿Ebokéun odu kéun? ¿Qué se ofrende un poco hoy, un poco mañana y algo siempre?*

En un itá —en el «registro», en un Asiento— para que uno de los *Olorichas* o *Iyalochas* que se hallan reunidos, hable al neófito, se dice: *Lariché le nu iworo.*

Lemas, refranes, dicharachos e historias —*Apatakí*—, acompañan los *odus.*

OKANA (1). Por uno comenzó el mundo. Sin bien no hay mal, sin mal no hay bien. Haya uno bueno y haya uno malo (*obí tale*).

EYIOKO (2). Flecha entre hermanos.

OGUNDA (3). Discusión lleva a tragedia.

EYIOROSUN (4). Nadie sabe lo que hay en el fondo del mar.

OFUN y OCHE (10 y 5). El *Ikú* —el muerto— quitó lo que tenía de Santo. (*Ikú owadorono ko lo olocha koní wowó*).

OBARA y OSA (6 y 9). Loco o se hace el loco.

OBARA y ODI (6 y 7). El perro tiene cuatro patas y no coge más que un camino.

ODI y OBARA (7 y 6). Peonía no sabe si se queda con los ojos negros o coloridos.

OJUANI y EYIOROSUN (11 y 4). Venganza grande (*Ti tú*).

EYEUNLE y EYIOROSUN (8 y 4). Si mi cabeza no me vende no hay quien me compre. Cabeza guía al pie derecho y al izquierdo.

OCHE y OSA (5 y 9). A buen hijo Dios y su madre lo bendicen.

OSA y EYIOROSUN (9 y 4). Mirar adelante y mirar atrás.

OCHE y OFUN (5 y 10). El Santo libra del muerto.

OBARA y EYEUNLE (6 y 8). Oreja no puede pasar cabeza. (Alude al respeto que debe profesarse a los mayores. Intentar lo que es imposible.)

OSA y OBARA (9 y 6). Dos carneros no beben en la misma fuente.

OSA y EYEUNLE (8 y 9). Después de frita la manteca se verá cuántos chicharrones quedan.

EYEUNLE y OSA (8 y 9). Donde Changó comió carnero por primera vez. El mal que hizo no vuelva a hacerlo.

OCHE y EYIOROSUN (5 y 4). Si Agua no llueve Maíz no crece.

OCHE y ODI (5 y 7). El que debe paga y queda franco.

ODI y OCHE (7 y 5). Si no hay pruebas queda absuelto.

OBARA y OCHE (6 y 5). ¡Afuera, al patio!

OCHE y OBARA (5 y 6). Una cosa piensa el borracho y otra el bodeguero.

OBARA – OBARA (6-6). Quien sabe no muere como el que no sabe.

OGUNDA y OCHE (3 y 5). Repugnancia. Muerto está parado. Discusión entre familia.

OSA y EYIOKO (9-2). Revolisco. (Con el marido si es mujer quien se consulta, si es hombre con su mujer, y puede extenderse a una segunda persona allegada a ellos.

EYEUNLE-MEYI (8-8). Dos amigos inseparables pelean.

OSA-MEYI (9-9). Amigo mata amigo.

EYIOROSUN-MEYI (4-4). Parió derecho, parió jorobado. Prisión y desesperación.

EYEOROSUN y EYEUNLE (4 y 8). El que nació para cabeza si queda en cola; es malo.

ⁱ *OKANA y OGUNDA* (1 y3). Revolución (*Eyeni*). Sangre por la boca, o nariz o por el ano.

OCHE y EYEUNLE (5 y 8). Prisión. Nadie sabe lo que tiene hasta que no lo pierde.

ODI y OSA (7 y 9). Estira la mano hasta donde alcance.

OSA y EYIOROSUN (9 y 4). Mira hacia adelante y hacia atrás.

OGUNDA y OSA (3 y 9). Olofi parte la diferencia.

OJUANI y OGUNDA (11 y 3). Uno tira la piedra y un pueblo carga la culpa.

EYIOROSUN-MEYI (4-4). Un sólo hombre salva un pueblo.

ODI-MEYI (7-7). Salir de la costumbre es inquietud. No abandone sus hábitos.

EYEUNLE (8). La cabeza es la que lleva al cuerpo. Un solo rey gobierna un pueblo. (*Oba kanén weri oeiaté*).

ODI MEYI (7-7). *Odigaga Odigogo*. Dos necios no hacen bien lo que tienen que hacer.

OSA y ODI (9 y 7). Dos narizones no se pueden besar. (*Emugogo meyi agadagodo*.)

OCHE y EYIOKO (5 y 2). Dinero saca tragedia arriba Santo. Discordia familiar. (*Owonide y Alekani Ocha*.)

OBARA y OSA (6 y 9). Fracasado por porfiado.

OSA y OCHE (9 y 5). Si no sabe la ley la aprende en el otro mundo.

OBARA (6). El Rey no miente. (*Oba ikuro*).

OSA y EYILA CHEBORA (9 y 12). Castigado por revoltoso. (*Oya saranda ayi lode*).

OFUN (10). Donde nació la maldición. *Ananagú.*

OCHE-MEYI (5-5). Las agujas llevan al hilo.

OJUANI (11). Sacar agua con canasta.

En estos dichos que se aplican a cada *odu* o letra se observan variantes. Por ejemplo, también se dirá en:

ODI (7). Donde se hizo el hoyo por primera vez.

OSA (9) El mejor amigo su peor enemigo.

EYILA (11). En tiempo guerra soldado no duerme.

MERIDILOGUN (16). Nació para ser sabio.

OKANA y OBARA (1 y 6). Muerto está esperando. No pierda la cabeza.

EYIOKO y EYEUNLE (2 y 8). A un rey lo quieren cazar a flechazos.

OGUNDA y ODI (2 y 7). Lo que se sabe no se pregunta.

OGUNDA y OSA (3 y 9). Olofi parte la diferencia.

OYIOROSUN y OCHE (4 y 5). Muerto está dando vueltas viendo a quién se lleva.

Y no escasean los refranes en lucumí que se aplican a una predicción o a un consejo.

Ejó oré odi meta kosi ofin ya gumá. Al amigo nuevo no se le enseña el fondo.

Obatalá da wa oti bowó ilú. Obatalá repartió vino a toda la ciudad.

Wede gu de lo bi ina wede wede lo bi oro. Donde nació la candela nació el arco iris, lo mismo que donde nació el derecho nació el jorobado. («No entiendo esto», objeta un matancero «aquí no habla de arco iris ni de jorobado, más bien de nublado; de candela sí.»)

Ará oyó togwé se. Si no quiere ruido no cargue guano.

Ayalaí tanáio. Yo mismo me machuqué, dice la campana (por el badajo que la golpea.)

Adié ikuá die. Gallina sólo para su cola.

Aleyo ku le laroyo kutá. Uno toma el purgante y a otro le hace efecto.

Alagbedé enú. Cuchillo de dos filos.

Bembeni che beré. Dice que el que lo tiene dentro se mueve.

Bembé isé ni se obinanyé nté. El que revuelve el caldo es el que sabe cómo está.

Ilú ofó yu bo be oyú okán chocho won ni Oba. En país de ciegos el tuerto es Rey.

Ará wa de le iche won oyú fe. En la tierra donde lleguemos hagamos lo que veamos.

Gaisoyé eledé. El borrico por delante.

La koto la kotó iya ninwá la kotó Iyá ninwá. Cuando uno persiste en lo mismo.

También le advertirán más adelante las variantes que acusan algunos nombres de los *odu*. «Diferencias de modos de hablar», —aclara Gaytán— o «chapurreo de criollos».

Quizá alargando más de lo que hubiésemos querido este preámbulo a los «tratados» de Niní y su comadre guanabacoense, le será conveniente al aprendiz (o al curioso) conocer los *Orichas* que vaticinan en los *odu* y en las combinaciones que resultan de cada tirada, aunque no tardará en familiarizarse con ellos.

Predicen en *Okana:* Eleguá, Changó, Obatalá, Ikú o Araoro, —los Muertos.

En *Eyioko:* los Ibeyi, Eleguá, Ogún, Ochosi, Changó y Obatalá.

En *Ogundá:* Ogún, Ochosi, Obatalá, Olofi.

En *Eyiorosun:* Olokun, Changó, Orúmila, Ochosi, y los Ibeyi.

En *Oché:* Ochún, Olofi, Orúmbila, Eleguá.

En *Obara:* Changó, Ochún, Eleguá.

En *Odi:* Yemayá, Ochún, Ogún, Eleguá.

En *Eyeúnle:* Obatalá, todos los *Orichas.*

En *Osa:* Oyá Yansa, Obatalá, Agayú, Ochún, Oba.

En *Ojuani:* Ikú, la Muerte.

En *Eyilá Chebora:* Changó.

Según otros informantes,

En *Okana:* Eleguá, Olofi y Ogún.

En *Eyioko:* Yemayá, Ochosi, Yewá, Orula, Oko.

En *Ogundá:* Ogún, Yemayá, Alafi.

En *Eyiorosun:* Yemayá, Orula, Oricha Oko, Obatalá, Ochosi. O Eleguá y Obatalá.

En *Oché:* Ochún y Alafia.

«Ochún nada más», sentencia otra autoridad consultada.

En *Obara:* Changó, Ochún, Eleguá.

En *Odi:* Yemayá, Ochún, Eleguá.

«Yemayá, Obatalá y Olokun.»

«Yemayá, Babalú Ayé y Echu.»

En *Eyeúnle:* Obatalá y Orúmbila. «Y como Eyeúnle es cabeza, jefe de *Odu*, hablan todos los *Ocha.*»

En *Osa:* Oyá Yansa, Egun, Agayú.

«Oyá y Agayú» —nos dice el viejo Alfonso.

En *Ofún:* Obatalá, Oya. «Obatalá, Ochún, y Ochosi.»

En *Ojuani:* Oyá y Eleguá.

«Siempre creí que en este *odu* los que hablaban eran Ogún y Ochosi.»

En *Eyilá Chebora:* Changó. En lo que todos mis consultantes están de acuerdo: «Changó en persona.» Pero Ekiloki rectifica: «Changó y Orula.»

Celestino G. para quien los *odu* son «en realidad compañeros de Ifá, nacen unos de otros . . .» *Okana* nació de *Ofún Mafún.*

Eyioko de *Olofi* por medio de *Eyeúnle.*

Ogundá de *Odi.*

Eyiorosun de *Ojuani.*

Oché de *Eyeúnle,* —que también se dice únle.
Obara de *Eyila Chebora.*
Odi machema de *Okana.*
Eyeúnle de *Medilogún.*
Osa de *Odi.*
Ofún Mafún de *Osa.*
Ojuani Chobé de *Metala.*
Metala de *Oché.*
Eyeúnle es superior a todos y sólo *Medilogún* está por encima de él.
De modo que si en el *Itá* o «registro» que se le hace al neófito el día
así llamado («día del *Itá*») en el proceso de su iniciación le toca «de
cabeza» en suerte este *odu, Eyeúnle* —o *únle toto Eyeúnle*— le pro-
clama hijo de Obatalá-Odua.

En cuanto a *Medilogún, odu* que entra de lleno en el campo de *Ifá,*
indica que el asentado es legítimo hijo de Olofi y que ha de recibir a
todos los *Orichas* y luego a Orúmbila. Este individuo ha sido elegido
por los dioses para conocer todos los misterios del culto y de la geoman-
cia. Recibe, mejor dicho, recibía, «porque ya no hay entre nosotros los
criollos», el título de *Omó Kolaba Olofi.* Pero tampoco han faltado
quienes han aprendido a fondo los «*ikoko*» (misterios) del *Dilogún* y de
Ifá, son indispensables por su sabiduría en los *Itadelos Kari Ocha,* y se
puede confiar en sus pareceres en todo asunto de importancia.

Volviendo a *Eyeúnle* (8) con *Odua* se recibe a Oricha Oko, a Olokun,
a los Ibeyi y a Bolomú. («Y en Matanzas, en caso de enfermedad a
Arabá, a Iroko, que no se asienta en La Habana. Vive en la ceiba, en lo
alto, y aunque se considera varón, Obadimeyi decía que era
una Santa».)

Cuando todos los caracoles caen boca abajo, inmediatamente se
ordena arrojar agua con la mano en toda la casa, pero lanzándola hacia
arriba para que caiga al suelo como una lluvia, y esto no dejará de practicarse cuando se obtiene *Eyiorosun-Odi* (4-7) o *Eyiorosun* con cualquier otro *odu.*

Los Ibeyi y Oricha Oko se reciben con el 2, 2-2, 6-2, 4-2, 7-2. *Eyioko,
Odi-Eyioko, Obara-Eyioko. Eyiorosun-Eyiorosun, Eyioko-Odi-
Eyioko.*

A Babalú Ayé con el 13, ya salga antes o después en el registro.

A *Agayú,* con el 1, 9-9, 6-9.

Para recibir a Oyá, si se trata de un *oni,* 8-8, 8-5, 8-12.

A Eleguá: 10, 4, 4-9, 4-6, 4-1, 4-5.

A Odua y Bolomú: 8-8, 10, 4, 10, 8-10.

A Inle: 5-3, 3-5, 5-8, 7-3.

A Osain: 6-3, 6-4, 6-7, 7-3, 3-7, 5-9, 6-6, 3-6, 3-9.

A Osun: 8.

A Iroko (Araba): 10-10, 10-4, 11-10, 6-10, 7-2.
A Naná Bulukú: 10-8, 10-13.

Ya hemos dicho que los *Orichas* eligen a unos *omó* para que los «cuiden», solamente, sin que estos puedan ejercer el sacerdocio, iniciar, (Asentar Santos) ni tirar los caracoles. Estos son a los que les sale *Oché-Meyi* (5-5), y en «su cabeza», *Oché* (5) con cualquier otro *odu*.

Un italero me facilita lo nota siguiente:

«Si en el registro de *Itá* le sale al *Iyawó* el 8-8 es hijo de Odua. (Hijo legítimo de Olofi será si le sale *Meridilogún*, 16.)

Con el 8-8 recibe a todos los Santos. A Oricha Oko y a los Ibeye: 2, 2-2, 6-2, 4-2, 7-2.

A Babalú Ayé: 13.

A Agayú: 1, 9-9, 6-4, 7-6, 9-3, 3-9, 6-3, 3-6.

A Oyá: 9, 9-9, 9-3, 9-6, 9-7, 9-4.

A Oba: 8, 8-8, 8-5, 1-2.

A Eleguá: 10, 4, 4-9, 4-6, 4, 4, 1, 10, 8, 10.

A Inle: 5-3, 3-5, 5-8, 7-3.

A Osun se recibe con *Orosun*.

En Matanzas a Iroko con 10-10-10-4-10-11-10-6-10.

A Osain: 7-2, 6-4, 6-7, 6-9, 6-6, 3, 3-4.

A Naná Bulukú: 10, 8, 10, 13, 10, 16.

A Orunla: 6-6, 6-4, 4-8, 4-6, 5-5, 4-5, 5-3, 6-5, 8-5, 9-5, 4-9.

En fin, con todos 6-5, 4, 10.

Niní, en su brevísimo método no cree necesario perder el tiempo en nombrar a los *Orichas* que hablan en cada *odu*.

«*Odu Orí Ocha*, así se llama la letra importante que sale», y por el momento se limita a decirnos que un solo caracol «boca arriba» en todo el conjunto, es *Okana*.[7]

Okana dice de una persona que está atravesando un mal tiempo y en su casa ha habido o habrá muerto, si la letra habla para mal. La persona no podrá embarcarse por ahora porque peligra o pasará un susto.

Esa persona pasa trabajos por ser incrédula, porfiada, soberbia, no oye consejos de nadie y cree que sabe más que todo el mundo. Por eso anda mal y estará siempre en el precipicio; tropezará con la muerte por su lengua. Que se cuide con lo que habla.

Cuando sale este camino se echan los caracoles en agua y se llama a una niña para que los pise con el pie izquierdo. Se pregunta por qué camino viene la letra y se dice: *Ariwó topachá ariwó, awó, ariwó, omá*. Cuando responde se coge un pedazo de carne, se le unta manteca de corojo y se tira a la calle.

Cuando lance los caracoles y le salgan dos boca arriba, *Eyioko* hablan los Jimaguas. La persona que consulta tiene familia con jimagua. O si están muertas que les ponga fruta, y si viven, igual. Si es mujer la que se mira, que tenga mucho cuidado que va a parir jimaguas y le pueden causar la muerte. Tiene que hacer *ebó*.

Cuando caen tres boca arriba, *Ogunda*, si le sale esta letra a un hombre se le dice que tenga mucho cuidado porque lo están cazando por causa de una mujer y no vaya a ser esto cuestión de cuchillo y derramamiento de sangre.

Y si es mujer que le dé gracias a Ogún, y que tenga mucho cuidado, que ella tiene una amiga que le hace dos caras, una por delante y otra por detrás, y la va a meter en un lío con su marido y con su familia.

Cuando salen hablando cuatro, *Eyiorosun*, le dicen al que se va a mirar que tenga mucho cuidado con la candela y que se sujete un poco la lengua. Esa persona piensa dar un viaje o hacer un negocio, y por su lengua lo va a descomponer todo. Que no acostumbre a estar contando lo que va a hacer, y si quiere salir bien en su negocio, tiene que hacer *ebó*.

Cuando salen cinco, *Oché*, la persona que se consulta que le dé gracias a la Caridad del Cobre, a la que ella le debe y no le ha pagado. Cuidado no sea por eso que Ochún le dé la espalda. Que se pase la mano por la barriga y sople tres veces para afuera. Que esa persona tenga cuidado cómo habla, reniega mucho cuando se pone brava, y que no sea curiosa.

A ella la visita una amiga; que no le comunique lo que va a hacer, porque esa persona viene a enterarse de sus proyectos para contarlos.

Cuando salen seis boca abajo, *Obara*, se le pregunta a la persona que ha venido a mirarse si es hija de Santa Bárbara. Se vio en un apuro y le ofreció algo a Changó, pero no se lo ha pagado.

Que no vaya a la plaza durante siete días y que no porfíe con nadie porque le están preparando una trampa. Que se limpie las piernas y sople para afuera. (Se le pregunta si no le duelen las piernas.) Que esté un tiempo sin comer quimbombó, y para que sus cosas salgan bien tiene que hacer rogación.

Cuando caen siete caracoles la letra se llama *Odi*. Esa persona que le dé gracias a la Virgen de Regla porque la favorece mucho. Tiene que ponerse una sayita de listado debajo del vestido y dormir con ella durante siete días. Mucho cuidado con la orilla del mar. Tiene que hacer *ebó*. Esa persona es algo desconfiada y renegadora, ella misma espanta al Angel de su Guarda.

Ocho caracoles es *Eyeúnle*. Recójalos y dígale a la persona que está usted registrando que le dé tres veces gracias a Obatalá y a Yemayá. Que debe ofrecerle algo a la Virgen de las Mercedes. Que tenga mucho cuidado con los vecinos, pues una isleña que vive cerca no la trata bien. Que para todas sus cosas se agarre de la Virgen de las Mercedes. No duerma con nada de color negro ni colorado. Que se acostumbre a dormir con agua al lado de la cama y haga *ebó*.

Cuando hablan nueve caracoles es la letra *Osa*, y a la persona que se mira se le pregunta si se le ha perdido o le han robado algo. Que el ladrón lo tiene cerca y si hace las cosas como le mandan va a atraparlo. Dígale que si hay un corre corre o accidente no salga a verlo, no suceda que del susto vaya a perecer, y si le dan una noticia, que no se sorprenda mucho. Va a saber quién es el ladrón y le dará pena decirlo. *Ebó*. Después que haga el *ebó* que siembre frijoles de carita de los mismos que ofreció, y cuando para la mata que haga un macito con las vainas y lo cuelgue en su casa.

Con diez boca arriba tenemos a *Ofún*. A la persona que se viene a mirar se le pregunta si está embarazada o si al lado de su casa vive alguna mujer que lo esté: va a tener el parto muy malo. Si es hombre aconséjele que tenga cuidado, que va a enfermar de gravedad. Tiene que hacer *ebó*.

Cuando caen once boca arriba la letra se llama *Ojuani*. A quien le salga *Ojuani* debe tener mucho cuidado, se va a encontrar metido en un lío de justicia; va a suceder algo que le van a achacar. Están empeñados en enredarlo y verlo en tren de justicia. No permita reuniones en su casa por unos días, porque están buscando por dónde agarrarla, por envidia o por roña. No preste su ropa a nadie ni la dé. Ponga un racimo de plátanos, una jícara, maíz; tiene que usar un delantal con dos bolsillos. En un bolsillo una piedra y en el otro maíz tostado para comerlo, y cuando le pregunten qué come, conteste: piedra y enseñe la piedra.

Caen doce boca arriba, pues es *Eyilá Chebora*. Al que le salga esta letra puede quemarse o prender un fuego. Para evitarlo tiene que darle una jicotea a Changó, no le haga Changó una de las suyas. Esa persona habla mucho. Todo lo bueno que hace lo echa a perder con su lengua. ¡Y cuidado con la bebida! Es muy incrédula. No le queda más remedio que hacer *ebó* de doce[8] y si de momento no lo puede hacer, que lo haga poco a poco.

Cuando caen todos boca arriba, se recogen los caracoles y se echan en agua, se pasa la mano mojada por los ojos y se vuelve a tirar. Más explícita al tratar de los *Meyi*, Niní prosigue.

En *Eyioko Meyi* hablan Ochosi y los Jimaguas.

Teloroko temitán temi che omomí owó lokán owó loko akukó elebó.

Le dicen a la persona que se mira que está mal. Saldrá a buscar fortuna al campo, encontrará trabajo, se meterá en dinero, pero tiene que hacer *ebó*, si no lo acusarán ante la justicia y no le pagarán lo que le deben. Cuidado, que por interés o bajeza lo van a abofetear. Alguien vigila sus pasos para venderle y denunciarlo a la justicia.

OTRO CAMINO DE EYIOKO.

Dice que esté un poco más en su casa, que la suerte no siempre se halla en la calle. No diga que sabe mucho, cállese porque usted tiene muchos enemigos y le quieren hacer daño. No tenga tanto genio. Cuidado no vaya a tropezar con la cabeza. Refrésquela y refresque sus collares, si los tiene. Si no, tiene que ponérselos para que se abra su suerte. Un pariente *Ikú* le pide una misa, désela para que él repose y usted esté tranquila. Cuidado con lo que come, pues la quieren amarrar[9] con la comida. Adore y dé gracias a Santa Bárbara. La protege mucho.

OGUNDA MEYI
Hablan Ogún y Obatalá.

Ogundá sirobini omo dara sirobini Boboyero orogún la budé ferayé afesuyé bóuro emi oro a kako meta obímeta ofa meta eran owóla meta acho alara akachioko meta owó la meta.

La persona que se consulta está en peligro porque el hierro está cerca de ella. Tiene las tripas enfermas. Si está en cuestión de justicia lo pueden agarrar, darle de palos. Se le dice que se le va a descomponer el estómago. Usted tiene tres enemigos fuertes que le quieren cazar con flecha. Si el camino sale en la casa, enseguida se la da un gallo a Ogún. Esa persona es renegada. Obatalá está bravo. El que se está examinando trae armas encima y tiene idea de dispararle con ella a alguien. Cuidado con los disgustos y con la justicia.

Dice también esta letra que la persona hizo algo malo o lo hará. Que no beba porque lo van a agarrar. Que no peleé con su mujer para que no le eche maldiciones. Hay una persona enredadora que lleva y trae y va a perjudicar su casa.

EYIOROSUN
Hablán Obatalá, Olukun y Yewá.

Kapalenu achó abo iboroku ti Olorun tale ení mosuro kafi kapa lenu adoroko Koyé koyé ada roko akarodo mo fire ebó akoko meyi akachieko meyi opó polopó epo oguó la meni eku eya ariño afuo meyi (dos saquitos).

Le dice al que consulta que tiene muchos enemigos, un familiar o un amigo preso, y que su salvación está en que piensa dar un viaje, pero para que no tenga tropiezos debe hacer rogación. Tiene un pariente enfermo por venganza o por su lengua, y se puede perder. Aconséjele que calle la boca. El consultante es un poco paluchero y por eso lo están mentando y se va a ver en trámites de justicia y en accidente de candela. Que no se vista de rayas ni de cuadros, porque con esa ropa se va a quemar. Cuidado con chismes y enfermedad de la vista. Si alguna persona le brinda algo no lo acepte. Tarde o temprano tiene que hacer

Santo.

Cuidar mucho a Eleguá, a los Jimaguas y a Yewá. Hay una mujer que tiene malas ideas para con todos los que están a su lado; es pendenciera, tiene la lengua muy larga, le gusta saberlo todo y no le hace nada a nadie de buena voluntad; pero no le hagan caso para que no haya cuestión de justicia, que es lo que ella quiere. Tengan cuidado con un enfermo de la familia no se vaya a perder.

OCHE MEYI (Manu).

Aún oché Boboché aché Boboché ainu ibayé dewá omayé omayé fodidé abati obaché wé che laún adiba dibá ladé koyá emo lodo omo ika Obaloré loré ikú lowó ano lowó ofo Yeyekari.

Dice de una tragedia de una persona de piel colorada. Para el consultante se acabó esa tragedia pero la rabia le sigue por dentro. A esa persona le duelen las piernas, se le va a descomponer el estómago y la sangre. Si es hombre tiene una enfermedad que no puede hacer nada con su mujer. Si es mujer le ocurre igual. Le debe una promesa a Ochún; tenga cuidado. No guarde nada que le den a guardar de nadie. Tiene que lavarse la cabeza para mudar de suerte. La persona que se la lave tiene que lavársela ella también. Usted tiene un cuchillo o un clavo grande detrás de la puerta de su casa; que lo traiga. Le van a echar brujería. Haga *ebó*.

Es hija de la Caridad del Cobre y tiene mucha suerte, pero trocada. A veces está contenta y de repente le entran ganas de llorar. Tendrá que Asentarse tarde o temprano. Le han hecho varios trabajos pero no está satisfecha. Dice que la han engañado y no es así, es que tiene que pasar por esa pena. No tenga cuestión con nadie, que Ochún la sacará en bien de todo.

OBARA MEYI (Mefá)

Hablan Santa Bárbara, San Francisco y la Caridad.

Dice que la persona que se está registrando está llorando miseria. Tiene muchos enemigos y que se cuide de la candela. No ponga nada con dibujo de rayas en su casa. Siente dolores en las ingles y tiene una cicatriz grande en el cuerpo. La van a engañar, pero sentada en su casa le va a venir la felicidad. Le gusta hablar mentiras porque dice que todo el mundo la engaña. Mujer u hombre no piensa en su persona y por eso pasa mucho trabajo. Le gusta todo lo ajeno, hasta el marido o la mujer de otro. Su pensamiento es el dinero.

Oní Bara mo Bara kikaté arayé kikomakaté Yeyé be mi weni meyi larun arayé komotaye Eyelé elebo akuko meyi logún achola ac '.ó eni kuona owuola mapá to ti efa.

En este le advierte que tiene una sábana rota en la cama, o una colcha y que debe quitarla. Cuidado con un engaño. No tiene el sueño tranquilo y le da miedo la justicia. La van a convidar para ir al campo y no podrá ir, porque su ropa no estará en condiciones de ponérsela. No se apure que usted estará bien, aunque por el momento esté muy apurada. Irán a pedirle de comer. Dela que esa será su suerte. Tiene un enemigo fuerte que quiere acabar con tres personas. Ya acabó con dos y falta una que es usted. Para evitarlo se bañara con sangre de gallina. Y haga *ebó*.

ODI MEYI (Meta)
Hablan Yemayá, Ogún y Eleguá.

En este *odu* diga: *Odi Erú Oricha Adimá dima madima, eru Oricha iba olayá eré meta lofé iba indó se lo akará meyi eta ikú ofe amufé Eyioko efo ufé Ogún lo dó kofé abo un lodó balomó lofé arikú meleyá.*
Y al que se le registra: Usted por la noche ve muertos, no descansa. Si es mujer tiene tres enamorados, uno de ellos es canoso. De los tres uno le viene con chismes. No le ponga asunto, no averigüe nada y saldrá bien. Usted le faltó a su Mamá o a una persona de edad, canosa. No le falte a ninguna persona mayor. Tenga cuidado con uno de los enamorados o con su marido, que está enfermo. Van a enfermarla a usted. Cuidado con enfermedad de la vista en uno de su familia. Si es hombre que se cuide también de una enfermedad de los testículos. *Ebó.* Cuando viene este camino anunciando muerte o enfermedad, se hace un *mariwó*[10]con un güin o palo largo y todos los días se pasea desde el fondo de la casa hasta la puerta de la calle, tocando en el suelo y diciendo estas palabras: *Arikú mabayá ayewowo ikú osi lori ibarikú mabaya buobo ye buobo arí ano bayá.*

EYIONLE (Merán)
Hablan Obatalá, Orúmbila y a veces Yemaya Olokun.

Olokun dederi labolu dederi labosí Ocha ati kolori adá ibo leti ada owo olosi borudopé obitikí tiré okurubule numbaye awó totó awó roró totó la ye pa aferekún chororó.
Dice que le diga que usted es soberbia. Tenga paciencia. Usted va a recibir una sorpresa. Tiene que poner plumas de loro sobre la sopera de Obatalá. Porque usted es hijo de Obatalá y no le quiere dar méritos a su ángel. A usted le han robado una cosa de su casa y volverán a robarle. Cuidado. Usted tuvo un mal sueño y se asustó mucho. No reniegue que es malo. Usted tiene miedo que se sepa algo que desea ocultar y esto la tiene sin sosiego. Usted cogió algo que no era suyo. En su casa hay ratones. Hacer *ebó*.

OSA MEYI (Mewa)

Hablan Oyá, Obatalá, Ogué, y Babalú Ayé.

Osawó iworiwó ofoniku kosí iña kosi konko oleya alobó un.

Anuncia al que se mira que en su casa va a haber cuestión de justicia porque hay mucha revolución, si no la ha habido ya. Tiene líos en su casa y se quiere ir de ella. A usted se le sube la sangre a la cabeza cuando se incomoda; tenga calma y no pelée, y ojo con lo que usted coma o beba, que la están cazando y la van a fastidiar. Usted es porfiada. Le van a proponer un trato para engañarla, pero usted va a conocer esa maldad. A cada rato se le pierden objetos y usted sabe quien se los lleva. Haga rogación para que no dé más tropiezos.

OFUN (Mewa)

Hablan Obatalá y Ochún.

Ofún mafún Ofún karo. Yeguedí Ofún lara obirín Ofún karo Ofún soñú ofukulo koku ofurulú loko ke Ogué Oricha odi arayé kolé konikú.

Ofún le dice al que le consulta que tiene una hija y el novio se la va a desgraciar. Cuidado no esté ya encinta y el hombre se largue y la deje sin protección. Tiene que darle de comer al Angel de su Guarda y a un muerto. La van a mandar a buscar para un enfermo o para un velorio. No vaya. Usted es porfiada, no le gusta trabajar mucho. Es curiosa, le gusta fijarse en lo de otro. Cuidado no se enferme de la vista. Le gusta la bebida y no puede beber porque Obatalá no quiere. En su casa hay una persona, o es usted misma, que está mala de enfermedad y dice que es de brujería. Cuando le pague a los Santos lo que les debe, verá que cambia su suerte. Dele un poco de calor a su casa que allí podrá llegar la suerte. Usted es callejera y le están preparando una encerrona; se verá en un apuro. Le gusta jugar y no le conviene. Tiene que hacer rogación porque le han echado una maldición.

Cuando sale este camino por primera vez, se desbarata con *ekó* mezclado con bledo blanco o lirio blanco. Si no hay bledo se echa un poquito de *ekó* en el suelo delante de Eleguá y se bebe otro poco. Lo que queda se coloca frente a Obatalá y por la noche se tira a la calle.

OJUANI CHOBI (Mokanla)

Hablan Eleguá, Obatalá y Changó.

Ojuani Chobí obi oún le chemí cheó odó ofeyo jarawo chamicheo adié damu logun ofeyo jarawo chemicheo adié damu logún okalenu obeñi.

Le dice a la persona que consulta que la muerte anda detrás de ella porque tenía que ofrecerle algo a un muerto y no se ha ocupado. Que no se pare en la esquina pues la justicia va a tropezar con ella por porfiada que es. Le dicen una cosa y hace otra. Que le dé de comer a su cabeza.

Tiene una idea y por contarla se descubre y todo sale mal. Cállese la boca y no hable porque irá a parar a manos de la justicia, y que no guarde nada de nadie, que puede serle robado. Le preparan una trampa para perjudicarla. Tiene algo que perteneció a un muerto, que lo tire y que le ruegue a Eleguá, a Changó y a Obatalá. *Ebó.*

EYILA CHEBORA

Meyilo, Changó, Lorí aganabaya abadabaya obadaba un okán ayabadira kini loricha fichalé oki mocheté ikú kui mochete ano kikunabo oyú kunabo.

Le dice que tenga cuidado con la candela en su caso que se puede quemar. Que es hijo de Changó y le gusta salirse con la suya. Le debe a Chango, páguele para que lo deje reposar y no le haga pasar más trabajos. Le han dicho que es hijo de otro Santo pero su verdadero Santo es Changó. Se tiene que bañar con sangre de chivo para progresar, salir adelante, y hacer rogación. Tuvo un sueño malo y triste; si es hombre que tenga cuidado con la tración de una mujer que le puede descubrir una cosa que no le conviene que se sepa y lo perjudicará. *Ebó.*

Cuando viene por camino de enfermedad, hacer *ebó* enseguida.

MENILA (Abere Yekua)

Habla Babalú Ayé.

Se le dice al que se consulta que su sangre está algo mala y tiene que curársela con yerba. Usted le debe a San Lázaro. Si es mujer le falta el periodo o lo tiene desarreglado. Prepárese, que a usted le viene pronto una enfermedad. Debe hacer rogación. No maltrate a ningún animal y menos a los perros.

Rezo: *Odi abereyekún kaferú kaferú yiwawa osu ma du kaiko Babawa afere aro únlo*, y se pregunta qué santo viene para estar segura y no ir por camino torcido.

«De ahí pa lante, si la *Mamalocha* es honrá manda pal *Babalawo*», añadía dando por terminado lo que llamaba «su primer grado del *Dilogún.*» Y . . . «cuando usted tira y quien sale es *Eyionde*, pide la mano derecha.»

Si es *Oché* y luego aparece *Obara*, la izquierda.

Ofún, mano derecha.

Odi-Ojuani, la izquierda.

Eyioroso, la derecha.

Ogundá, la izquierda, y si vuelve a caer por segunda vez en *Ogundá*, la derecha.

Para una sola tirada de *Eyilá-Chebora*, se pide la mano derecha.

Si primero viene *Osa*, la izquierda, y si sale cualquiera de las otras letras, se va 'mayoreando' en pedir la mano.

Cuando el discípulo había aprendido todo lo anterior —«veía más claro»— le facilitaba esta hoja recordatorio y resumen de las letras que requieren *ibo, digbo* o *Igbo.*

MANOS DE IBO

Mano Izquierda Todas	Mano Derecha Todos
El 3 dos veces	El 3 y el 2
El 4 dos veces	El 7 y el 3
El 5 dos veces	El 6 y el 4
El 6 dos veces	El 9 y el 8
El 7 dos veces	El 11 y el 10
El 8 una vez	El 4 y el 6
El 9 dos veces	El 6 y el 11
El 11 dos veces	El 7 y el 9
El 12 una vez	El 5 y el 7
	El 6 y el 2

El 3 y el 4: derecha	**Mano Izquierda Todos**
El 4 y el 3 izquierda	**los Siguientes**
El 5 y el 6: izquierda	El 6 y el 9
El 6 y el 5: derecha	El 9 y el 6
El 7 y el 6: izquierda	El 7 y el 5
El 6 y el 7: derecha	El 11 y el 6
El 7 y el 8: derecha	El 3 y el 6
El 10 una vez: izquierda	El 4 y el 9
El 9 y el 7: izquierda	El 2 y el 9
El 9 y el 10: derecha	El 7 y el 5
El 9 y el 11: izquierda	El 9 y el 6
El 11 y 9: derecha	

También enseñaba a contar:

Eni - 1	*Mokanla* - 11
Eyi - 2	*Meyilá* - 12
Eta - 3	*Metala 13*
Erin - 4	*Merinla* - 14
Arun - 5	*Meedogún* - 15
Efa - 6	*Meridilogún* - 16
Eyé - 7	*Metadilogún* - 17
Eyo - 8	*Mokán dilogún* - 18
Mason - 9	*Mowuán dilogún* - 19
Mewá - 10	*Ogún* - 20

La *Iyalocha* de Guanabacoa enseña, (y repito al pie de la letra): En *Okana-Sode*, 1, hablan Eleguá y Changó. De una persona que está muy atrasada y atravesando por muy mal tiempo. A esa persona la ha mordido un perro; en su casa alguien va a morir. Que no se embarque porque puede haber temporal y perecer. Cuando sale este camino enseguida se echan los caracoles en agua y se sacan al poco rato, se pisan con el pie izquierdo, y si hay una muchacha doncella en la casa, se le manda que los recoja. Luego se pregunta por qué camino viene; si lo que trae viene por un hijo, para mal, para muerte o tragedia, y tan pronto se acabe de averiguar se busca un pedazo de carne cruda, se le unta manteca de corojo y se echa a la calle en la misma puerta, de modo que cuando pase un perro la coja y se la coma. Así el mal lo recoge el perro.

EYIOKO, 2

Temitán temi tiché moniwó loko telaroko temitán temi tiché moniwó loko. Aquí hablan Orula y Ogún.

De una persona que estaba muy pobre y salió a correr fortuna. Llegó a un campo, se dirigió a un hombre muy rico y avaricioso y le pidió trabajo. Se puso a trabajar y allí encontró su suerte. Le dió de comer a su cabeza dos *orobó* y los metió en la tierra. Al otro día mandó a buscar a los músicos y salió cantando: *eteroko eteroko temitán temi tiché chiché mo ko owoloko.* El dueño del terreno lo oyó y fue a dar parte a la Autoridad que ese hombre le había robado. Entonces lo prendieron y le preguntaron si era verdad que le había robado al dueño. El contestó que no había robado a ese señor ni a nadie. Vino el dueño del terreno y le preguntó al acusado dónde tenía guardado el dinero. Mandaron a un guardia que buscase dónde creía el dueño que lo tenía escondido. Este registró por todos lados y no encontró más que dos coquitos africanos. Soltaron al desgraciado y el dueño del terreno tuvo que pagar daños y perjuicios e ir preso. Esa suerte la obtuvo porque hizo *ebó*.

La persona que se mira va a ser recriminada. Tiene familia jimagua, o tendrá hijos jimagua, y parientes en el campo. Que cuide sus intereses y esté alerta que una persona la está velando para entregarla a la justicia.

OGUNDA, 3

Hablan Ogún y Yemayá.

La persona que ha venido a consultarse está muy triste porque el hierro anda muy cerca de su puerta y está oliendo a sangre. Tiene enfermas las tripas. Está o va a estar en trámites de justicia. Le van a dar de palos y lo van a amarrar. Se le va a descomponer el estómago. Tiene tres amigos muy fuertes y los tres le desean mal. Lo quieren tumbar. Cuando sale ese camino, en la casa en que vive esa persona, se le dará un pollo a Ogún. Es muy renegada y Obatalá está muy molesta con ella. Que haga *ebó*.

OTRO CAMINO

La persona que se mira tiene idea de darle a otra con hierro, o lleva un hierro encima o lo guarda en su casa. Cuidado con la justicia. No ande con hierro porque va a herirse él mismo y perder gran cantidad de sangre, y mucho cuidado no se hinque con hierro porque se pasmará. *Ebó*.

OTRO

Dice el Angel de la Guarda de esa persona, que ha hecho una cosa mala y que la justicia va a intervenir. Se verá comprometida. No beba, porque con la bebida le van a echar mano. No pelee con su mujer. Si es mujer con su marido. La maldecirán y para salir bien tiene que hacer *ebó*.

SIGUE OGUNDA: OTRO CAMINO

A quien le salga esta letra, si es mujer, le dice que otra mujer está trabajando a su marido para que desatienda su hogar y para que la abandone si está embarazada. Si es hombre tiene un enemigo que lo persigue. Durange siete días que no le coja la hora de la oración[11] en la calle ni salga de noche. No puede montar en tren. Se le advierte que una persona hija de Changó lo va a convidar a hacer una cosa que no hecho nunca y por lo más mínimo le va a pegar con un palo. Que no coma gallo.

Hablando para bien, el que se está mirando tiene que rogarle a Olofi y a Ogún para que le concedan algo que cree dificultoso. Debe ponerle una jícara con saracó a Olofi, y a Ogún algún pescado fresco. Si no tiene Santo hecho que le den a Ogún y a Eleguá para que llegue pronto su felicidad. Haga *ebó*.

La persona a quien le sale esta letra que limpie muy bien su casa, que vista de blanco y que reciba a Obatalá para lograr un bien que le viene en camino y evitar un mal.

Y TAMBIEN

La persona a quien se le presente esta letra que dé gracias, pues *Ogundá* la va a defender en todos sus pleitos. *Ebó*. No olvide decir que hay una persona que se siente muy triste y medrosa porque el hierro está muy cerca de ella.

EYIOROSUN, 4

Hablan Olokun y Yewá.

Patarita ebebe kin kin kin kin enu awó laba ina kusí maró aromi fo do kusi mauya loko esín nisán ina un yobe ina un yoloko opan de aun acha awó oni dereko apán apolechanu ayo ninda awoni de akuma apón lenu.

Se refiere a una persona que tiene muchos enemigos, uno de piel colorada que se las ha visto con la justicia, y a uno de su familia que sacará de una prisión porque en su mano está su salvación. Si alguien le convida no acepte esa invitación, puede suceder algo malo. Van a echarle la culpa de algo. Tenga cuidado pues se va a quemar. En su casa hay una paluchera y por sus habladurías siempre le están mentando. Al fin y al cabo hará santo. Adore mucho a Eleguá, a Yemayá, a los Jimaguas y a Yewá. *Ebó.*

OTRO CAMINO

Hay una mujer que tiene muy mala idea para con todo el que está a su lado; es muy pendenciera, de lengua viperina, quiere enterarse de todo y no le hace un favor a nadie. Evítela, no le ponga atención para que no se vea en líos de justicia que es lo que ella se propone. Cuidado no muera un enfermo que es de la familia de quien se está registrando. Haga *ebó* para acabar con todo el atraso que tiene. Dice que mire bien y que tenga cuidado que en su casa hay o va a ir alguien que la quiere probar. Si es mujer es *Iyalocha* y si es hombre es *Babalawo*. Se intenta ponerle una trampa con la justicia para quitarle su felicidad. Haga *ebó*.

Cuando viene por buen camino, si es una mujer la que se registra, le dice que son tres sus hermanos y que su padre ha tenido cargo o dinero o los tiene todavía. Cuando su padre se muere la más chica se queda con todo el capital. Si es un hombre que va a buscar alguna herencia a cualquier punto con su mujer, no lo dirá, pues por causa de ella lo pueden matar en el camino. Que haga *ebó* para coger la herencia. También dice al que está comiendo y bebiendo bien que no hable ni nombre a quien le da comida y debe su bienestar. No coja lo que no es suyo, y para continuar bien que haga *ebó*.

Dice Orunla que cumpla con Obatalá, que le pague lo que le debe y que limpie su cama y que no se fíe de nadie, ni de los mismos de su casa. *Ebó* con la escoba de su casa.

OCHE, 5

Habla Ochún.

Bulu kúlu ché oyo Babalú eché éche oko muluku muluku lodafún latariko tan únlo silu iyama.

Oché habla de una persona que tuvo tragedia con otra y aunque no aparentemente, esa tragedia sigue bajo cuerda. Sufre dolores de cabeza y se le va a descomponer el estómago y la sangre. Si es hombre es impotente, y si es mujer también. Le debe una promesa a la Caridad del Cobre y no se la ha pagado aún. Páguele pronto y mucho cuidado con una cosa que le van a pedir que guarde porque le traerá compromisos con la policía. Está en camino una suerte para ella, y para que no tarde tiene que lavarse la cabeza, y quien se la lave tiene que lavarse antes la suya. Esa persona tendrá en la puerta de su casa un clavo o un cuchillo. Hacer *ebó*.

Y se canta: *Ibaye de wá kodide ibayé dewá kodide bóbo eye ma wá baye dewá kodide.*

OTRO CAMINO.

Oché le dice que es hijo o hija de la Caridad del Cobre, que ha tenido mucha suerte pero que ahora todo se le desbarata. A veces está contenta y de pronto llora. Debe hacer Santo. Ha hecho muchas cosas pero no está satisfecha con esos trabajos, y es que la han engañado. Hay contrariedades, malos tiempos que son del destino que suceden de cualquier manera. No se indisponga ni pelée con nadie. Ochún la va a salvar. La salvará, pero tiene que hacer *ebó*.

OTRO CAMINO

La persona que se está registrando tiene que ir a otro pueblo, pero antes de marcharse tiene que hacer *ebó*. Le hizo una promesa a Eleguá y no se la ha pagado. Ochún lo está persiguiendo. A un familiar que se ha muerto no le han dicho misa. Que se la digan pronto, y bien pronto, porque se quiere llevar a uno de la familia. Lo buscan para hacerle daño. Es posible que se enferme, así que todos los días pásese la mano por la cabeza de atrás para delante.

La persona que le salga esta letra tiene que mudarse tres veces, vivir en tres lugares diferentes, y las tres veces darle de comer a Ochún, tocarle y hacerle fiesta grande. Tiene una cuenta pendiente con ella, que le pague. Debe hacer *ebó* con una trampa que está detrás de la puerta y darse un baño. El marido que tiene no está seguro, ha de ser *Babalawo* y no está contento todavía.

Con *Iré, Oché* es suerte y riqueza. Se le pone a Eleguá una cabeza de jutía y una de pescado ahumado, entera, y que juegue billetes o papeletas. Si se le habla a una mujer le dirá que su marido la va a tener bien y que de la nada se va a levantar. Echele a Eleguá *epó* y que le dé las gracias a Yemayá, pues cuando estaba en un apuro le imploró y Yemayá la socorrió y después no cumplió lo que ofreció. Ahora tiene otro apuro y para que vuelva a ayudarla tiene que hacer *ebó*.

Con *Osobo*, por mal camino, *Oché* anuncia una enfermedad muy grave de la que puede morirse. Se aleja ese mal haciendo *ebó*.

OBARA, 6

Habla Changó.

Oni bara Oba Bara eye Bara kikaté afeyu eye kikate lodafún olofotín olaya ichu.

Se refiere a una persona que está aburrida, arruinada, sin ropa que ponerse y siempre llorando miseria. Dice muchas mentiras y trata de engañar o la están engañando. Esa persona tiene a uno de su familia con calentura y ella también la tiene. Le duelen mucho las ingles. Tiene un lunar o una marca grande en su cuerpo. En su cama hay una sábana de color que está quemada, tiene un agujero por donde se quemó. Debe cuidarse y no usar ropa de lista pues es posible que se queme con ella puesta. No duerme de noche y le tiene miedo a la justicia. Haga *ebó*.

Dice de una persona que quiere ir al campo, que la han convidado o la van a mandar a buscar. No podrá aceptar por falta de ropa, con la que tiene no está presentable. Si va no tarde mucho tiempo en volver. No se desespere porque sentado en su casa le van a traer la felicidad. Usted está apurado y hay una persona que le va a traer una cosa. Encontrará su casa en medio de humo. *Ebó*.

Quien se está mirando tiene un muerto fresco en su familia. Un sujeto que quiere acabar con tres personas, ya acabó con dos y no le falta más que una.

Obara meyi oni bara eye bara kikate kamakaté araye.

Le dice que no se enrabisque, que es muy mentiroso, que muchas veces no cree ni en él mismo y por eso pasa tantos trabajos. Codicia todo lo ajeno, las mujeres ajenas, y no piensa ni quiere más que dinero. Haga *ebó*.

Obara. Cuando se ve esta letra se habla de dos cosas que sean mentira, si no el que se está mirando no queda conforme. Se le dice que está atrasado, escaso de ropa, debe la casa y le falta de todo. Que en su cama hay una cosa colorada; miente mucho, hay quien no le quiere bien, y tiene un lío con la justicia.

Tiene que coger *kofá* pues San Francisco —Ifa— lo reclama. Se le advierte que no ayude a nadie a levantar nada del suelo, ni a su misma madre, porque al que se ayuda sube y usted baja, y después no hay quien lo levante a usted. Cuide a Ochún y respétela mucho.

(Al que le sale esta letra tiene la cabeza trastornada y no acierta en nada de lo que hace, aunque esta persona es muy mañosa. *Ebó*.)

Usted tiene que dar un viaje al campo y le va a ir muy bien. Una persona mulata o una vieja colorada la ha obligado o va a obligarla a hacer algo que no va a hacer.

Esta letra ordena decirle de parte de los Santos y de su Angel, al que se está consultando, que su perdición son sus caprichos. Por eso dice a veces que quiere morir. Cuando no tiene dinero quiere fabricarlo.

ODI, 7

Habla Yemayá.

Odi Oricha Adima Adima dima achama aruna Adima dima chara mina mamá yo mamá yo tima iba ri kua mabaya wori wori liwó oriwo ibarun ma bale oworiwó lin iwo iwo yin yin woriwo.

Aquí habla de una persona que está atrasada, sobresaltada siempre, y cuando se acuesta brinca en su catre porque está mirando a la muerte. La ve en la noche más que nada. Le falta su madre o una persona canosa. Tiene tres enamorados, uno de pelo blanco, como ella, que también tiene canas. Recibirá tres visitas, de un negro, de un blanco y de un canoso. Uno le irá con chismes, o ya la ha metido en un chisme grande. Mucho cuidado con uno de esos tres hombres, que está enfermo de sus partes y la va a enfermar. Ella está mal de la vista. Si es hombre tiene enfermos los testículos o los tendrá. *Ebó.* También se le dice que tiene un vestido a rayas o una tela a rayas puesta en su casa. Algo le pasa que la angustia. Dos hermanos o parientes suyos la envidian y quieren que desaparezca. Una persona le ha hablado mal de otra que ella quiere, para indisponerla y armar tragedia. No le haga caso a la gente porque la van a fastidiar. No beba nada en casa de nadie ni acepte que lo conviden a beber.

A quien le sale esta letra la van a enredar en un chisme. Si lo averigua es malo y si no lo averigua también. Esa persona tiene siete hermanos. Les mandaron a hacer *ebó*. El más chico lo hizo y alcanzó la bendición de las Mercedes. No le falte el respeto a los mayores ni le pegue a los muchachos en la cabeza. Si resbala se va relajar. Si su madre vive le dará dos cocos a su cabeza, si está muerta que se los dé a su *Egun*. Tenga cuidado no se enferme de un oído y mire bien por donde anda y por donde pisa. Duerme mal de noche y sueña con cosas malas. Haga *ebó*.

La mujer que le sale esta letra ha botado barriga[12] y debe una rogación atrasada. Le dará un gallo a Echu.

EYIONLE, 8

Hablan Obatalá y Orula.

De be ré labola de be re la bo chín de be re labora tontín ekó dide lorí lodafún bo ibole tin loda awé owe olose loda aboyen onife aboño onife abitibetiré okulu bubúle numbayé Babá oko koloko Babá oro.

Habla de una persona que ha soñado con tres caminos largos, dos llanos y otro sembrado de maíz, lo que viniendo por bueno es suerte, *orore*, y hay que darle gracias a Obatalá, a Oké y a Oko. Por malo anuncia alegría con llanto y que ya el hoyo está abierto para ella. Esta persona es muy maldiciente y debe de respetar a las personas mayores que tengan canas en la cabeza para que sus asuntos le vayan bien. Tiene familia lejos y va a recibir una noticia de ella. Esta persona que se está mirando llora y se ríe por los rincones. Se le unta cascarilla en la frente.

En otro camino le dice que es hija de las Mercedes y que no le dan el mérito que merece. Tiene la culpa por ser tan noble. Le han robado una cosa de su casa. Ha soñado un mal sueño que la ha asustado. No reniegue. Teme que se sepa lo que quiere ocultar, algo que no le pertenece. Si es hombre le ha quitado la mujer a otro o una ahijada. Donde vive hay muchos ratones y tiene que hacer *ebó* para salir de ahí.

OSA, 9

Habla Oyá.

Osa wo iworiwé otenufo ni owó Osa owó iworiwó bati eleya ebombé nilo.

Trata de una persona que sueña con muerto. Su padre y su madre se han muerto y no le han hecho misa. Tiene un apuro muy grande. Está bajo la amenaza de la candela o de un aire malo. Cuidado no se tuerza por ese mal aire. Tiene la muerte en las narices y si alguien le trae algo a guardar, que lo rechace, que puede darle una cosa y luego decir que era otra, también pues puede ser algo robado y que lo acusen de ladrón. Tiene familia en el extranjero y una piedra de imán. Que mire bien en su escaparate o en su baúl, porque con un cuchillo que guarda o con un género de cuartos debe hacer *ebó*.

OFUN, 10

Habla Obatalá.

Ofún mafún ofún yega kimafún oku kimafún arun kimafún ofo kimafún ofó kimafún ofo kimafún ofo kimafún elo kimafún tale tale elesi eran pufi ledi oniye onimú omaló dedé odi arayé kolé.

Aconseja que no cuente su sueño. Dice que la persona que se está registrando tiene familia en el campo y que debe darle gracias a los guajiros. No puede ser curioso de vista porque podría quedarse ciego. Si tiene baúl o escaparate no puede dejar la llave puesta porque le van a robar su secreto y pueden perjudicarlo. Que está enfermo de la barriga, o si es hembra está embarazada. Es muy maldiciente y mal hablada. Anda en una revolución muy grande y no puede comer mondongo por largo tiempo para que no le den calambres en las piernas. De una esquina a la otra hay mucha suerte, pero hay un estorbo para ella y está en la puerta de su casa y no deja entrar a la suerte. No se incomode no sea que en un sofoco se quede muerta. *Ebó* enseguida.

OJUANI, 11

Aquí hablan Eleguá, Ogún y Ochosi.

Ojuani chobe obe oché wa rísa chiniche awó ibo awodu ojeyú arawa cheniché adie dane lodú kana mo fe tení.

La persona que se está consultando tiene que mirar bien dónde está parada porque está a punto de caer en trámite de justicia, que le den de palos, que le tiren piedras y le rompan la cabeza. Ha nacido en el mar y le han caído piedras de arriba. Ha estado en un lugar donde tiene muchos enemigos ocultos que no la dejan respirar. Uno dice que tarde o temprano se la pagará. Que le ruegue a Eleguá, a Changó y a Obatalá. Y haga *ebó*.

EYILA CHEBORA, 12

Habla Changó.

Aganabagabaya ogabagaya okán kun ayagabada kini Oricha ekichete tibá ota loricha kichete iba ota kimachete ikú kimachete aru kimachete ojo kimachete eyo. Canto: *Worowó omambo ado kumambo woeuo koma lao fe ke teniyé.*

Habla de una persona que ha de tener cuidado con la candela no se vaya a quemar dentro de su misma casa. Soñaba que se estaba quemando. Alerta con los enemigos; debe de ir a vivir al campo. El enemigo lo tiene dentro de su casa. Es hija de Changó o devota suya. Es el Santo que la favorece. Haga *ebó*.

METANLA, 13

Este signo es de San Lázaro.

Al que le salga esta letra hay que decirle que tenga cuidado con una enfermedad que pondrá en peligro su vida porque le debe a San Lázaro. Padece de muchos dolores de garganta. Si es mujer su menstruo anda muy mal. *Ebó*. Y se le manda a un *Babalawo*.

Comparando la cartilla de Niní con la de su comadre de Guanabacoa, ambas coinciden estrechamente. Los *odu*, predicen más o menos lo mismo y nos dan a conocer la mentalidad y sicología de nuestro pueblo, sus temores, sus problemas, sus costumbres, pasadas y presentes; hasta el ajuar de sus viviendas, de la «accesoria» de otros tiempos, cuando era corriente guardar en baúles, cocinar en anafes, alumbrarse con velas o lámparas de aceite y quemarse con frecuencia. «La petición de manos» explicaba así la guanabacoense, cuyo nombre he perdido aunque recuerdo su corpulencia y su rostro amable y sonriente:

«Si cae *Okana Sode* se echan al suelo los caracoles y se pregunta por qué camino viene la letra. Si dice que *iré arikú, iré ayé*, es bueno. Si dice *iré adedé wantoloku,* también es bueno, y si *iré owo iré omó abiriyoko,* también.»

Se pregunta luego si es *Yemalún.* Contesta que el camino es bueno o contesta que no es bueno, y se pregunta qué es lo que se debe hacer:

—¿Es *ikú?*

—Sí.

—Es *ikú arayé?*

—No.

—¿Es *ilese Oricha?*

—No.

—¿Es *aro?*

—No.

—¿Es *ayé?*— etc. . . .

Y se sigue preguntando hasta que responde *Iré Arikú* —con mucha salud.

Iré Ayé es suerte de dinero, de todo lo bueno.

Iré Adedé wantoloko es suerte de riqueza que le da el mar y se le agradece al mar, a Yemaya.

Ikú es muerte, *aro*, enfermedad; *ofó* ruina, vergüenza, pérdida.

Rosalía, de Sagua la Grande de la provincia de Santa Clara, nos hubiera permitido repetir aquí lo que aprendió con su Madrina en su pueblo, y nos informó que en *Okana* hablan Eleguá, Ogún y Alafia y le decían lo mismo que a las citadas *Iyalochas* habaneras.

En *Eyioko*, Ochosi y los Ibeyi.

En *Ogundá*, Ogún y Changó.

En *Eyiorosun*, Yemayá-Olokun, Ochosi y Eleguá. (Ella decía *Oyorosún.*)

En *Oché*, Ochún.

En *Obará*, Changó.

En *Odí*, Yemaya.

En *Oyiombe (Eyeúnle)*, Ofún, Obatalá.

En *Ofún*, Obatalá.

En *Osa*, Agayú, Orúmbila, Abañabé. («Abañabé Santa que no se mienta en La Habana.»)

Pero nos refirió otras predicciones acompañadas de *ebó* —de los que nos ocuparemos en capítulo aparte— que interesarán a los *Iyawó* «levantadas», que se preparan a dar consultas.

Al azar veamos, por ejemplo, lo que *Osa* le auguraba a su Madrina.

«Cuando viene esta letra en la que hablan Oyá y Babagudede, ella rezaba: *Asawo wariwó inoriwo asojuanu awesa se ya kosi alonbueiborá olodoro ifadoro michoro Jekún Jekuajey,* y luego le notifica a la persona que se registra que es hija de Oyá, y que toda rogación que necesite ha de hacérsele con aves «pero no con gallo».

La predicción para mejorar de suerte es más o menos la misma que enseñan la anciana de Guanabacoa y Niní, pero Rosalía especifica que el *ebó* no se haga con gallo.

En *Ofún: Mafún ye guedé ofún bara obini ofún soyé ofururú oko efuroro*. («Lo coge *Ogué Oricha Odi arayé koleta*»). Nos explica también que: «Si *Ofún* sale en el primer tiro es muy mala letra para el que ha venido a mirarse y lo es para el que echa los caracoles. *Ofún* está dentro de la casa, lo trae esa persona, y hay que deshacer en agua un pedazo de *ekó*, se le echan ocho pedacitos de *Orí* (cascarilla) y una hoja de prodigiosa. Se bebe un trago y el resto se le pone a Obatalá.

Oyaroso, enseña Rosalía, «es letra buena la primera vez que sale» y aconseja que se le ofrenden frutas a los Ibeyi y a Yewá. No así cuando trae *Osobo*, que viene por mal camino. *¡Tóto jún kofiedeno!* y predice enfermedad de muerte, porque *Chakuana (Omolú)* se ha metido en casa del consultante.

Cuando se sueña con guacalote y fuego, *Oyorosun*, es decir *Eyioroso* explica que la persona que se está registrando tiene una deuda con Changó. Rosalía lo pone en guardia del peligro que le amenaza con este cuento: el Tigre enseño a cazar al Gato. Un día el Tigre se hizo el muerto, el Gato fue al velorio, se dio cuenta que era un ardid del Tigre y escapó a tiempo.

En *Oché Ochún* ordena que se ponga al consultante su collar y exige el cumplimiento de un ofrecimiento. También aconseja no llevarse las manos a la cabeza.

Otra recomendación de Rosalía es la siguiente: «cuando hablen Oyá, Changó y Obatalá —*eyé kuyé*— y usted se esté examinando, baje los ojos, mire al suelo, a la tierra, luego álcelos, mire hacia arriba, al cielo, recoja su dinero y váyase. Si ya está andando el registro, lo deja y entonces fije la vista en el Santo principal del *Ilere*. El santero le manda sujetarse la cabeza el tiempo que dure la consulta. El Santo pide que usted se Asiente.

También, el que se consulta, cuando sale *Obara* por buen camino, debe afamar a todos los *Orichas* y bajar la cabeza, por la sencilla razón que este *Odu* trajo el dinero al mundo y le está anunciando a esa persona —*Ma ferefún-gbobo kaleno Ocha*— que va a recibir una fortuna y que será feliz. Tendrá un hijo *abikú* y otro *Obasi. Kaferefún Obatalá, ese iré* (suerte) le viene por su cabeza. Y hara *ebó*.

«Onibaé tu tu to arikú Babawá ke bo fi gwé lo da ki to ba chiché lo to bachiche omó arikú Babawá Iyá oloni ara eún loni ofó si lo ni ikú unlonia», rezaba entre dientes. Y «*¡Ochó menejún fatiwa ma lé!*»

Cuando *Ofún* aconseja al consultante que no sea curioso, que tape todos los agujeros que encuentre en su domicilio y todas las botellas vacías, «pues la Muerte se esconde en ellas», y en los agujeros y así no tendrá dónde meterse. Insiste, «eso debe hacerlo todo el mundo».

En *Ojuani. Ojuani chobé obecho Guani ochemiché o ofé mi bade agada ogodó obí yugará ma no dié ada milogún dana mafunleno.* Esta letra declara que el que se registra no agradecerá nada de lo que se haga en su favor. En cuanto salga de apuros no recordará el bien que recibió. Cuando *Ojuani* pronostica tragedia, revolución, enfermedad —*Ojuani yuwá até tete tete oweyoni*— hay que hacer *ebó* inmediatamente con un chivo macho. ¡Inmediatamente!

Ogundá —*Ogún sarayé ofusu*— donde esta letra previene al consultante que se abstenga de guardar nada de nadie. Rosalía es más explícita que mis otras dos Maestras. Si no se apresura no podrá defenderse de la falsa acusación de un pariente muy enfermo —a fuer de porfiado— que quiere pelear con él y que Ogún no lo salvará. Sería una ligereza abrir su puerta al oir que afuera se produce una reyerta; daría lugar a que se mezclara en ella y podría costarle la vida el disgusto que le ocasionaría ser llevado ante los Tribunales de Justicia.

Le aconseja que . . . no coma tomates, y el *ebó* que ordena no es el que proponen Niní y su Comadre.

Compárese con las anteriores las frases y rezos que dice Rosalía.

Eyioko: Eyioko temitan moñi loko to mi ta ché moniwé lu ko. O; Temi tanto loko ekonkoyowó bo tiko aku y hablan Ochosi y los Ibeyi.

En *Ogundá: Ogundá terayé Ofún se eyé bo si lenu chosun Ogún ye awaniyé.* (Tercer camino.)

En *Oyuroso: Yokunla apatantá obí bi jún guinguinjún nkumadó bora emio junla ledé mojó kubaro oronifé do ko si moniya kosinka ina un dobe ano kon yo be ko apando aun acha agusonide iko apán apá che enu awonida awonide asumó apadema.*

Y: *Apamawa Ocha owaniadafu obake ti olore to be ememu suro kofiko sabe oda oda koda koya eleko oderekalero tale yón lo rokun Oba asila aba de mo fi derewo* . . . Y también: *Chenche obanao adifafún Orúmila tinto awa Iyá Iyá ore beba.*

En *Oché: Chebora baboche eché apo ochekila lodafún to ni patón mulasi ba Iyamí.* Y: *Oché bayé do wa sasa un dere ola iwere lo didé Iyalode Ogué lo dide Iyalode Ogué Meyi moro lo de koyu emude be su efigueremo ladé koyú ife moyibá Iyamí ñagué siñaga su ka oló Iyamí wa wo Iyamí Yeyeo abeyi moro.*

En *Obara: oni Bara eye kinkate koma kate arewá arayé akokorotín se lo be obeo.*

En *Odí: kodima eku kodima komayé oyina kiyé obe.*

En *Ojuani: kubido laboché we kundún aya ariwé ri awifá fun bo lo yo iba ikulabó.*

En *Eyilá Chebora: agabamo bayá oba do ba ya okán un abayodera guina ba richa fi che te iba odo mo che apo oto koto wamo okusán bo embó kumanbo wamó mbó wa ma chere o oku Mamba fi se ki.* Se dice cuando este *odu* alude a la persona que debe cuidar de no ser víctima del fuego.

En *Obara*, que en uno de sus caminos predica que debe decirse siempre la verdad, se descubre al consultante, si es hombre, que tiene roto el calzoncillo y si es mujer, el camisón. En otro aconseja que se juegue a la lotería y predice fortuna.

En la letra que advierte que de nadie se confíe, Rosalía cuenta que: *Obara oni Bara ala Bara yébora akie kabo yíbo kabó yibó yibó karo yibó yilo karo ti yobí ala bé ole karotínyo bi abe obe lawabí osí ikú ilé lodé kobé ba akokoro yó ba yo bí...* que el Melón invitó y reunió a todas las frutas en una fiesta sin pensar que eran sus enemigos. Al terminarse la fiesta éstas lo atacaron y lo dejaron abandonado. Avisaron al Tigre para que fuera a comerlo y cuando el Tigre llegó se enredó en el bejuco en que estaba amarrado el Melón y allí mismo se quedó sin poder devorarlo. El Tigre le dijo: —el bicho que mata al coco está en el corazón de sus enemigos; ellos me mandaron aquí para que te comiese. Quítame este bejuco de los pies—. El Melón, que pudo safarse, dijo: —*Eni Bara ala Bara chébora kokotinse yo fi ba be.* Ahora no puedo desatarte porque no tengo confianza. Ve a buscarlos, que están borrachos.

Más adelante disfrutaremos de otros cuentos pues los *odu* suelen acompañarse no sólo de dicharachos y proverbios sino de moralejas e historias, —*Apataki.*

En *Osa:* ¡Asawó wariwó ino ri wó asojuanu abesá se yá kosin alobu ebora olodoro ife doro mi cho doro jekún jekua jé!

En *Ofún: Ofún mafún ye gue de ofún bara Obiní efí kar aofún soñé ofururú akokú efururú arayé koléta.*

Andrés Monzón fue un gran *Babalocha* en opinión de sus contemporáneos. «Sabía mucho, y no aprendió a leer y a escribir en Cuba sino con misioneros en Africa.» Para que los *Iyawó* conozcan también su cartilla, de la que tantos criollos se aprovecharon y porque el alumno aprende más cuando se le insiste en un mismo tema, aquí están las lecciones de Monzón, breves y muy claras.

Obsérvese que las palabras que emplea en yoruba no son idénticas «al oído» a las de las citadas *Iyalochas* y *Taitas.*

«Monzón escribía *Iyá* con j, pero pronunciaba *Iyá* en vez de *Ijá.*» Y es que aprendió con misioneros ingleses que pronuncian la j como nosotros la y. Conservamos pues su ortografía.

OKANA SODE: 1

Le dice al que se consulta: usted es porfiado y cabeza dura, tiene problemas de justicia. Usted ha hecho algo y teme que se le descubra. Es creyente por momentos. Debe pensar bien lo que va a hacer. Hay señal de peligro, acechanza de enemigos. Si esta letra sale tratándo de un enfermo hay que hacer *ebó*, amparándose en Babalú Ayé, (San Lázaro). Si esta letra alude a asuntos de justicia hay que hacer *ebó* para Echu, Ogún y Ochosi.

Si esta letra viene acompañada de *Iré* (bien) es visita y protección, pero la persona tiene que hacer una rogación porque está en el aire; y por mucho que luche siempre se encontrará con obstáculos. Si está enfermo tiene que cambiar de médico. Hay que evitar siempre un encuentro con un descabezado. Particularmente tiene que darle de comer a los muertos (*sará*).

Nota: al presentarse esta letra se echan los caracoles en un vaso de agua y se refrescan; después se lanza el agua a la calle, se echa el *dilogún* en la estera y se busca una muchacha para que los recoja dándole algo.

En esta letra habla Eleguá y lo acompañan Ogún y Ochosi.

EYIOKO: 2

Aquí hablan los Ibeyi.

Cuando sale *Eyioko* se levantan las nalgas del asiento y se le dice a la persona que se está mirando que le dé calor a su hogar. Se trata en esta letra de jimaguas, socios, parejas, mujer encinta que dará a luz jimaguas. Dice que tenga cuidado con su compañero, sea un comerciante, esposo, amigo inseparable, etc., por una traición, falso testimonio, acusándolo de ladrón; y habla de una persona que ha perdido su fortuna, honra, bienestar, y abatido busca una salida.

Ibeyi oro toaye gbo Kainde, Idogbu, Aina, Alaba.

OGUNDA: 3

Hablan Yemayá y Ogún.

Dice *Ogundá* que la humanidad es mala, traicionera, busca siempre discordia, separación, desbarate, por eso no se debe de amar con demasiada confianza. Aquí dice que tenga cuidado con una traición. La justicia está en la puerta de su casa. Si usted oye o presencia una tregedia ajena procure no meterse. No albergue a personas extrañas en su casa sin saber su procedencia, y aun así procure no decirle nada de sus asuntos íntimos no vaya a ser que la enrede con la justicia por encubridor. Procure no incomodarse ni coma de manos ajenas; no se recargue el estómago y mucho menos de noche. Una persona muy allegada a usted padece del estómago. Tiene usted dos hermanos que le envidian su vida íntima. Si se trata de novios, esposos, sociedad, etc., es rompimiento seguro. *Ogundá* es desbarate.

EYIOROSUM: 4

Habla Obatalá

Awó esinkón suoko suoro panima lekun pama pama kompalerí.

Que abra los ojos porque puede verse en la cárcel, y si piensa mudarse o viajar, mirar bien para poder salir sin obstáculos. Tenga mucho cuidado con el fuego. Si le debe algo a Santa Bárbara, pagarle, porque están tramando algo para atrasarlo. No mire lo que a usted no le importa, ni se acueste fumando. Procure examinarse la vista.

OTRO CAMINO

Si esta letra sale para un enfermo en cama, es tiempo perdido, porque dice que el hoyo está abierto.

En *Iré* (bueno).

Habla Orosun y dice que tenga cuidado con la justicia por salir a defender causa ajena. No saque usted la cara por nadie, no tome a pecho lo que a usted no le importa. Cuide de un enfermo que puede peligrar. Debe de asentar a Yewá. No maldiga ni reniegue por lo que le pasa. Evite encontrarse con personas malcriadas, y haga un viaje de ida y vuelta.

OCHE: 5

Habla Ochún.

Dice Ochún que está con usted. No sea rencoroso ni se ponga la mano en la cabeza lamentando un contratiempo. No sea mezquino. Usted está pensando hacer un viaje. Ha tenido un disgusto del que se ha recuperado, pero se siente todavía herido, inconforme. Hay un chisme y un enredo entre usted y otra persona, cuestión de deuda y de tragedia familiar. Un enamorado está vigilante. Procure tener un poco más de cuidado en su aseo porque está usted propenso a contraer una enfermedad venérea. Siente deseos de vengarse.

Si viene con *Iré* es para una mujer encinta. Dice que va a tener un hijo y será su suerte. Es hijo de Ochún y de Orula, y estando encinta hay que hacerle a esa mujer una limpieza y prepararle un collar de Ochún y de Orula al niño que va a nacer. La mujer debe darse cinco baños en un río, bañarse con yerbas de Ochún y también tomarlas. Ochún habla de chismes, rencores, tramas, enredos de familia y amores.

OBARA: 6

Aquí habla Olufina.

Obara onibara alabara ejebara kokoro jewe jewe kokoro jobi jobi labe obi longba biosí ikú, biosí arun, biosí ejo, biosí ofo, ile kodé kole bami.

Dice *Obara* que usted es pobre, pero que su suerte será repentina.

Usted está casi desnudo; dice que lo rodean falsedades y engaños y que oiga el consejo de su compañera. En su camino lo espera un cargo grande, pero tiene que contemplar a su *Eledá* (su Angel Guardián), y procure vestirse de blanco. No se meta en asuntos de justicia para que no lo impliquen en un embrollo.

Otro camino de *Obara*:

Dice que usted es desconfiado. No mentirá no sea que usted mismo se enrede. No ambicione lo ajeno; en su casa hay suerte pero hay que refrescarla. Tiene que resguardarse. Procure no usar géneros de muchas pintas en su cama. Si usted se dedica al comercio encontrará mucha suerte y protección. Dice *Obara* que su suerte estable está en el campo. En esta letra hablan también Ochosi, Olokun, Yemayá y Babalú Ayé. Este signo de *Obara* protege a hombres de negocios, traficantes, abogados, etc.

ODI: 7

Hablan Yemayá y Olokun.

Le dice que le están pasando cosas desagradables por no cumplir una promesa; por ejemplo, cuando usted se acuesta sueña con cosas extrañas y se asusta. Anda en porfía con una persona. Abra los ojos porque lo están cazando, preparando una encerrona. En su casa habrá un gran escándalo y revolución por un chisme. No beba porque el alcohol le es perjudicial. Se siente como extraviada, y ojo con la justicia.

Odi dos veces habla de unos amores clandestinos y ya esa persona que se consulta está sorprendida en la jugada. Cuide sus partes por una infección contraída. Su camino está cerrado y la cárcel esperándola.

OTRO CAMINO

Dice (*Odi*) Yemayá que usted tiene un compromiso y empeñada su palabra de honor; que está disgustada por algo importante y preocupada por no encontrar una fórmula para resolver el asunto. Tiene usted personas en su familia que lo envidian y le desean mal; desean verlo desaparecer. No tema porque haciendo una rogación saldrá ileso y sus enemigos serán vencidos. No beba en estos días con nadie que lo invite. No asista a ninguna reunión durante siete días consecutivos, porque está indefenso, se puede decir que en el aire.

Nota: Esta letra es muy extensa, trata de envidia, deshonra, pleito con la justicia, cárcel, atraso, adulterio, revolución familiar, compromisos.

EYEUNLE: 8

Habla Obatalá.

Dé gracias a Obatalá por una revelación que usted tuvo. Usted sueña siempre con caminos y se asusta por las pesadillas; llora porque debe y no puede pagar. No se incomode porque le puede costar la vida. Usted está muy disgustado. Hágale misa a sus seres queridos muertos. Ojo con un desenlace repentino en la familia.

OTRO CAMINO DE EYEUNLE

Dice que usted tiene un vecino un poco alegre, pero evite contacto íntimo con el porque es de malas pulgas. Tiene usted una suerte muy cerca, y si la suerte le favorece tendrá que adorar a Obatalá. Debe rogarse la cabeza (*iborí*).

Dice Obatalá en *Iré* (bueno) que usted es un hijo, que no lo consideran por no darse su lugar, y por su forma, por ser demasiado noble. A usted le han robado en su casa y está asustado por un sueño malo que tuvo. No reniegue porque le es perjudicial. Usted teme que se le descubra un secreto. Alguien lo está velando para robarle y el ladrón está en su misma casa.

Si sale esta letra dos veces consecutivas es demanda de Asiento, lavatorio (bautizo), y se llama este signo: *eje otola ¡Eye otola!* (la tierra que bebe sangre inalterable).
Si la persona a quien le sale esta letra es mujer y está encinta procurará no provocarse un aborto.

OSA: 9

Aquí habla Yansá.
Osa oriko orosi osagún mesán mesán ile ija weri epa.
Dice que a usted lo van a robar, no deje a nadie dormir en su casa que lo están cazando, pero usted va a coger al ladrón. No se pare en las esquinas, ojo con la candela y dele de comer a Changó. Usted tiene una lucha en sus amores. Dice que usted tendrá una visita; que en su casa hay un hijo de Olufina. Procure no maltratarlo pues él será su suerte. Tiene usted muchos ojos encima y muchos contrarios, y el sufrimiento de un amor que lo está persiguiendo.

OTRO CAMINO DE OSA

Dice que usted tiene familia en el extranjero, que tiene un resguardo que está flojo y debe alimentarlo. En su baúl hay una pieza de vestir con la que tiene que hacer rogación, y también con un arma de su propiedad.

OTRO CAMINO EN IRE (BUENO)

Dice que en su casa hay una revolución y que van a acudir a la justicia. Usted piensa mudarse de allí pues no encuentra tranquilidad. Sufre de pesadillas y le sube la sangre a la cabeza y siente deseos de pelear. No se incomode ni beba, que esta cuestión viene de un chisme de una persona íntima suya que lleva y trae, y si usted se descuida todo va a parar en una lucha de sangre muy grande. Mucho ojo con una quemada en su casa. Es preciso rogarle a Oyá y darle una misa a sus seres queridos. En esta rogación entran Oyá y Yewá. Si la rogación es porque el signo se inclina a pleito, tiene que ponerse un collar de Yansán. Si en esta letra habla Osa y atrás viene Ochún, dice que usted no se atreva a mezclarse en el asunto de un matrimonio porque llevará usted la peor parte.

Si viene *Osa Meyi* (dos veces *Osa*) anuncia una serie de peleas familiares con intenciones suicidas por medio del fuego, ruptura de relaciones, amorosas, cambio de lugar, persecución de amores ilícitos, pero hay un detalle muy importante en esta letra, y es que a pesar de todos estos contratiempos vendrá la calma y se reanudarán los compromisos, revivirán los amores ya perdidos.

Osa habla de secretos insondables, lucha de amores, muertos que sufren, intranquilidad del espíritu, vientos perjudiciales y llanto.

OFUN: 10

Ochagriñá. Ofún, safún, masafún ocha gun ejiwún mewa.

Mucho cuidado con hablar de cosas que no le atañen porque su desgracia está ahí. No le comunique su secreto ni a su más íntimo amigo. Fíjese bien por dónde anda y sobre todo con quién. Le están formando un enredo para que el mundo se ría de usted. No dispute con nadie. Un difunto (*egun*) que sufre le pide ayuda. Usted tuvo unas palabras un poco serias con una persona de edad que está retraída y le guarda rencor. No avaricie lo de nadie y cuide su estómago.

OTRO CAMINO DE OFUN

Dice que no acostumbre dejar la puerta de su casa abierta. Usted padece de un mal interior. En su casa hay una mujer en estado. Usted es un poco renegado y maldiciente, y no está conforme con nada. Tiene un trastorno muy grande; no coma nada que le aviente el estómago. Los frijoles blancos son muy perjudiciales para usted, tanto para su salud como para su suerte. Usted es muy dichoso, pero hay una barrera en su camino. Nació usted en zurrón. No se violente porque está propenso a una enfermedad que podría costarle la vida.

CAMINO DE IRE EN OFUN

Dice que usted es una persona muy porfiada y algo moroso en sus actividades. No trate de explotar a nadie, no codicie lo ajeno ni sea envidioso para que su camino se enderece. Confórmese con su suerte porque la avaricia es su peor enemigo. Hay una mujer muy allegada a usted que está embarazada, y si lo duda que se vea con el médico. Usted cree lo que no es, pero no beba y pague la promesa que ha ofrecido. Un enemigo suyo le persigue de cerca. A usted le gusta el juego pero su suerte está oscura por las maldiciones. Procure no trasnochar ni entrar muy avanzada la noche en su casa. Arréglese una vida muy medida y no maltrate a nadie. Este camino, que está directo con Olofin, puede ser castigo.

OGBONI-CHOGRE (OJUANI CHOBE): 11

Mitori obirín logun Ibadán. (Por causa de una mujer se perdió un pueblo.) Dice que su asunto está entorpecido porque *Echu* lo está desbaratando. A usted lo van a despedir de su empleo y su mujer le es infiel. Le esperan días oscuros y llanto. Dice que usted cree por un momento, pero en otros no. Ojo con la justicia.

OTRO CAMINO

Dice que no viva a expensas de nadie, no crea en nadie, porque ahí está su mal mayor. A usted se le toma la voz por momentos. Le van a confiar una prenda, dinero u objeto de valor, pero procurará no hacerse cargo de eso. Usted está criando una niña, y su crianza le dará mucho dolor de cabeza y malas consecuencias. Es como criar para el Diablo. Tiene que darle de comer a los muertos, refrescarse la cabeza y contemplar mucho a su Angel de la Guarda para que *Echu* se aleje de su casa.

Dice que la muerte y la desgracia están detrás de usted. Ocúpese de su Angel Guardian. No se pare en las esquinas, oiga los consejos de sus mayores y modérese. Pague las promesas que debe.

EYILA-CHEBORA: 12

Aquí hablan Changó y Agayú.

Agbeni idán okuta gbohuloke oleupon asán san kin kagbo Kab ie sile.

Usted tiene que tener mucho cuidado con la candela, podría quemarse en su misma casa, por eso ha soñado que se estaba quemando. Irá al campo por algún tiempo porque tiene el enemigo en casa. Usted es hijo de Olufina y él es quien lo ampara.

OTRO CAMINO

Este es de desbaratamiento de acuerdos, de casa, de divorcio, de revolución. En su casa no hay tranquilidad, los espíritus protectores

están retraídos, y para que haya tranquilidad es necesario refrescar la casa, su cabeza y refrescar también a Changó, para quitarle la locura de encima. Tiene que asentarse para encontrar la calma perdida. En su camino se ve venir una sorpresa agradable, una lotería o el hallazgo de un tesoro.
Se hace la rogación por lo que sale.

MANOS DE IDILOGUN (DILOGUN)

El *idilogún* se compone de dieciocho caracoles, repite, de los cuales se separan dos y se usan dieciséis para mirar; entran también dos piezas redondas de distintos colores para las preguntas, que se llaman *digbo*.

Las letras mayores son:
Ocana Sode (1).
Ogunda (3).
Eyeúnle (8).
Of5un (10).
Eyilá Chebora (12).

Todas estas letras mayores piden la mano izquierda de las personas que se examinan en la primera aparición.
Si al tirar para preguntar cae una letra menor que es derecha y atrás se presenta una letra mayor, ésta toma la delantera. Ejemplo: Si sale *Osa* (9) que es derecha y atrás viene *Ofún* (10) se pide izquierda puesto que es mayor.
Por regla general se tira dos veces en las letras menores.

Manos Derechas
Eyioko (2)
Eyiorosun (4)
Ojuani Chobe (11)
Osa (9)

Manos Menores Izquierdas
Oche (5)
Obara (6)
Odi (7)

Letras paralelas e iguales.
Si salen al tirar en las preguntas dos letras iguales en menores, estas¡stas cambian de mano. Ejemplo:
Oché (5) es izquierda y si sale dos veces consecutivas se pide derecha.
Osa (9) es derecha, y si sale dos veces consecutivas se pide izquierda.

Podríamos reproducir otros «tratados» más extensos que nos ha sido posible conocer, pero lo esencial está dicho en los que acabamos de citar íntegramente, y en las páginas de mi libro *Yemayá y Ochún*. A un viejo *Oloricha* de mi amistad se le ocurrió una idea muy práctica «para apoyar la memoria»: la de hacer un resumen de los pronósticos que contienen los *Odu.*

Lo copiamos respetando su estilo.

Digo en:

1-2: Usted va a tener una gran revolución, con unos parientes, por una herencia que Ud. solo va a gestionar, y después todos van a querer disfrutar de ella, la gente dice que usted tiene daño, pero lo que tiene es embarazo.

1-3: Usted tiene un pleito, una reclamación entre manos, que va a ganar, lo va a ayudar a ganarlo porque está enamorada de usted. En un lugar que usted visita, le van a echar la culpa de un robo, y va a pasar un bochorno muy grande.

1-4: No se fíe de la gente, que lo están trabajando, y usted sabe quienes son. No beba para que el enemigo no lo venza.

1-5: A usted le viene un dinero por buen camino, pero para cogerlo tiene que gastar el que tiene guardado en su casa. Hay muchos envidiosos.

1-6: Va a tener un hijo varón, no puede comer en casa de nadie porque lo están velando.

1-7: Hay una gran revolución, todo anda muy mal, pero las cosas vuelven a su estado normal.

1-8: Usted viene por uno que está enfermo, pero usted está más enfermo que el que usted viene a consultar. Cuidado con la soberbia y con las armas.

1-9: No guarde cosas muertas, y tenga cuidado con la justicia.

1-10: Usted va a pasar un bochorno por una mujer bajita que tiene collar de Changó, pues esta mujer va a salir en estado.

1-11: Cuide su sombrero, que se lo quieren trabajar y cuide su casa antes que la ajena.

1-12: Por una cosa que usted va a comprar a la orilla de la playa va a tener tragedia, páguele a Changó lo que usted le debe.

1-13: Usted no duerme bien de noche. Habla mentiras. En su casa hay una alcahueta que tiene la boca hocicuda. Usted se va a encontrar una fortuna en la calle.

2-1: Tiene venérea y está malo de la sangre, debe tomar algo para curarse y evitar los disgustos donde está trabajando.

2-3: Hay que conformarse con lo que se tiene. Aquí fue donde el perro se viró en el río.

2-4: Si se enferma, no se va a levantar más.

2-5: Dice que está pasando malos ratos y se ve muy aburrido porque no le pagaron un dinero.

2-6: No puede decir los secretos que sabe, no puede levantar la mano.

2-7: Soñó que estaba bajando a un hoyo, tiene que darle una cosa a

Oyá. Cuidado con una trampa.

2-8: Es hija de los Jimaguas y tiene que darles de comer y no decir mentiras.

2-9: A usted le han echado una maldición. Es un hijo de Changó, y esa maldición se va a virar para encima de usted. Obatalá está bravo con usted. En su casa se va a morir una persona de repente.

2-10: No puede ir a ver muerto ni enfermo, en su casa hay una mujer embarazada que tiene la criatura amarrada, el padre es muerto, y ella se puede morir. Usted tiene un querido, y su marido la va a agarrar en eso.

2-11: Usted no piense tanto, y pague una promesa que debe, mándele a decir una misa a su padre que está muerto. Un familiar que usted tiene en el campo está pasando trabajos y miserias.

2-12: Tenga cuidado con los malos consejos, usted va a ir a un punto que lo van a botar de allí, a usted le duele la barriga, no hable sus cosas con nadie, que puede costarle la vida.

2-13: Usted es muy violento, tiene que tener calma, que San Lázaro se mete en todos sus asuntos.

3-1: Usted va a recibir un encargo y tenga cuidado. Si es mujer que con un embarazo le sobrevenga una desgracia.

3-2: Una mujer se va o se la van a llevar. Cuidado que con un disgusto ocurra una muerte. Va a recibir un dinero.

3-4: Le van a levantar una calumnia por envidia y va a intervenir la justicia.

3-5: Tiene que hacer las cosas que le han mandado, y que no ha hecho. Si no, va a tener tragedia, y va a tener que irse de donde está.

3-6: Usted tuvo un sueño muy bueno; le viene un bien de otro lado, pero para el Santo lo mismo es el grande que el chico.

3-7: Tan pronto obscurezca, tiene que encender las luces de su casa. Va a ir una persona a pedirle hospitalidad, tengan todo muy limpio, y usted va a lograr todo lo que desea.

3-8: Tiene que hacer Santo corriendo, hay tres hombres que le enamoran a su mujer, una hija suya va a parir jimagua, y usted tiene un hermano que usted no conoce.

3-9: Dele gracias a Ogún que le va a defender en su causa; no tenga tragedia, evite sacar navaja.

3-10: Usted soñó con su mamá y su papá, no llame más a una persona muerta que usted llama junto con la Caridad. Ande muy despacio en todos sus asuntos, y una cosa que usted tiene en plante se va a resolver.

3-11: Limpie toda su casa y vístase de blanco, para que reciba a Obatalá y un bien que hay para usted, pero tiene que evitar un mal que se atraviesa en el camino.

3-12: Si usted ve tragedia en la calle, no se pare, siga adelante porque puede ser que lo metan a usted en un lío.

3-13: Tiene que atender al Angel de su Guarda, para no pasar trabajo. Hay tres personas que no la consideran bien a usted, y dicen que usted no puede hacer lo que hacen ellos.

4-1: Hay una cosa que está estorbando y Ogún lo va a salvar.

4-2: Saque todo lo que tiene empeñado, tape todas las botellas vacías que tiene en su casa, y ande pronto con quien se va a efermar o está enfermo.

4-3: En su casa hay una persona que anda detrás de lo que usted hace, y le parece bien. Todo lo malo se volverá bueno.

4-5: Le viene encima una guerra muy grande.

4-6: Ha tenido un sueño muy malo, tiene que mudarse de donde vive, va a haber una tragedia por una cosa que se ha extraviado. No quiera a ninguna mujer por venganza.

4-7: Cumpla con Obatalá y no haga confianza de nadie y tenga su cama muy limpia.

4-8: Usted está peleando con su hermano, que le ha robado una cosa a otro, y un hombre colorado ha sido su enemigo. Usted quiere ir a otro punto y tiene una cosa negra colgada en su casa.

4-9: Tiene que hacer rogación por una enfermedad que le viene y por candela.

4-10: Si se le dice —lo que dice esta letra va a creer que lo engañan, por lo tanto tiene que hacer lo que tiene pendiente para evitar una trampa, pues va a ser preso y lo van a cizañar para que se faje. (No se le dice la rogación hasta que no haga una promesa atrasada.)

4-11: Hay que hacerle rogación a una persona que está enferma y ponerle una manilla de Obatalá.

4-12: Frente a su casa hay un palo o una mata, en la cual le tienen hecho un amarre que no la deja adelantar, su mal se lo han echado.

4-13: Aquí fue donde al Rey se le cayó la corona, por un sueño que había tenido de mucha escasez a causa de todos los ríos que estaban secos, y las plantas no producían.

6-1: Que no sea caprichoso porque puede perderlo todo.

6-2: Tiene que recibir Orunla, no suba escalera, ni cargue nada pesado.

6-3: Va a lograr un deseo haciendo rogación.

6-4: En su casa hay una cosa mala y San Lázaro va a ir a hacerle una visita, cuide mucho a su hija.

6-5: Tiene que aguantar la lengua un poco, no lo vayan a matar, una persona que está aprendiendo con usted, lo va a enredar.

6-7: Que no engañe a nadie; si le preguntan diga que usted no sabe; cuando baile, no baile con fuerza.

6-8: Lo han mandado a buscar de otro punto, no vaya porque es por cuenta de una mujer si es hombre; y si es mujer va a salir en estado de un hombre que la persigue.

6-9: Tiene que tener mucha prudencia; de hoy en siete días, tendrá los pies reventados y la van a registrar toda para robarle.

6-10: En su casa hay un chiquito que está enfermo. Ud., ofrece mucho para no cumplir.

6-11: Tiene que vestirse de rojo para que todo el mundo se fije en Ud. y después de blanco. A usted siempre lo están mentando, no vaya a ningún lado con dos personas más.

6-12: El único que hizo *ebó* se salvó. Para la tranquilidad, baños con flor de agua. Es muy mañosa la persona y no tiene la cabeza tranquila.

6-13: Si es hombre no se conforma con una sola mujer, pero no se puede llevar de cuentos, y para que no tenga disgustos, se le da un abanico de guano ribeteado de azul. Si es mujer le es infiel a su esposo, y éste se va a enterar y va a tomar represalias que le van a costar la vida a ella.

7-1: Un hombre que no estaba satisfecho de la mujer que tenía, al fin ésta lo abandonó y buscó a otra que sí era de su agrado y se puso a vivir maritalmente con ésta y logró su bienestar, pero resulta que ahora la mujer anterior está haciendo fuerzas porque el vuelva con ella de nuevo, abandonando a su actual compañera. Se le hace *ebó* con tela de araña.

7-2: Es un hombre que ha tenido un sueño que es igual a los relatados en *Odi Kana* 7-1.

7-3: Es una mujer que va a tener doce hijos, se tiene que tocar la barriga y soplar para afuera, que no llore más. Güiro y panal.

7-4: Si le pone asunto a un hombre que la está enamorando va a perder con el que tiene su bienestar, éste es un hombre que hay que cuidarlo y sobrellevarlo un poco más. No tiene seguridad en su negocio.

7-5: Ha perdido mucho dinero y por eso viene aquí; va a padecer de hinchazón en una pierna y tiene que hacerle *ebó* a uno de su familia tan pronto se enferme.

7-6: No le puede tocar las nalgas a ninguna mujer, le van a soplar unos polvos en la espalda. Va a tener diez mujeres y diez hijos.

7-8: No pelee con su mujer porque lo van a dejar a usted y le va a pesar porque por esa mujer a usted le viene un bienestar. En la casa hay uno que está malo de la cabeza. Obatalá está detrás de él.

7-9: Es una persona muy atenta pero falta de asiento, todos los asuntos le salen a medias pero todo lo que ha perdido lo va a recuperar. Tiene que marcar el asiento donde se sienta y le van a dar trabajo. Haga rogación.

7-10: Piensa mudarse, múdese que le conviene, porque así está lejos de su enemigo.

7-11: Está pobre pero se va a sentar sobre el dinero; los que hoy se ríen de usted, mañana le suplicarán, tiene muchos enemigos, y ojos malos arriba, su mujer es su enemigo. Soñó con Obatalá, tiene disgusto con el dueño de su casa, hay días que no tiene ni que comer. Si es mujer que no se separe del marido, que el año que viene todo será felicidad.

7-12: Cuando se pone un resguardo que tiene, no trabaja más, le duele la barriga y la cintura, y está buscando una cosa que la va a encontrar y va a ser su felicidad, pero después tiene que darle una comida y un toque a Changó, tambor y bandera.

7-13: Si no está quebrado se va a quebrar; todo el mundo se burla de usted, pero haciendo lo que se le manda, quien hasta aquí no lo consideró lo va a necesitar.

8-1: Tiene un perro que hay que cuidarlo mucho, que no se lo maten, ese perro se comporta como una persona. Va a oir muchas conversaciones pero usted no dé su opinión, usted se entera de todo lo que quiere saber.

8-2: Tiene que ser más apacible y evitar el disgusto que tiene con su mujer. No le puede negar la comida a nadie que llegue a su casa.

8-3: Va a estar preso, le van a romper la cabeza. Levantar la mano va a ser su desgracia; el lío que tendrá va a empezar en el fondo de su casa. Cuidado con su mujer.

8-4: Está haciendo una cosa que no la debe de hacer. Está maldita. Le dara dos cocos a Changó y dos a la cabeza del *Aleyo*[13], para que no haya consecuencia.

8-5: Está corriendo, porque quiere hacer algo, que al fin hará. Si lo vienen a convidar a una comida, diga que tiene un pie enfermo y no vaya, que después se enterará de una cosa mala que pasó donde usted iba a ir que era para usted y se escapó.

8-6: No puede ir a la plaza porque Eleguá va con usted.

8-7: Todos los caminos están cerrados para usted, no hay asiento, ni seguridad. Va a estar enfermo, cuide de no incarse y tiene que recibir a los Guerreros.

8-9: No le puede esconder el dinero a su hermano ni decir mentiras. Dele gracias a su mujer que más tarde o más temprano sale lo que ella dice.

8-10: Tiene que atender a todos los Santos que Obatalá está pensando hacerle una visita. Mídase mucho en todas sus cosas.

8-11: Habla de un disgusto por una mujer en el cual va a correr sangre. A pesar de que usted cree que el disgusto ya se acabó, no siente que así sea.

8-12: Si tiene pólvora arriba que la ponga ahí, si tiene algún dinero dedicado al Santo que no lo gaste, porque si lo gasta va a estar preso. Hay revolución. Va a haber pérdidas en la casa; su enemigo está comiendo y bebiendo.

8-13: Padece de las muelas o los dientes. Va a tener mal resultado allí donde piensa ir, por una tragedia.

9-1: Tiene tres enemigos que le quieren desbaratar su casa y le tienen la cabeza caliente; tiene muchos contratiempos. En su casa hay una cosa enterrada que hay que sacar para que venga la suerte y tiene que lavarse la cabeza para poder vencer a su enemigo. Tiene un hijo que estuvo perdido o preso, y negocios por el campo.

9-2: No duerme bien por la noche y le duele la cintura. Le debe a los Jimaguas y a Changó.

9-3: Tiene la cabeza dura y es muy caprichoso, si va a un lugar al que no debe ir va a haber lío. Le están echando brujería.

9-4: Una mujer va a venir a su casa a insultarlo, no le haga caso pues quiere enredarlo con la justicia. Le debe a Changó, páguele y después compre billetes.

9-5: Usted quiere pelearse con su marido, y después le va a pesar. Quiere hacer muchas cosas juntas, y no las puede resolver. Tiene que hacerlo todo con paciencia, y agárrese de su Santo que así las resolverá.

9-6: Está soñando que está cogiendo dinero, tiene que hacer *ebó* para que el dinero venga a sus manos, este *aleyo* le conviene al Santero.

9-7: Húyale a un amigo o a un pariente que lo quiere echar a pelear, él anda huyendo. Záfele el cuerpo y ande solo.

9-8: Va a coger un dinero que es de la limosna; no puede gastar ni un medio, sin ver antes lo que va a hacer, tiene que cuidar mucho a sus hijos y ponerle un collar de Obatalá a uno que tiene un lunar en una nalga. Lo van a convidar para algo malo.

9-10: No está bien del periodo, está sofocada. Dice Obatalá que si usted le da expansión a él, él se la dará a usted. Hay días que se queda sin comer, siempre le falta algo. No puede hablarle al Santo en la forma que le habla.

9-11: Lo van a mandar a buscar para una cosa buena, antes de ir haga *ebó*, si no cuando llegue, todos van a estar enfermos y en vez de ganancias va a tener pérdidas. Cuídese del aire y dele dos cocos a Changó, va a hacer un favor, y se lo van a agradecer. Para recibir la recompensa haga *ebó*.

9-12: Tenga cuidado con una cosa mala que le van a echar donde usted trabaja. Hay una mujer que lo quiere a usted mucho, pero usted, no puede dormir con ella, por una brujería que le han echado; tiene inflamada su persona.

9-13: No pelee y tenga cuidado no vaya a pasar un bochorno, no diga nada, que Eleguá se va a cobrar la mala acción que le han hecho. Hay una mujer colorada que lo quiere tener debajo de sus pies.

10-1: Usted viene porque se le fue una hija, no la maldiga ni dé parte, ni la busque, ella va a aparecer.

10-2: Sueña con una cosa mala y con un muerto, del cual tiene algo guardado.

10-3: Tiene muchos enemigos. De hoy en siete días va a llover, no salga a la calle.

10-4: Usted se adelanta, avanza y la gente le está atrás. No se descuide que lo van a poner hecho un mendigo. Nunca diga que está bien.

10-5: Confórmese con lo que tiene y no deje lo seguro por lo dudoso.

10-6: No corra detrás del trabajo que todas las cosas se van a arreglar este año en su casa.

10-7: Usted vive con los ojos cerrados, tiene que abrirlos para que no lo engañen más. Hay un mulato que le está haciendo un trabajo que si usted no abre los ojos, se va a perder.

10-8: De hoy en siete días se va a morir un chiquito y hay dos mujeres que están peleando por usted. Va a haber mucho viento.

10-9: Para que una persona mayor que hay en su casa no tenga tropiezos con la justicia hay que hacerle *ebó* y también al único hijo que usted tiene para que no se muera.

10-11: Quiten un palo con el que tropiezan a cada rato la gente en su casa, hay que sacarlo. Por nada gana el otro día a la lotería. Soñó con Ochún y Obatalá, y le debe a Yemayá. No pelee con la mujer. El *ebó* lleva un bastón.

10-12: Tenga cuidado que si se cae se mata. Usted va a tener disgusto por una mujer que está embarazada de usted, y hay tres más en las mismas condiciones, pero usted no le hace caso a ninguna. Dele gracias a un sueño que usted tuvo.

10-13: Aquí sale una tragedia y fuego. Ha tenido tres maridos, con el que ahora está es comerciante, y come con su dinero. Tiene que volver con el hombre que dejó. Ha estado enferma tres veces, además de todo esto, esta mujer tiene un amante, y le guarda la mejor comida para que se la coma después que sale su marido de la casa. (Jamo al *ebó*.)

11-1: Usted ha cogido una cosa que no es suya. Va a haber una epidemia, y para que usted se levante aunque sea con un palo tiene que hacer *ebó*. (Palo en *ebó*.)

11-2: A su casa va a ir una persona que tiene hambre, dele de comer para que se acaben los disgustos y la guerra. Cuidado con la locura y la fuerza de sangre; agárrese de Obatalá y cuide a su mujer.

11-3: Dice que no hable mal de los santeros. Tiene un hermano en el campo y un pleito entre familia, si no se ponen de acuerdo se va a morir uno de los dos.

11-4: Quiere tener la «positividad» de una cosa que inspecciona y que a usted le gusta.

11-5: Su cuerpo está sucio y ha cogido polvo malo; dele de comer a la cabeza con la corriente del río. (Estropajo en el *ebó*.)

11-6: Hay que darle un chivo a Eleguá para ver a quién o qué es lo que desea.

11-7: Es hijo de Ochún, tiene que hacer Santo, y no puede vivir en altos.

11-8: Todo lo que ha pasado déjeselo a Eleguá, y no tome venganza por su mano. Cuide mucho a Eleguá y a un hijo de Obatalá que hay en su casa. No discuta con sus amigos.

11-9: Tiene muchos ojos malos arriba, por eso todas sus cosas le salen a medias.

11-10: Aquí fue donde la mujer quería saber como crecía el ñame. Cuidado con la prisión. Le roba a su marido.

11-12: Cuando lo conviden a un lugar diga que va, pero no vaya, hace unos días que se siente malo, va a sufrir persecusiones, le salieron unos granos, le van a salir en las piernas.

11-13: Si ve una tragedia no se meta a separar a nadie. Ochún se lo quiere entregar a Eleguá (Corojo, la piedra).

11-1: Usted está pasando trabajos porque fue a la casa de un santero que la miró y le dijo cosas que usted no creyó y por eso se puso a hablar mal de él, ahora están pasando esas cosas y usted no puede ir donde está él.

11-2: Tiene muchos enemigos, porque le dice las verdades a la gente. No coma en casa de nadie. Ni judías, ni quimbombó. No eche maldiciones ni vaya a ver muerto. Usted está enfermo.

13-3: Lo han mandado a buscar para una fiesta, o una reunión, no vaya que va a haber tragedia. A el que usted le quitó la mujer lo está velando. Cuidado con la justicia y una falsa acusación.

12-4: Le debe a Santa Bárbara, y dinero a una persona, y a los Jimaguas. (Racimos de plátanos al *ebó.*)

12-5: Usted quiere que todo sea en buen tiempo, lo que ha hecho le salió bien, y si lo vuelve a hacer le saldrá mal, porque se trata de una venganza. (Cuchillo al *ebó.*)

12-6: Va a recibir una noticia de una persona del campo que le trae suerte. No se ponga bravo con nadie por la comida, va a hacer un trato que no debe regatear, de terreno o animales, en el campo.

12-7: No puede comer pescado ni nada cazado. Quiere salvarse de la muerte. No cree en los Santos. Botó a una mujer y ahora le pesa.

12-8: Usted soñó y otro soñó lo mismo, tiene que hacer todo lo del sueño. Con el tiempo va a tener dinero, dele de comer a Changó y póngale un tambor.

12-9: Usted tiene que mudarse de donde vive, por cuatro enemigos que tiene. Soñó que estaba peleando con su mamá. Usted cruzó por arriba del dinero, cuando vaya caminando mire para el suelo, no es hijo de aquí y quiere ir a su pueblo, su pensamiento no está más que allí. Todo el que lo ha despreciado lo va a buscar después. (Pedazos de carne al *ebó*.)

12-10: Está abochornado y atrasado, haga *ebó* y al tercer día que vaya a la plaza.

12-11: No le haga favores a nadie. Aquí fue donde al Gobernador compró al criado y el criado lo mató. Se va a encontrar tres pesos.

12-13: Va a tener que hacer un viaje, cuando lo haga no vire por donde fue. Usted está buscando una cosa y la va encontrar. Tiene un enemigo por envidia. Si le dieron a guardar un dinero o usted lo dio a guardar tenga cuidado con un escándalo por ese dinero. Devuélvale a Eleguá una cosa que usted le cogió. De hoy en siete días se va a morir un grande y todo el mundo va hablar de él. Usted no quiere que su mujer se trate con un individuo a quien usted le tiene odio y ella dice que como no se ha metido con ella, lo tiene que tratar. Se queja de que usted no le da dinero; se quiere mudar. Usted va a tener tragedia y va a haber sangre. A usted se le pone el cuerpo malo.

13-: *Ori Ate*

Práctico, conciso, Calazán a su vez me dictó cuáles son los temas que trata cada *odu*. A recordar:

Okana Sode: habla de atraso, de incredulidad, de desobediencia.

Eyioko: de Santo, de pasar trabajo, de andar sin ropa y sin casa.

Ogundá: de tragedia, de prisión, denuncias y accidentes.

Eyiorosun: de «Asiento», de la vista, de regalo.

Oché: chismes, de la casa, de enfermedad del vientre.

Obara: de amores, de un lunar, de una calumnia.

Odi: de la cabeza —locura—, de inflamación y de un mal trabajo.

Eyionle: llanto, cicatrices y . . . «lunates».

Ofún: de caminos, sangre y enfermedad de vientre (tripas).

Ojuani: trampa, falsedad, aires malos y perturbación de la cabeza.

Eyilá Chebora: Sorpresa, candela, suerte.

Y a propósito de resúmenes, mi viejo G. me hubiese permitido reproducir aquí, escrito de su puño y letra, éste de la oraciones que le recitaba a cada *Odu*.

1: *Ojuani chobi obi Ocha Ogún oún sachemicheo adié damu logún okó lepaso beni Achu ba agua té té té.*

2: *Dederé la boíu dederé la bosíla ocha ati kolerí ada iboleti ada bonu — lepe olifé obiti bitiré okrubule aguan totó aguon siroró tonto layepa afirekún chororó.*

3: *Okana sode Obí osode akará chodé oyu Echu batié ona sode.*

4: *Telaroko temitán temí inche omó oñí aguó lokun temitán tinché obayé aguó loko.*

5: *Ogundá sirobini omó alará sirobini ibe arogún laguedé apesuelé* *perayé bosulemú osi.*

6: *Ofún mofún yeguedé ofún lara ofún soñí kemafún tale tale ejujú ledié oniyé onumú komaló dede laobiní Babafún efurulú lokukú eforulú kuoké Oricha odí aeyé olé famitú.*

7: *Onibara Elebara kuikate kikomakate katiyera Obayé bayé. Obara labara okoyogó okoyo bí yobi kokotán yobi ara bobobia Onibara alabara eyebara lodafún obofoti.*

8: *Odí eru Oricha Adima dima Achama Aruma Achamacherán koko erú obí aka obí orichadiba erometa lufé ibaró obokán eyieta lufé aru ofé eyó ofé aboún ofé arikú Obarokó Iguariguó iguoro ibarikú mabayá.*

9: *Osaguó iguoriguó ofoniju obatioleya kosi ya kosi kon kon ekonlodá tueyá egun.*

10: *Apón machaka aguó lidé Addalafún olidé tiadogó tale tale oni mosu o ro kafika palenu alará okó adaodó koylé koylé adarodó mofirebo.*

11: *Oché bobeché Oché bobeché anui ibayé deguá sodi de obatí omadié obaloré loré ladekoyú omó lodó kakai ekuchi obatí Babalocha Yalode maferefún oché meliché oyó babalaguó oché matusi loda fun okanto —po tonló sielomá ibayé deguá sodidé Kalulé maguá ibayé deguá sodi de.*

12: *Aguanabaya pbadaba obadabaya oún okán eyebadera kini lori cha ficheléoki mochete arofó eyó Boruó kunanbó ambó boruo kunanbó ambó laofi leketán.*

13: *Okana saguilari a gua tete tete.*

Lufando no sabía escribir y no tenía apuntes en que apoyar la memoria. Para que la *Iyawó o el eniliwe* cuente con más informes y los coteje vamos a ofrecerle lo que este *Aiwé* —iletrado—, nos dictó. Pasamos por alto a *Okana* porque repite lo que ya sabemos.

«*Eyioko* (1). Esta letra habla de una persona caprichosa a la que todos sus males le vienen por eso, por sus caprichos. No oye consejo. Por su manera de ser tan voluntariosa, sus negocios van empeorando y perderá su salud, su trabajo, sus propiedades si las tiene, y lo peor de todo es que se cree fuerte. Continuamente cambia de idea, fataliza todos sus planes. Tiene en su camino obstáculos de muertos, cosas que guarda en un baúl o en un escaparate y hay que sacarlos de ahí y debe cambiar de religión. Pero lo peor es que esa persona no tiene fe en ninguna. Esas prendas[14] que tiene están mal trabajadas y la atrasan. La han engañado. Cuando se bañe con agua tibia que se cuide del aire, y que tenga también mucho cuidado en su casa con un niño que llora.

En el campo tendrá cuidado con un majá de Santa María. Padece de calambres; su organismo está débil, muy débil aunque no se le note: trabaja doble y en la humedad. Su casa es muy húmeda o tiene cuevas.

Padece también de la cintura. ¿Sabe si alguno en su familia o alguien al morir quería dejarle un secreto o recomendarle algo para su administración y no tuvo o no le dieron oportunidad de hacerlo? Era de su mismo modo de pensar. Tiene que hacer *oribó*. El médico es su profeta y lo que tiene que hacer es *ebó*. *Eyioko* hablando para bueno a esa persona le dice que será rica y que lo que debe hacer es Santo. Para salir victorioso, rogación y darle de comer a su cabeza: *oribo*. No debe entrar en cuevas ni ir a paseos y a pesquerías.

Si *Eyioko* dice que sólo hay un muerto en la familia de la persona que se está registrando, ésta tiene que hacer *ebó*; y si trae enfermedad, porque dice que tiene mala o torcida una pierna, si no hace rogación nunca podrá ponerse buena. Se pregunta con *igbo* y se decide qué *ebó* se le hace.

Eyioko Meyi (2-2). Cuando sale este *odu* los Ibeyi son los que hablan directamente, y la persona interesada se levantará de su asiento de medio lado. Está muy mal de recursos y a sus pies tiene una fortuna.»

Lufando relataba este *Apatakí* de *Eyioko*.

«El Majá era un hombre que caminaba como los demás . . . con dos piernas y dos pies. Fue a consultar con un *Babalawo* y éste le dijo que tenía que hacer rogación, pues iba a enfermarse y no serviría para nada. El Majá se sentía tan fuerte que no obedeció a Orúmbila y su piel se cubrió de manchas rojas.» Se recordará que este signo predice un mal que presenta rojeces.

«Poco a poco la erupción cundió por todo su cuerpo y se le fueron cayendo los brazos, luego las piernas. En aquel estado el Majá se arrastró hasta casa del *Babalawo*. Este le dijo que cogiera un racimo de plátanos que tenía en su casa, cuatro palomas y dos cocos, fuese al camino real y se escondiese entre los matojos de la orilla, que por allí pasaría Obatalá. Y así fue. La Jutía llevaba el saco de la Virtud y el *Banek*, el báculo de plata de Obatalá. Por caridad le rogaron con coco la cabeza para que por lo menos le levantase del suelo, pero siguió arrastrándose.»

Ogundá (3). Tragedia, chismes, justicia, los tres enemigos irreconciliables; brujerías y maldiciones de que es objeto el consultante, y se le da el mismo consejo, que abandone la ciudad porque su vida peligra. No confiar en nadie ni beber donde vive; no se pare en las esquinas ni ande de noche por la calle. Ogundá es pronóstico de operación, de padecimiento del riñón, «trastorno de naturaleza» (impotencia), y «que no anda bien de amores». La mujer quiere echarle brujería, al hombre, cosérsela en un traje o hacerle un amarre, y lo mismo quiere hacerle otra mujer. Ese individuo no debe correr porque puede relajarse, ni hacer fuerza sin apretarse el cinto, y cuidado, que equivocamente le pueden pegar con un palo o con un arma.

No puede amarrar soga ni género hasta que no haga *ebó*. Es posible que se encuentre con una mujer y si es celosa que pelee con ella. Hay alguien que cuenta horrores del consultante. A este hay que aconsejarle que díganle lo que le digan no pegue, pues un golpe sencillo podría causar la muerte al que lo insulta o herirlo de gravedad y tendría que cumplir condena.

Ogundá cuando marca enfermedad dice que se padece de dolor de cintura o de espalda, y aconseja que no se tuerza nada, ni tabaco. (Si el sujeto es tabaquero verá qué hace.) Si es mujer, cuando lave no tuerza la ropa ni arrastre muebles. Tiene que hacer *ebó* por todas sus dolamas, para el dolor de cintura y de la espalda que le coge todo el cuerpo. De lo contrario se baldará. Que no salga en ocho días pues no podrá exponerse a ningún peligro; ni montar en ferrocarril, y si porfía verá entrar a la Muerte por su puerta.

Ogundá Meyi (3-3). Le dice a una mujer que no pelee con su marido, y le repite que no amarre brujón ni arrastre muebles por lo de la cintura, y que no deje para mañana ponerle a Eleguá una cabeza de jutía con miel de abeja para que le quite todo lo malo que tiene encima y no le cierre el camino. No rece oración en la calle y no coma gallo.

Ogundá cuando trae *Ikú* es un signo malísimo.

Pero Lufando está seguro de neutralizar o anonadar su maldad con los *ebó* que enumeraremos más adelante.

«*Eyiorosun* (4). Dice que el pesar que siente el *aberikulá* o el *omó* (consultante) es inmenso: que es desafortunado. Hasta su familia lo maltrata. Le adeuda algo a San Lázaro. Padece de la vista y está en peligro de perderla. Todo le falla, sus amistades también, porque quien engaña es engañado. Sus sueños le dan a entender que es hijo de Ogún, pero lo protegen Babalú Ayé y Obatalá. Su oficio, o un comercio que tiene hace que su cuerpo trabaje más de lo que puede, y este trabajo no le gusta a estos Santos y menos al Angel de su Guarda. Es violento, su hermano no congenia con él. Debe cuidar mucho de Eleguá y tiene que hacer Santo. Luchará mucho en su camino para lograr lo que quiere. Pronto recibirá una noticia que lo contrariará. Tiene suerte con extranjeros. Que vaya a la Iglesia, y no ande por la manigua pues se caerá y se romperá un hueso. En estos días ha llorado con mucho sentimiento por algo que le han hecho y le ha llegado al corazón: un desengaño. Es mucho lo que la envidian; alguien piensa hacerle un trabajo de Santo para engañarlo, o ya se lo han hecho, y ese resguardo que tiene no sirve. El trabajo se lo han puesto en la puerta de su casa.

Su enfermedad es crónica y debe rogarse la cabeza con frecuencia. No coma granos ni salte por encima del agua ni se meta en hoyos. En cuanto al Santo que quieren Asentarle *Eyiorosun* dice que su cabeza no es fácil y que no saben ni sabrán qué hacerle cuando llegue la hora. Su

Angel se le aclarará fácilmente, pero el quiere que cambie de vida, la que lleva no es de su agrado, por eso le exige que se «Asiente». (El Santo está enamorado de él o de ella y no le da la cara . . . Y además *Eyiorosun* dice que la Tierra come y la persona también, que sus ojos, a la larga o a la corta verán el fin de lo que espera. Aconseja que no hostigue a un enemigo y hable bien. La persona que se registra es muy nerviosa y para que las ofensas que recibe no aumenten con el tiempo, le dará de comer a Changó y a Eleguá. Tenga cuidado con cosas explosivas dentro de su casa para que no se queme, porque la candela lo amenaza. Adore a Yemayá, a los Ibeyi y a Eleguá. Haga Santo y por lo pronto una rogación con una botella de agua.

Cuando *Eyiorosun* trae *owó* (dinero) se le pregunta al consultante, si es mujer, si va a cobrar dinero o a coger una herencia. Si es hombre que vaya a buscarla acompañado de su mujer o de un hermano, pero por nada del mundo de un amigo, para que ese amigo no lo mate. Si es mujer, antes que haga *ebó*.

Por mal camino: anuncia la traición que un *Babalawo* o una *Iyalocha* le preparan para entregarlo a la justicia.

Eyiorosun Meyi: devuelvo el dinero del registro, porque si este es el signo de la persona que se mira, no se le cobra. Tiene que hacer Santo, registrarse bien al pie de Orula, averiguar si su signo requiere que sea *Babalawo*, y si sale *Eyiorosun Meyi*, «asentarlo» gratis. ¡Mal negocio! Y mucho ojo con la Madrina o el Padrino porque la cabeza de esta persona es más grande que la de ellos. Cuando *Eyiorosun* sale al pie de Orúmbila, habla de una persona que es muy mala lengua y de muy malas intenciones, a la que no se le ha de hacer caso para evitarse líos y lío de justicia. (Para eso le mando un *ebó*.)

A la casa del que estoy registrando, si le sale este *odu*, irá una mujer que será *Iyalocha* o un hombre que será *Babalao*, con idea de probarlo y perjudicarlo. Ponerse en guardia.

Oché. Oché muika yeyeo. Habla de una trampa que le están preparando al que se «registra», que está muy preocupado y con el vientre tan mal que debe visitar a un médico, de tanto que se le enredan las tripas y los cólicos que le dan. El no le ha pagado a Ogún una promesa que le hizo y ahora no tiene dinero. Es decir, tiene un dinero que no es suyo y prendas de oro empeñadas y que está a punto de perder.

Hay en su casa algo que da mal olor y debe fregarla con agua clara, cinco huevos de aves diferentes, miel de abeja y suplicarle a Ochún, regarle *Ekó* a Eleguá y darle plátanos a Changó.

Tiene en su poder un documento, una escritura que no está clara por obra de un engaño, y su abogado defensor se va a vender. Recibirá tres cartas. Una que le va a inquietar, otra con una noticia que le es favorable. Pague lo que debe y saldrá bien, pues hay intervención de la justicia. Como se trata de un *omó* de Ochún porque ella dice que esta persona es su hijo, se siente ofendida; sabe todo lo que ha sucedido, y le advierte que el juez de la causa dice que a usted le gusta demasiado levantarle la mano a las mujeres. Esa lengua y esa mano son su desgracia. Pero los desengaños le enseñarán y los trabajos le servirán más que los consejos.

Ochún le dice que ella camina y no se le siente hasta que no llega, y cuando castiga no hay remedio . . .

A una mujer, *Oché* anuncia que le están echando daño a su marido, que unos que comen y beben con ella están tramando quedarse con su propiedad. Ochún se queja de que a pesar de que es su hija y siempre la está mentando no la trata con delicadeza y lealtad.

La gente la envidia; hay en su casa una mulata que llama la atención por sus ojos y por un lunar, que es su peor enemigo. Lo curioso es que no siendo usted tonta y sí desconfiada, cree que esta mulata la favorece . . . Ruéguese la cabeza, ofrézcale a Ochún *ekó*, pescado, calabaza y un chivo, para que Ochún y Eleguá le den una casa que usted quiere conseguir. Sabrá de un embarazo que ignora.

Celosa hasta de su sombra; es muy enamoradiza y habrá una interrupción en su camino que no se explica . . . Le han hecho trampa y no lo que debían haberle hecho, y por eso es que siendo dichosa no logra lo que desea. Pero Ochún le dice que la ayudará si la obedece. Soñó con una desconocida o con una mujer que no trata y quiere averiguar sobre ese sueño. Tiene una amiga ansiosa de enterarse de todo lo de los demás pero reservada con lo suyo. No permita que use su mismo peine. Esta mujer cuenta que usted tiene desarreglos en su periodo. Si no está embarazada lo estará. Y cuide bien su barriga, porque si está embarazada y no se le malogra la criatura ¡qué no se le ocurra abortar! Esa criatura será su felicidad.

Oché Meyi. Ochún dice que la persona que se está registrando tiene un secreto muy oculto y está muy disgustada. Debe usar una faja blanca, amarilla o punzó. Le anuncia una operación interior y tiene que hacer *ebó*, llevar puesto un camisón amarillo, no empeñar ninguna prenda y adorar a Ochún.

Tiene que darle de comer palomas a su cabeza y le dará tres veces de comer a Ochún. (Le hago rogación con la tranca de la puerta.)

Obará. Dice que los conocimientos de la persona que ha venido a consultarse son escasos y su cabeza está a oscuras, y si le sale *Obara Meyi* es que está enferma. Debe vestir de blanco, usar faja blanca o punzó. Le faltará ropa, comida y dinero. Tiene una virtud y no lo sabe. La suerte está en sus manos y puede perderla si se mete en averiguaciones de pleitos, en peleas y desafíos. No puede botar comida ni regalarle a nadie calabazas. Es hijo legítimo de Changó. Lo prenderán aunque sea inocente y pasará un mal tiempo. Adorará a su Santo y hará el *ebó* que le diré. Tendrá en su casa tres calabazas.

Si es mujer por quien pregunto es también hija de Changó. Hombre o mujer, no puede discutir con nadie ni renegar, porque le cambiará su suerte y su suerte es la de ser rico. Que juegue a la lotería.

Si es hombre que no se deje tocar la cabeza por ninguna mujer.

Si después de salir *Obara* cae *Osa*, la persona que estoy «mirando» es hija de Oyá y de Changó. Su Angel es demasiado fuerte y tengo que aconsejarle que se ponga un collar de Obatalá.

Si es hombre, unos trabajos de brujería que le han hecho lo han convertido en un muñeco. Por brujerías de manos de mujeres. Se cuidará de la boca y no le dé candela ni le encienda tabaco a nadie. No haga caso a provocaciones. Como es muy guarachero cae en gracia. Tiene suerte. Muy enamorado, todas las mujeres le vienen bien, y mejor si la gallina es de otro patio. Que no confíe en nadie. Quieren robarle una ropa para hacerle un trabajo y . . . ya una mujer se la ha cogido. Le gustan los caballos, comer bien y viajar. Quiere viajar. Desobedece a sus Mayores. Más adelante tiene que Asentarse, pero primero recibirá a Eleguá, los *Ileke*, (los collares) santo lavado, y por último el Asiento con *Ifá*. Rogarle a Ochún y no partir calabaza.

Cuando *Obara* trae *osobo* (o *iré iña*) es que a la persona que consulto la va a agarrar la justicia sin haber dado motivo, y que un enemigo lo vigila para matarlo con arma de fuego. Ese enemigo suyo es negro y le ha hecho una brujería de Palo[15] porque es del Congo. Tengo que rogarle la cabeza y que le dé un gallo a Ochún.

Por *Iré arikú* —camino bueno— le aconseja al consultante una rogación al pie de Orula, para vencer. Que venere a los ancianos, que vista de blanco y lleve puesto un pañuelo rojo. (Preguntar si lo tiene que llevar en el cuello, en la cintura o en el bolsillo.)

Si la letra habla de una mujer, se le dice que se encuentra en estado y que hay para ella una fortuna o un cambio de sitación. Ha venido al mundo a mandar y no a que la manden.

Cuando a un hombre le habla Ogún después de *Obara*, buscará un gato para tenerlo en su casa y un caballo (de juguete) porque son muchos sus enemigos, y cuando vayan a atacarlo el gato lo salvará. Como le sucedió a Changó, que una vez para escapar esperó a que cerrara la noche, y montó en su caballo llevando a su gato. Los ojos de éste brillaban tanto en la oscuridad que sus enemigos, que acechaban, creyeron que eran los ojos del Diablo, se asustaron y no se atrevieron a atacarlo.

Odí. Declara cuando una persona es hija de Yemayá, que Yemayá la proteje y será su salvación. Para Yemayá no hay secretos en el cielo ni en la tierra.

Odí cuenta todos los trastornos y contradicciones que esa persona tiene en su cabeza a causa de un escándalo, de traiciones y calumnias recibidas a una persona en quien confía y que a costa suya ha armado el gran lío. Quiere resolver un problema de amor: oposición familiar y presiones, consejos de amigos que prefieren para ella a otra persona que consideran de más categoría. Para decidirse debe actuar con calma, ser más franca, luchar con inteligencia, ya que su familia y sus amigos no asienten a lo que ella desea.

El mar la atrae. Use algo azul. Sueña con máscaras y le duele el corazón y el cerebro. Su vista se cansa. Cuídese para que no pase trabajo y no la «amarren» con peligro de su vida. Que le pida al mar. Dele algo a sus difuntos y al Santísimo, y no coma boniato ni judías. Un ser del otro mundo la acompaña y desea su felicidad. Misa en la Iglesia para que la bendiga y también . . . también dice que tendrá grandes regocijos, que será dichosa porque es buena, y donde puede hacer un bien lo hace; se priva de lo suyo para remediar a otro, pero esas buenas cualidades no se aprecian. Será feliz por sus hijos a los que no pegará. No beba. No ande con prendas o cosas de muerto que le opacan la suerte. Sus sueños son claros, ha visto en ellos algo que la ha asombrado, pero no lo cuente pues perderá la gracia de ver en sueños lo que va a pasar . . . y a veces ve casi despierta. No comente nada, aguántese la lengua, que la tiene floja. Yemayá le dice que sabe cómo se asusta y le dan palpitaciones cuando sueña.

Pues sí señor, *Odí Meyi* le dice a una mujer que Obatalá y Orula están detrás de ella, y le recuerda una deuda que no le ha cumplido a Obatalá, y que no permita que el mayor de sus tres hijos varones hable con un amigo suyo que lo va a perjudicar. A ella le duele la cabeza y tiene suspendidas las reglas, por lo que debe hacer *ebó*.

Si después de *Odi* sale *Eyionle* el que se registra es hijo de Changó y de Yemayá y urge rogarle la cabeza y ponerle el collar de Obatalá.

Si aparecen *Odí* y *Oche*, la persona nació «entre dos aguas», y si cierra el registro con *Eyionle*, la cabeza es de Obatalá, y dirá una vez que es hijo de Yemayá y otra que es de Ochún. (Yemayá diosa del mar, Ochún diosa de los ríos.)

Meyi Odi-Oché, el mismo que se consulta o uno de su familia ha nacido a la orilla del río o del mar, o ha debido llover a cántaros el día de su nacimiento, y por eso su felicidad está en el mar. Hay el rastro de una riqueza perdida por la envidia de varias personas. Tiene que hacer *ebó* y rogarse la cabeza y encontrará esa fortuna.

Marcando *ikú* en *Odi-Osa*, Yemayá revela enfermedad en una persona a la que urge hacerle un *ebó* de muerto. Si después de la rogación rebasa la gravedad, la limpieza o rogación que le hago se echa al mar con mucha esencia.

Ya le explicaré también cómo se despoja la casa para espantar de ella a la muerte.

Usted sabe que en este, *Odí* habla también de alguien que está maldito porque golpeó a su madre. Tendrá que Asentarse y se Asentará quiera o no quiera, aunque sea viejo, reviejo.

En *Eyeúnle,* donde hablan todos los Santos, se aconseja en ciertos casos a ciertos sujetos, que aunque tengan muchos ratones en su casa no los maten, porque los ratones les hacen mucho bien.

Era este el problema, la tragedia más bien, de un conocido nuestro a quien estos animalitos inspiraban terror y le estaba prohibido exterminarlos.

Los viejos decían que la cola del ratón blanco se respetaba porque adornaba el *opa Oba*, el cetro del rey lucumí.

A título de curiosidad y como modelo de concisión, al recordar ahora al correr de la pluma a uno de mis primeros *oluko*, cedo a la tentación de incluir aquí, para terminar estas notas, las nociones que en una tarde bajo un laurel centenario consintió en darme sobre el *Dilogún*.

«En *Okana Sode,* (un solo *ayé* boca arriba) habla Echu de una persona que podría morirse de espanto y que no morirá. Pero si *Okana* se repite, y se repite mucho, morirá.

En *Eyioko* —dos caracoles— *Oricha Oko* y los *Ibeyi* tratan de una persona que le espera una suerte en su camino, pero tiene que ir a buscarla al monte o a un lugar donde haya muchos árboles, a un maniguazo.

Irá con un pollo que no cante todavía, una mazorca de maíz, una caja con manteca de corojo y un coco seco.

Ogundá —tres *ayé*— Ogún y Ochosi anuncian una desgracia que para evitarla hay que hacer *ebó*.

Eyorosun. Changó dice que se abran bien los ojos. La justicia persiguiendo. Guerra . . . La mujer tiene que ponerse refajo punzó, el hombre, un pañuelo.

Oché tolá (5). Ochún habla de mujer embarazada o chivada (enferma) de la barriga y de un hombre guarapeta en gran peligro. *Ebó* urgente.

Obara (6). Changó le dice que no vaya a ninguna fiesta sin llevar su insignia. Para ganar una guerra que le tienen declarada, que limpie la casa y tenga cuidado con la candela.

Odí (7). Yemayá habla de una persona que está mal por culpa de un pariente muerto que tiene hambre. Que haga *ebó* y le dé de comer al muerto. Aquí Yewá es la que manda el *ebó*.

Eyeúnle (8). Habla Obatalá de alguien que no tiene tranquilidad. Llanto en su familia por un enfermo. *Ebó* a la carrera, y si estima su vida que se encierre en su casa ocho días y ocho noches. Lavarse la cabeza y darle de comer a *Eledá.*

Osa (9). El nombre legítimo de esta letra es *Osagio.* Oyá dice que ojo con la candela y que el hoyo está abierto para quien sea. Revolución, traición. Si es mujer la que se mira, por algo le echaron brujería a su puerta. Registrar baúl, si tiene alguna reliquia y tela de rayas, botarlas. *Ebó.*

Ofún Erimafún. Habla de una persona que no debe contar sus sueños porque se quedaría ciega. Embargo, enfermedad. *Ebó.*

Ojuani Soke (11). San Lázaro y Ogún le hablan a una persona que tiene la muerte en la misma punta de la nariz. Lío de justicia. *Ebó* pronto y luego Asentarla sin esperar mucho.

Para un hombre, calzoncillos punzó, para la mujer refajo igual. Si el hombre no quiere los calzoncillos, Changó pide en cambio dos carneros y dos gallos.

Eyilá Chebora (12). Changó habla de amenaza de fuego, y si antes de doce días, la persona a quien se refiere no hace *ebó,* está perdida.

Oguere (13). Habla Agayú de una persona que están velando para matarla; de una deuda que tiene con Babalú Ayé, por lo que ésta tiene la sangre corrompida. *Ebó* para salvarla.

Y basta, ¿no les parece? El estudiante o el *Iyawó* ya tiene un material que le será útil y nos dispensa de repeticiones en las que lo fundamental «se dice con mayor o menor abundancia de palabras».

A mi pregunta ¿no son anacrónicas muchas predicciones del *Dilogún,* no han perdido sentido ya que todo ha cambiado tanto? Se me responde: «no, porque el que 'registra' pone al día al caracol».

«¡Está al día! Cuando habla de un accidente de ferrocarril, como ahora se va tanto por avión, el accidente que anuncia puede ser de avión, de automóvil o de ferrocarril, y así por el estilo todo lo demás. Y como la envidia, la traición, los chismes, el odio, las intrigas, los cuernos, el relajo, los enamoramientos, etc. no cambian en la gente, ni la desgracia ni la suerte, el *Dilogún* sigue siendo un tiro»[16]. En fin, es importantísimo porque le proporciona al *Omó* los medios para dominar a anonadar el mal que nos amenaza o persigue, o para atraer o activar un bien.

Un joven *Oloricha* Asentado aquí en Miami, que empezaba a dar consultas en su flamante Botánica, me confió que estaba muy dolido con su Madrina porque ésta, deliberadamente dejaba siempre para más adelante explicarle, por ejemplo, cómo se «desbarata» una letra.

Las malas letras, como *Ojuani, Eyilá Chebora* y otras que anuncian muertes, traiciones, enfermedades, calamidades, se borran pisando los caracoles y echándolos en agua. Esa agua se arroja a la calle y se ofrenda un gallo a Eleguá, y *ekó, epó, eyá,* etc. Y hay otros procedimientos. No olvidar en *Ofún* tocarse el vientre y soplar.

VII
Los Pataki o Apataki: Ejemplos

Antes de abordar el tema inagotable de los *ebó* echemos un vistazo a las historias que a manera de ejemplos acompañan los *Odu*.

«Hoy los Santeros no los cuentan como antes, que aun en un simple registro particular no se los callaban. En un Asiento, en el *Itá*, sí los oiría usted si fuese *Iyalocha*, cuantos más sabe el *Oriaté*, el director del registro, que los cuenta, más se luce ese día. Los demás Santeros presentes también están autorizados para leerle el *Dilogún* al *Iyawó*, hacer comentarios y contar. Ahí están para timonear y dar fe como testigos. Si al *Oriaté* en uso de la palabra se le interrumpe, se ofende; pero si cae en un error, refutarlo con cortesía es un derecho y un deber. Cuando esto ocurría Lorenzo Samá decía así: «¡camina criollito, tu ta, mirá culo caracol!»

Tampoco es menester hablar más de lo que dice el Santo. —«Los Pataki son relatos del tiempo de antes, historias de cuando empezó el mundo, de cuando hablaban los animales y andaban los *Ocha* en la tierra. Ilustran mucho y explican por qué debe hacerse *ebó*, por qué en tal y tal circunstancia parecida sucedió lo que a uno puede sucederle.»

Representan, diríamos nosotros, esa enorme cantera de la literatura oral lucumí, y en este caso particular la que acompaña a la adivinación, al *Dilogún* y al *Ifá*.

«Pero para contar *Pataki*» —nos recalca un hijo directo de Ifá— «el rey es el *Babalawo*».

PATAKI DE OKANA
Era un individuo tan discutidor y porfiado que se ganaba la

enemistad y antipatía de las gentes. No porque fuesen malos sus sentimientos. No. Pero sus modales no correspondían a sus buenos sentimientos y le hacían aparecer como no era, a tal extremo que llegó a verse enteramente solo. Se huía de él como de un apestado, y esto lo decidió a alejarse de su pueblo. Por el camino tropezó con un hombre. Era un comerciante que venía andando con un perro y al que preguntó:

—¿Cómo andan las cosas por ahí?

—Pues para unos bien, para otros mal, —le contestó—. El hombre le advirtió que tuviese cuidado, pues el *Oba* de su *ilú*, del que iba huyendo, había proclamado que quien no hiciese rogación (*ebó*) para identificarse, sería ejecutado.

Ahí saltó el hombre discutidor incorregible:

—Pues yo no haré *ebó*, y si tengo que irme de allí ¡qué diablos! me iré.

Apenas recorrió tres leguas halló el territorio en estado de alerta. Los soldados lo apresaron y lo llevaron ante el *Oba*, acusándolo de ser uno de los cabecillas de la insurrección, que venía a reunirse con los otros conjurados, y el rey ordenó que lo encerraran en una jaula en la indeseable compañía de unos tigres hambrientos. Inútil decir que los tigres lo devoraron, y que aquel hombre duró en la jaula lo que un merengue en la puerta de un colegio.

Erase un hombre que creía en el *Ochono* —el hechicero— y dudaba del poder de los *Orichas*. Se burlaba de ellos cuando «montaban» —se posesionaban— de un *omó*, y una vez que Changó en su caballo, a presencia suya aconsejó a una persona que no fuese al sitio que tenía pensado ir, aquel atrevido se acercó a ella y le dijo:

—¡No sea idiota, vaya usted adonde quiera!

Y después se dirigió al *Oricha* creyendo que iba a engañarlo y dando por seguro que el supuesto Changó se equivocaría, y le pidió que adivinase cuántas personas estaban en una casa que le señaló. Changó respondió: —Dieciséis.

—¡No es verdad! —gritó triunfante el descreído—, —son dieciocho.

Changó ordenó que se arrojasen al suelo dieciséis medallas y sólo dieciséis personas salieron de aquella casa a recogerlas.

Ante la evidencia el incrédulo se echó a los pies de Changó.

Arosiyén marchó a otro pueblo y dejó a su amigo Eloire encargado de sus tres mujeres. Arosiyén le aseguró a Eloire: Volveré dentro de tres meses.

Mas pasaron cinco meses y Arosiyén no regresaba. En tanto su buen amigo maltrataba de modo tan brutal a aquellas tres mujeres, que decidieron escapar. Allá en otro pueblo quiso la casualidad que encontraran a Arosiyén, que era *enichowo* (traficante) y le contaron toda la verdad, que habían huido de los maltratos de Eloire. Las mujeres le habían repetido a algunos amigos de Arosiyén el mal que decía de ellos Eloire, que era un lengua suelta incorregible y alardeaba que iba a prenderle fuego a la casa. Aquellos amigos fueron a cerciorarse si todo era cierto. Eloire no lo negó por hablador y al punto lo mataron.

OKANA

Eleguá le pidió a Orúmbila que le «hiciese *Ifá*», —lo iniciara en la ciencia de adivinar. Orúnla le preguntó si tenía con qué pagarle.

—¡No tengo nada!

—Pues sin *owó* no puedo hacerte *Ifá*.

Eleguá saltó y se rompió la cabeza. La sangre le brotaba a borbotones. La mujer de Orúmbila le dijo: —¡Ay *okó*, ahora vendrá la justicia, nos van a prender. Llama a Eleguá y dale lo que te pide.

—*Orula* siguió su consejo, llamó a Eleguá, le hizo *Ifá*, y cuando terminó:

—¡Vaya, ve tranquilo!

Eleguá se fue a la esquina. Pasaba en aquel momento el hijo de Olokun, que era médico. Este siempre que se encontraba con Eleguá quería que lo saludara, pero ahora Eleguá le dijo:

—Salúdame, que tengo hecho *Ifá*.

—Bien si es cierto «regístrame» (*adiva*).

Eleguá lo registró:

—En tu casa, por las tardes son muchos los pájaros que van a posarse en un árbol.

—¡Eso ya lo sabes!

—Espera, esta mañana tu madre te regañó porque le tocaste las nalgas.

—¡Eso si es verdad!

El hijo de Olokun, entonces, le dijo a su madre que deseaba ser *Babalawo* a toda costa y ésta le respondió que le preguntase a Eleguá cuánto le llevaría. Eleguá le pidió una carreta llena de cuanto era necesario y con esta le pagó su *Ifá* a Orula el doble de lo que valía.

Obanla tenía enfermos a sus tres hijos y mandó a buscar a tres adivinos que se llamaban Eleno Kekeré, Eleno Gangán y el más joven Elenoyú, para que le diesen su opinión sobre el estado verdadero de la salud de sus hijos y los sanasen.

Eleno Kekeré y Eleno Gangán los encontraron bien. «No había novedad», le aseguraron. Pero Elenoyú no compartió el parecer de sus compañeros. Fue así que al día siguiente murió uno de los enfermos y Obanla los mandó a buscar de nuevo, esta vez para invitarlos a comer.

Elenoyú se abstuvo de asistir a la comida. Alegando tener un fuerte dolor de estómago se libró de comer lo que Eleno Kekeré y Eleno Gangán engulleron sin sospechar que era el cadáver del enfermo, que Obanla hizo servirles.

La muerte precedida por implacable epidemia nacida de la seca, andaba tronchando vidas por la tierra.

Akuko, el Gallo, se apareció en casa de Alafi y escuchó como éste se lamentaba de lo que estaban sufriendo sus criaturas. Muy engallado le declaró que él arreglaría aquella situación.

—¿Cómo?

Akuko vistió de blanco. Iba elegantísimo, y al doblar una esquina se encontró con Echu.

—¿A santo de qué tanta elegancia? —le preguntó Echu sorprendido.

—La verdad que a pesar de todo me siento contentísimo con esta seca.

—¡Feliz! Puedes andar muy fresco y nadie te molesta.

La satisfacción, la elegancia de Akuko todo de punta en blanco, irritó tanto a Echu que sin más ni más corrió al cielo y abrió la puerta del depósito de agua. Un primer goterón le cayó al gallo en el pico, que llegó sofocado a darle cuenta a Alafi.

—¡Gané! —le dijo— ¡Llueve!

En efecto, diluviaba.

Alafia le preguntó qué deseaba en pago de aquel servicio inmenso.

—Yo quiero —le respondió francamente Akuko— tener todas las mujeres que me gusten . . . y fuerzas para gozarlas. Y ser rey, para tener corona.

—Muy bien —le dijo Olofin—. Concedido.

Al día siguiente asomó Echu al palacio de Olofin y vio a Akuko arrogantísimo, con sus mujeres.

—¡Eh! ¿Tú aquí?

—Ya lo creo. Soy el favorito de Olofin, le llevo el desayuno a la cama, y te diré que anda en paños menores por todo el palacio.

Entonces Echu, al día siguiente tocó a la puerta de Olofin, y como no le abrieran gritó.

—¡Ya sé que Olofi anda desnudo, que el Gallo le lleva el desayuno a la cama, le alcanza las piedras . . .!

—¿Cómo sabes todo eso? —le preguntó Olofi estupefacto.

—Porque el Gallo me lo contó.

—¡Qué discreto!

Desde aquel día Echu come gallo.

Este *odu* pone de manifiesto el alto precio que ha de pagarse a veces por una indiscreción o por la vulgaridad de una fanfarronada. Y este otro *odu* —secreto— nos aclara por qué en una ceremonia para ofrecerle un gallo a Eleguá se le pide todo lo contrario de lo que realmente se desea. Se le engaña. Y el resultado es que Echu, al conceder lo contrario de lo que se le implora da lo que se desea.

OKANA SODE

Akuko ambicionaba tener muchas mujeres y se dirigió a una tierra donde éstas abundaban. Se econtró con Echu y juntos caminaron un rato.

—¿Adónde vas? —quiso saber Echu.

Akuko le informó que se dirigía a una tierra donde llovía incesantemente y que iba allí a impedir que lloviese.

Para fastidiarlo, Echu buscó uno de sus *oché*, y apuntando hacia la tierra adonde se encontraba el Akuko, mandó agua en abundancia, de manera que al llegar el gallo pudo declararle al pueblo que era él quien había hecho llover sobre sus campos, que estaban sedientos, y le concedieron todas las mujeres que quiso.

Desde entonces puede decirse que el gallo es el rey de las mujeres. Lo que es igual: de las gallinas.

EYIOKO

Un hombre enfermo y pobre salió a buscar fortuna. Llegó a la hacienda de un hombre muy rico que le dio trabajo. Este hombre era muy ambicioso y andaba siempre vigilando a sus obreros.

A aquel hombre le fue bien, y agradecido le dio de comer a su Eledá. Hizo una rogación con dos huevos, dos cocos y dos velas y por la noche la enterró. El dueño, que lo vigilaba y lo vio inclinado sobre la tierra, le pareció en la oscuridad que ocultaba algo. A la mañana siguiente el hombre se mostraba extrañamente contento y cantaba:

Eyioko temi ten chiché mo yi mo kun. Eyioko temi ten toto dié omó okomo yewaroloko omó araokó.

El dueño no dudó que había cometido un robo y lo mandó prender, indicando dónde tenía el dinero robado. Excavaron, pero lo que encontraron fue la rogación. El dueño se vio obligado por la ley a excusarse y pagarle daños y perjuicios. Pero no disponiendo de suficiente efectivo tuvo que cederle la propiedad de su finca.

Odé vivía con su mujer. Los animales que cazaba los depositaba junto a un árbol y allí iba Olofi y les bebía la sangre. Luego Odé los llevaba a su casa.

Un día, su mujer le preguntó, muy intrigada, por qué los animales que cazaba no tenían sangre.

—Eso no te importa —fue la respuesta de Odé.

Pero las mujeres son curiosas, y la de Odé siguió sus pasos y allí escondida entre unos matojos pudo observar cómo Olofi se aproximaba al árbol donde el cazador colocaba sus piezas, y oyó a Olofi que le preguntaba.

—¿Con quien has venido?

—Con nadie —le aseguró Odé.

—No, has venido con esa curiosa. —Y volviéndose hacia la mujer le dijo:

—Si sangre quieres ver, todos los meses verás correr la tuya.

Eyioko era amigo de Iré. No se separaban el uno del otro. Un día Eyioko visitó a Orúmbila y éste le ordenó que hiciera *ebó*, pero Eyioko no hizo caso. Sus falsas amistades, no su amigo Iré, que le aconsejaba bien, le hacían creer que era muy sabio, tanto que presuntuoso y desobediente, dejó de frecuentar a Iré.

Iré fue a ver a Orúmbila a pedirle que aconsejara a Eyioko. En vano. Pero un día Orúmbila le mando a decir con Iré que no regresase por el mismo camino ni volviese atrás la cabeza al oir que le llamaban. Eyioko, como siempre, actuó según su capricho. Sus enemigos le tendieron una trampa mortal y gracias a los Ibeyi que lo rescataron, no quedó en ella para siempre.

En el siguiente *Patakí*, que es una versión del anterior, se nos cuenta de un *Babalawo*, y del amigo de Eyioko, Iré, que toma el nombre de Oka.

Eyioko y Oka eran más unidos de lo que suelen ser los hermanos. Atravesaban una mala situación y ambos fueron a contarle sus penas a Obatalá, que les mandó a hacer *ebó*.

Oka se rogó la cabeza, pintó dos cocos de blanco y rojo que durante cuatro días, de noche al acostarse y al levantarse en la mañana, presentaba a su *Eledá* (su cabeza). Terminada aquella rogación tomó los cocos y los llevó a una encrucijada por donde debía pasar Obatalá y lanzó dos a la izquierda y dos a la derecha.

Así, al cruzar por aquel camino Obatalá vio que Oka había hecho *ebó*. Apretó el paso, se adelantó a Oka que marchaba detrás y disimuladamente dejó caer un saco. Oka lo vio, lo recogió y se lo llevó a Obatalá.

—*Babá*, mire lo que se le ha caído.

—Eso no es mío *omó,* es tuyo.

—No *Babamí*, es suyo.

—Quien bien anda bien acaba —le dijo entonces Obatalá—. Tú hiciste *ebó* y Olofi te depara esa suerte.

Eyioko no tardó en darse cuenta que la penuria de Oká había cesado;

guardó silencio y acudió otra vez a Obatalá.

—¿Hiciste el *ebó* que te ordené? —le preguntó Obatalá.

—No *Babá*.

—Pues el bienestar de Oká es el premio de su obediencia. Oká hizo *ebó*.

Tú en cambio has continuado pasando trabajos, amargado por tu mala suerte, peleando, acusado injustamente.

Obatalá compadecido, de nuevo le marcó *ebó*.

(Después fue cuando Eyioko marchó al campo y allí hizo fortuna.)

Los hombres dijeron que para pelear con las mujeres que para eso no tenían necesidad de hacer *ebó*. ¡Con bofetadas les ganamos!

«Si quieren ganar la guerra traigan seis jícaras de *ekó*, seis de maní, de corojo, seis de *oñí* y seis de cada animal. Una escopeta, flecha, ropa y el dinero del *ebó*.»

Los hombres dijeron que para a pelear con las mujeres que para eso no tenían necesidad de hacer *ebó*. ¡Con bofetadas les ganamos¡

Las mujeres hicieron *ebó*, y esa misma noche, estalló la guerra . . . Cuando los hombres llegaron junto a las murallas, Yemayá envió una lluvia torrencial y la pólvora y todas los materiales de guerra se mojaron, les entró tos y sintieron tanto frío que empezaron a llamar a las mujeres para que los socorrieran. Ellas se compadecieron y en cada casa se quedó albergado un hombre. Al otro día dijo Olofin que cada uno permaneciera en la casa de la mujer que lo hubiera amparado. Hombres y mujeres se unieron para siempre.

OGUNDA

Eururé tenía que hacer *ebó* con su perro. Déspota, manilarga, maltrataba a sus compañeros que lo odiaban y éstos se confabularon contra él. Lo perseguían con tal ensañamiento que Eururé huyó a esconderse en la manigua. Allí encontro un tinajón y se metió dentro dejando fuera al perro fiel que lo acompañaba. El animal se cansó de esperar a su amo, y hambriento regresó al pueblo con la esperanza de encontrar algo que comer. Y en efecto, los enemigos de Eururé lo alimentaron y siguieron sus pasos hasta encontrar el tinajón, descubrir al fugitivo, que sacaron por los pies y lo mataron.

Era un haragán que al fin se aburrió y decidió buscar fortuna en otro pueblo, porque en el suyo ya había intentado hacer de todo . . . Al llegar al pueblo que había escogido vio a un hombre cerca de una laguna, que se dirigía a la orilla con un jamo en la mano. Allí el hombre se puso a pescar, e inútilmente, durante largo rato se empeñó en atrapar un pez bellísimo cuyas escamas brillaban como el oro y la plata. Y aquel hombre se encolerizó cuando el forastero, con la mayor facilidad cogió el pez con sus manos. Discutieron acaloradamente a quien le pertenecía, se fueron a las manos y el pez, burlón, escapó con la rapidez de un relámpago y los dejó golpeándose.

Este *Apatakí* lo narraba un matancero en *Ogundá-Eyeún* (3 y 8) con esta variante:

Pobrísimo, sin tener qué llevarse a la boca, Ogundá fue a pescar a una laguna que tenía dueño. Allí estaba un hombre pescando desde muy temprano sin que un solo pez picara su carnada. Ogundá tiró su jamo y pescó un pez. Al verlo, aquel hombre que había pasado horas y horas echando carnada, se encaró con Ogundá y le dijo: —Ese pescado me pertenece porque es mía la carnada.

—Pero el jamo es mío —replicó Ogundá.

En eso estaban cuando llegó el dueño de la laguna, los escuchó y tranquilamente sentenció:

—El pescado es mío porque es de la laguna y la laguna es mía.

Y allí fue Troya. La discusión se encendió, no había acuerdo posible y salieron a relucir los cuchillos. ¡Kuila Kuín!

Olofi consciente que iba a correr la sangre entre aquellos hombres tomó el pez, y divino mediador, transó el pleito.

Dividió el pez en tres partes y a cada uno le dio una.

Si había dos buenos amigos, esos eran Adofín y Laki. Laki tuvo que ausentarse y le dio a guardar a Adofín unas mercancías, porque temía se estropeasen si las dejaba en su casa. A su regreso las recogió, y al emprender un nuevo viaje le dio a guardar a Adofín unas monedas. ¿A quién sin reservas podía confiarlas sino a Adofín? Pero Adofín, a poco de marcharse Laki dio una fiesta. Corrió el *otí*, varios invitados se emborracharon, y en el barullo, ¿quién fue? se robaron las monedas de Laki.

Cuando Laki llegó a recoger sus monedas, Adofín, apenado y sincero le contó lo ocurrido. No, no hubo manera de convencer a Laki de que no le mentía. ¡Adofín le había robado sus monedas! Y claro, aquellos buenos amigos se pelearon y Laki no se cansó de desprestigiar y calumniar a Adofín asegurando que lo había estafado en complicidad con los bellacos que había reunido en su casa.

Este *Patakí* refuerza el consejo de no guardar dinero de nadie.

Un *Oba* tenía declaradas tres guerras y dudaba a cuál de los ejércitos enemigos atacar primero. Pensó que al que conceptuaba más débil, porque en aquel país con los hombres luchaban las mujeres.

Antes de partir visitó al adivino y éste le mandó a hacer *ebó* y a llevar puesto un gorro blanco durante tres días antes de lanzarse al combate y después que todos sus soldados se cubrieran la cabeza con gorros blancos. Así vencerían. En el país enemigo todos eran devotos de Obatalá, las mujeres vestían de blanco, y además, el rey no quería atacar el día que le está consagrado a Obatalá.

Aquel rey tenía tres hijos; uno de ellos influyó en el ánimo de su padre convenciéndolo de que los gorros blancos podrían sembrar la confusión en su ejército y contribuir a su derrota. El rey, desoyendo al oráculo se dejó llevar por el criterio de su hijo, no hizo *ebó* como aquel señalaba, y el resultado fue que antes de ir a la guerra —con gorros o sin gorros—, el enemigo que tenía por débil, invadió su territorio, lo cercó y hombres y mujeres lo hicieron prisionero y lo ejecutaron. Sus hijos perecieron con él, y todos los que llevaban su nombre fueron aniquilados.

(¡Ah, la falta de previsión, la incredulidad o suficiencia: el enemigo que menos se considera suele ser el vencedor!)

El Tigre y el Gato vivían en perfecta armonía hasta un día en que cada uno por su lado, fue a consultar a un adivino. Los dos deseaban lo mismo y a los dos les tocó hacer la misma rogación, con un venado y un ratón, y con ellos regresarían al *ilé* del *Olúo*. Previamente el Gato había hecho trato con Eleguá. El Tigre tornó a la selva seguro de que iba a capturar un hermoso venado, el Gato, que no podía confiar en su fortaleza como el Tigre esperaba por lo menos atrapar un pelo de aquella presa, o un ratón. Y ambos, cada uno por su rumbo coincidieron en el mismo punto. En acecho el Tigre, el Gato apostado no lejos del Tigre y Eleguá trepado en un árbol que allá en los bosques del *Egbado* produce un fruto duro y de grandes dimensiones, y se disponía a contemplar lo que iba a ocurrir. Y así fue que no tardó en cruzar el venado, y en el momento en que el Tigre se abalanzaba hacia él, Eleguá le lanzó sobre el lomo, con todas sus fuerzas, una de aquellas frutas pesadísimas, que dejó al Tigre derrengado y rugiendo de dolor. El venado se paralizó del susto, y Eleguá ayudó al Gato a desprenderle una pierna que se llevó a rastras como pudo, al *ilé* del adivino, y el Gato hizo la rogación prescrita.

Lo que explica que el Gato vive tranquilo y alimentado en la paz de un hogar, acariciado por su amo, y el Tigre tiene que buscarse la vida entre las breñas.

OYOROSUN, EYIROSUN O IROSUN

Una madre no disimulaba su aflicción porque su hijo se marchaba lejos a gobernar otra nación. Convencido de que los temores de su madre eran injustificados no la tranquilizó del todo cuando le aseguró que nada podía temer porque en aquel viaje lo acompañaban, escogidos

110

por él, sus súbditos más fieles y valientes. Seguro y confiado emprendió el príncipe el camino de su nuevo reino, seguido de su séquito. Tras varios días de marcha llegaron a un paraje que era preciso franquear a través de una cueva. El primero que se aventuró en ésta fue el príncipe, que no tardó en darse cuenta que avanzaba solo y que la salida, junto al mar, se hallaba obstruída. Aquellos súbditos tan fieles y valientes lo envidiaban; el corazón de su madre no la engañó: eran sus peores enemigos. Mas no pudieron consumar su traición. Rugió furioso el mar, olas inmensas barrieron con todos los escollos que de antemano habían sido colocados para cerrar la entrada de la cueva, y el mar alcanzó a los malvados, que se arrojaron en él y el príncipe escapó de una suerte funesta.

En cierta ocasión Irosun invitó a comer a algunos amigos y vecinos. No eran exquisitas las bebidas ni los manjares. Sin embargo sus invitados bebieron como esponjas y comieron hasta hartarse. Pero al retirarse, en el descontento de unos y la actitud de otros le fue posible a Irosun descubrir quiénes eran sus verdaderos amigos, amigos de corazón, y quiénes, aunque compartían su pan con él, simulaban serlo.

En tiempos en que *Ayé* —los caracoles— era dinero, Obí, el coco seco pasaba grandes privaciones y cuanto emprendía fracasaba. Visitó al adivino; éste le dijo . . . pues, que padecía del vientre, que *Ikú* —la Pelona— andaba detrás de un amigo suyo, que no se vistiese igual que su amigo no lo confundiera con él la muerte y se lo llevase equivocada a *ilé Yansa*, y que hiciese *ebó* —el del gallo, dos gallinas, *epó* y la ropa que tenía puesta.
Después le advirtió, tenía que llevar el *ebó* a un palacio en ruinas y dejarlo al pie de un árbol seco. Allí encontrar a su suerte. Ahora bien, si se asustaba era indispensable que averiguase el motivo de su miedo.
Obedició Obí. Hizo *ebó* y se lanzó a buscar el palacio ruinoso sin saber adónde. Anduvo, anduvo . . . Al fin, tras mucho caminar, vislumbró a lo lejos unas ruinas. Sin duda era el *Afín*, y ya cerca, vio el árbol seco detrás de unas piedras. Obí depositó el *ebó* como le ordenó el *oluo* y terminando de derramar el aceite de corojo que llevaba en una lata, se sobrecogió de espanto porque el árbol se le venía encima. Echó a correr, pero recordando la advertencia del adivino, se dominó y retrocedió para indagar qué era lo que tanto le había asustado. Buscó y descubrió que en la raíz muerta se había abierto un agujero repleto de caracoles, es decir, de *owó*. Cogió hasta no poder cargar más y aún no se había vaciado el agujero.
Obí le contó su aventura a sus íntimos para que también se beneficiaran del hallazgo, y todos se hicieron ricos.

Pero después Obí se olvidaba de hacer rogación, fue perdiendo la fortuna que había encontrado y de nuevo lo castigó la pobreza (Obí en *illo tempore* fue un hombre.)

Cuando *Eyiorosum* se presenta para advertirle al consultante que no debe hacer favores, el Santero suele relatar esta fábula muy conocida que tenía su equivalente en otros de los grupos étnicos que vinieron a Cuba.

El Chivo y el Mono, que eran buenos amigos, atravesaban juntos un monte. Escucharon un lamento y después de titubear un instante, el Chivo le propuso al Mono buscar de dónde provenía aquel quejido. Hallaron un pozo seco, y dentro, en el fondo una forma indefinida que se agitaba.

—¿Quién está ahí? —preguntó el Mono.

—Yo, el Tigre, ¿no me ves?

—Ahora sí, ¿qué te ha pasado?

—Por favor, ayúdame a salir de aquí.

El Mono cogió un bejuco y se lo tiró. Pero el bejuco no llegaba al fondo, y servicial, para que el Tigre lo alcanzara, se lo ató a su cola; así pudo agarrarla el Tigre y el Mono tirar de él con todas sus fuerzas hasta que logró subirlo. Sangraba la cola pelada del Mono y el Tigre comenzó a lamerla.

—Vamos —dijo el Mono—, estás servido. Adiós, ahora tengo que irme.

—¡Oh no! —protestó el Tigre— no puedes irte, porque un bien con un mal se paga.

—¿Quién ha dicho eso?

—Así es. Busca tres opiniones, me darán la razón y después te comeré.

El Chivo se había marchado.

El Mono le pidió al Buey viejo que estaba echado a la vera del monte que le diera su opinión en aquella controversia con el Tigre a quien había hecho un favor y que lo comería si los tres individuos por él escogidos le daban la razón.

—Mi madre —díjole el Buey—, cuando fue una vaca vieja que no daba leche la echaron a la sabana, y lo mismo hicieron conmigo cuando ya no serví por viejo, después de haber trabajado toda la vida. Así que a usted se lo traga el Tigre; es verdad que un bien con un mal se paga.

El Mono buscó otro testigo, el Mulo. Le explicó su caso y el Mulo le replicó:

—Sí, es cierto que un bien con un mal se paga. La misma experiencia tuvimos mi padre, mi madre y yo. De viejos, los tres, a morir a la sabana! ¿Por qué el Tigre no ha de comérselo a usted si usted le hizo un favor?

Al fin encontró al Carnero. Lo escuchó y este consintió en seguirlo y darle al Tigre su opinión.

—Es un juez quien tiene'aquí que hablar, y para sentenciar con toda justicia y oir las dos partes, creo que debemos reconstruir los hechos. A ver señor Tigre ¿cómo estabas cuando el Mono te sacó del pozo? Vamos, colócate ahí abajo.

Cogió el bejuco que había utilizado el Mono, amarró al Tigre y le ordenó al Mono que lo ayudase a bajarlo hasta el fondo.

—Retira ahora el bejuco. Vaya. ¿Tigre, era así como estabas?

—Así mismo.

—¿No puedes subir?

—No.

—Te salvó el Mono, ¿no?

—Sí. ¡Ya lo creo!

—Pues es verdad. Un bien con un mal se paga.

Y al Mono que resignado se aprestaba a lanzarle el bejuco y repetir el salvamento, le dijo:

—¡Déjalo allá abajo, que se embrome! El lo ha dicho, un bien con un mal se paga. No lo olvides Mono.

Sus hijos le robaban su *owó* a Obatalá. El lo escondía pero se daban maña, lo encontraban y cuando Obatalá iba a buscarlo ¡nada! *owó*, el dinero, había desaparecido. Les preguntaba y ellos: «No, no hemos visto nada, no sabemos nada. ¿Quién podía haber sido? ¿Quién se atrevería a robar aquí?»

Obatalá le pidió a Ochosi que le hiciese una escalera y le tejiese una jaba. La llenó con su dinero, y con la escalera fue a la selva, la arrimó a un árbol muy alto, subió y colgó la jaba de una rama. Además rodeó el árbol de animales feroces, de tigres, leones, perros de presa, serpientes venenosas, para que defendieran su jaba de posibles ladrones, y se marchó tranquilo.

Pero cerca del árbol jugaban los Ibeyi Oro y presenciaron la operación de Obatalá.

¿Cómo se enteró Changó? Lo que se sabe es que Changó y Yansa le llevaron frutas y dulces a los Ibeyi, que son tan golosos como todos los niños y que estos les contaron lo que habían visto. Changó corrió loco de contento hacia el árbol, pero le salieron al paso las fieras guardianas y huyó. Una vez en su casa, muy abatido, muy contrariado. «¿Qué hago?», pensó el dios del trueno. No quería pegarle fuego al monte. «Pero ya sé lo que he de hacer», se dijo de pronto en voz alta.

Se puso a cocinar todo lo que encontró. Con un alimento crudo y otro cocido llenó un saco enorme, y además puso en el mucho azúcar, aguardiente y agua. Llegó al monte y fue regando aquella comida hasta el árbol de Obatalá, subió la escalera apoyada en el tronco, se apoderó de la jaba llena y en su lugar colgó la suya vacía. Bajó, y sin el menor tropiezo cargó con el *owó* de Obatalá que repartió entre sus *omó*, (hijos).

La tierra da de comer y ella también come.
Los ojos ven a la larga lo que quieren. Y a la larga, a la larga, el final de algo.

EYIOROSUN MEYI

Una vez un *Babalawo* que se dedicaba a curtir cueros tenía un aprendiz al que pagaba cinco centavos, y le daba de almorzar y de comer.

Ese muchacho todas las mañanas iba a la orilla del mar, saludaba a Olokun y le pedía *owó* y suerte.

Otro *Babalawo* que lo vio se lo dijo a su maestro y éste lo vigiló, lo sorprendío, le pagó y lo despidió.

A los cuatro meses de ocurrir aquello el muchacho se encontró con un señor que solicitaba un joven para trabajar. El hombre le dio trabajo a condición de que entrara en su casa con los ojos vendados. El aceptó y aquel señor lo llevó a una casa llena de oro y le dio una llavecita para abrir tres puertas distintas con los ojos vendados. Estando dentro le ordenó limpiar el oro que había allí, y cuando terminó le pagó veinticuatro pesos y lo despidió. Al poco tiempo este hombre murió. No tenía quien heredara sus bienes y los reyes de aquel país pusieron la casa en venta. El muchacho se presentó y ofreció más que los otros si antes le permitían verla. El sabía el secreto de las puertas y con una llave falsa las abrió y halló unas barras de oro, un saco de perlas y otro de brillantes. A los demás, que no sabían el secreto, les pareció absurdo ofrecer lo que la casa no valía, y el muchacho se hizo inmensamente rico.

Entonces salió a buscar al *Babalawo* que había sido su maestro y le regaló los cinco centavos que él ganaba a su lado. Siguió saludando a Olokun por haberlo hecho rico.

Por esto la *Iyawó* entra con los ojos vendados en el *Igbodu* y el *ebó* de *Eyiorosun Meyi* lo tiene que hacer el *Babalawo* con cueros distintos, derecho de veinticuatro pesos, cazuela de maíz finado, cuatro *ekó*, pañuelo azul, siete cocos, plátano verde y banderas, tres gallos, un collar de coral, dos palomas y dos plumas de loro.

OCHE

Había una seca terrible y ninguna madre podía salvar a sus hijos. Ochún fue a ver a Orula. Este le dijo que tenía que hacer *ebó* con cinco huevos, siete agujas, quince bollos, hilos de todos colores y que fuese adonde estaba Olofi.

En el camino se encontró a Eleguá. Le preguntó si sabía dónde llovía.

—No —le contesto.

Ella lo invitó a que la acompañase. El dijo:

—No puedo, porque mi ropa está toda rota.

—Yo te la coseré. —Y así lo hizo.

Entonces Eleguá la acompañó hasta un lugar muy lejano.

—Ahora —le dijo— te encontrarás con otra persona que te guiará.

Al poco rato se encontró con Obatalá (mujer), que le dijo:

—Hija, tengo hambre.

—Tengo huevos —le contestó Ochún.

Se los dio, Obatalá se los comió, y le dijo:

—¿Ves aquel camino donde hay una cerca? Llégate allí.

Ochún se dirigió al sitio que le indicó Obatalá y halló unos niños jugando. Ochún les dio hilo y agujas y ellos le franquearon la puerta (la cerca). Después les regaló golosinas, los bollos, y sin dificultades llegó adonde estaba Olofi.

—*Mo foribale* —se echó al suelo.

—Levántate y dime qué te pasa.

Ella le contó las necesidades que pasaban sus hijos y pedía socorro para ellos.

—Alma buena, amiga del bien, bendita madre, que cese tu pena, entierra penas y dolores, nada le faltará a tus hijos.

Ochún se fue llena de gratitud, y en efecto, todo se arregló.

Un viandante venía de muy lejos, extenuado de fatiga y de sed. Se sentía arder en fiebre y creía ver visiones. A la puesta del sol pasó junto a unos hombres que hablaban sentados no lejos de una charca. Se acercó a ellos a preguntarles dónde podía calmar la sed que le abrasaba y ellos por maldad le señalaron la charca y le dijeron que podía beber en ella porque sus aguas eran buenas. Aquellas aguas eran infecciosas. El viandante, rendido de fatiga bebió largamente.

Los hombres reían a carcajadas. Conversaron con él mientras se reposaba, y se marcharon por distintas direcciones. El viandante también prosiguió su camino rumbo al pueblo. Las aguas corrompidas que había bebido con una ansiedad incontenible que no le dio tiempo de percatarse de su sabor nauseabundo, lo enfermaron de gravedad. Su cuerpo se llenó de manchas y llagas porque no supo dominarse.

El río cruzaba entre el pueblo en que vivía Cosita y el caserío que en orilla opuesta habitaba un sitiero enamorado de Cosita. Cosita era una muchacha bonita, quinceañera y de ella se había enamorado el sitiero.

La visitaba a diario, pero un día, cuando iba a cruzar el río para ir a verla lo encontró tan crecido que temió aventurarse y le prometió al río que, si disminuía su caudal y no le impedía reunirse con su novia, le regalaría algo . . . una cosita. Como si las aguas que corrían revueltas le hubiesen oído decrecieron y se amansaron de pronto, y el enamorado pudo pasarlo sin ningún riesgo no a caballo como otras veces, sino a pie. Dicen que aquel extraño fenómeno se produjo en varias ocasiones. En vísperas de la boda el agricultor llevó a su prometida a admirar sus siembras, y al cruzar la corriente clara y quieta pronunció su nombre. «¡Cosita!» Pensó el río, y no le faltaba razón, que el sitiero iba a cumplir la promesa que hacía tanto tiempo le había hecho. Al fin le daba una Cosita. Aumentó espantosamente el caudal de sus aguas, la arrancó impetuoso de la mano del novio que la ayudaba a saltar sobre sus piedras, escapó con ella y . . . se la tragó. El hombre desesperado se arrojó a la corriente y se ahogó.

Distraído Orula, cayó en un viejo pozo que no vio en su camino.

Pasaron algunos hombres que lo oyeron y comentaron: «¡ahí no tiene gallo ni gallina, ni ñame; que se fastidie!» y siguieron de largo.

Al fin tres mujeres que iban juntas escucharon su canto, se asomaron al pozo y vieron a Orula. Inmediatamente decidieron socorrerlo. Se quitaron las sayas, las juntaron por los extremos haciendo en ellas fuertes nudos y las arrojaron al fondo del pozo. Pero no eran lo suficientemente largas para que Orula pudiese asirse de ellas. Entonces añadieron sus mantos y el dueño de *Ifá* trepó y gracias a aquella escala improvisada salió del pozo.

Las buenas mujeres lloraban cuando les dio las gracias, y a cada una le preguntó el motivo de su pena.

Una le respondió: —Lloro porque todos mis hijos se me mueren.

—Tus hijos vivirán.

Otra le dijo que malparía.

—Parirás.

Y a la tercera que ya tardaba en salir embarazada.

—Pronto estarás encinta.

El dueño de una espléndida cría de puercos, les llevaba en persona diariamente una comida especial y luego se marchaba con uno de los cerdos más gordos.

Uno de ellos que era inteligente se dio cuenta de que si aquel hombre cuidaba tanto de cebarlos no lo hacía por amor a los puercos, pues todos los días faltaba uno en el corral, y ese era invariablemente el más hermoso. Su buen juicio, pues era un verraco con entendimiento, le convenció que engordar era allí una sentencia de muerte, y se dictó una dieta a base de tallos de plátano macho, ristra de ajos y rigurosamente de abstenerse de tocar aquella sustanciosa y tentadora comida que les traía el dueño. Además todos los días se arrimaba a un mismo lugar de la cerca y con el hocico, disimuladamente iba abriendo un hueco en el suelo. Había obligado a su familia a someterse al mismo régimen alimenticio y todos convenientemente flacos pero decididos a vivir, un día, en el momento oportuno los llevó al sitio en que su hocico había practicado con arte y paciencia una salida, y por ella huyeron todos juntos.

En este *odu Oché* que al hombre le descubre que está enredado con tres mujeres y a la mujer con tres hombres, se cuenta a veces el siguiente *Patakí*.

Un hombre que era rico compró un esclavo para destinarlo a labores agrícolas en su finca de las afueras de la ciudad. Cuando el esclavo llegaba al campo soltaba la guataca y el machete y en vez de trabajar se ponía a adivinar con corojos.

En esta tarea lo encontró un día el amo y le preguntó:

—¿Qué estás haciendo?

—Vaya a ver al Rey y dígale que tres de sus mujeres están embarazadas —le contestó con aplomo—. Dígale que si no hacen *ebó* morirán y que sus hijos también morirán.

El amo no tomó en consideración las palabras de su esclavo; molesto le propinó un bofetón.

Días más tarde se enteró por una mujer de la muerte de las mujeres y de los hijos del Rey y el hombre tuvo la ligereza de decir en público:

—Me lo advirtió un esclavo mío y me pidió que le llevase su recado al Rey, que sus mujeres hiciesen todas *ebó* para no morir, pero yo no lo creí, ¿cómo iba a creerlo? y no lo hice.

La mujer que lo escuchó no tardó en comunicarse con el Rey, que convocó al esclavo y a su dueño.

—Yo señor —explicó el esclavo—, estaba registrando (adivinando) cuando vino mi amo y le pedí que le avisara lo que iba a suceder. Me abofeteó y de milagro no me echó de su tierra.

No lo desmintió el amo.

A éste ordenó el Rey que le cortaran la cabeza. Al esclavo le dio la libertad, lo retuvo junto a él, y retribuyó a la mujer con dinero.

OBARA

Cuando Obatalá quiso entregarle a Orula el mando del mundo, los *Orichas* objetaron que era muy joven.

Un día Obatalá dijo: —Voy a probar a Orula, veré si puedo entregarle el mando del mundo.

Lo llamó y le dijo: —Cocíname la mejor comida del mundo.

El joven Orula quedó comprometido. Por la mañana fue a la plaza, vio una lengua de toro. La compró y la asó lo mejor que pudo.

Cuando llegó Obatalá le preguntó qué comida le había hecho. El le presentó la lengua como plato especial, una bella fuente con una lengua bien dorada. Otabalá le preguntó:

—¿Es esa la mejor comida para ti?

—Sí.

—¿Por qué?

—Porque con la lengua se da *aché*.

Obatalá no respondió, pero le ordenó que hiciera una buena comida para sus hijos y otra mala para él.

Orula fue a la plaza, compró manjares para los hijos de Obatalá y para él, otra vez la lengua, pero no la condimentó con sal y pimienta.

Cuando Obatalá vio de nuevo la lengua, se quedó muy sorprendido ¿decir que se la había servido como lo mejor del mundo y ahora como lo peor? Y le preguntó:

—Orula ¿por qué me das el mismo plato como si fuera el mejor y el peor?

Orula le respondió: —Te pongo la lengua como lo mejor porque da *aché*, gloria y tranquilidad, y te la ofrezco como lo peor porque con ella se hace también tanto daño como con un puñal afilado. La lengua ofende, calumnia, maldice, desprecia y destruye. La lengua puede ser responsable de las mayores desgracias.

Obatalá comprendió la inteligencia y la sabiduría de las palabras de Orula y le entregó el mando del mundo.

(En este cuento Olofi se hace el enfermo y los hermanos de Obara se valen del Obara ripiado para curar a Olofi.)

Eran seis hermanos. Tenían que ir al pie del trono de Olofi y saludarlo.

—*Babá eyireo.*

—Bien. ¿A qué vienen ustedes?

—A saludarlo.

—Me duele la cabeza.

Dicen los hermanos: —Pues hay que registrarlo.

—*Yaba yaba yaba* —registrando y Olofi mirando.

—¿Le duele aquí? . . . —pero Olofi estaba mejor que nunca. Uno de los Obara se quedó afuera cuidando los caballos. Y en eso llega Obara ripiado.

—*Obara bara rakisa.*

—¿Cómo está Papá? —pregunta.

—Malo.

¿Y qué le han hecho?
—Están registrando.
Lo mandan a buscar sus hermanos para que él diga. Y él dice:
—Papá no tiene nada pero tiene que hacer rogación.
Dice Olofi: —Vayan al patio y cojan lo que necesiten.
Los Obara tienen mujer y al hacer la rogación cada uno coge lo que necesita para su casa. Y lo único que coge el Obara ripiado es una calabaza.
Su mujer le dice: —¿Usted fue a casa de Olofi?
—Olofi está *aro*, hay que hacerle rogación. Mis hermanos se van a ocupar de eso.
Y todos los días sus hermanos le hacían rogaciones y el viejo Olofi fingiéndose enfermo.
La mujer de Obara: —Oye, de dos caminos uno. Todos los días te vienen a buscar tus hermanos y todos los días cuando vuelves no traes más que calabaza. ¡No creo que Olofi solamente te dé calabazas y unos centavos!
Ella en vez de coger los treinta centavos que le daba Olofi a Obara los echaba en un rincón. Un día van a «mirarse» con Orula, él y ella. Los dos estaban pobrísimos. ¿Con qué dinero? Pero le dan el $1.05[17]. Tan miserables estaban que tenían que salir envueltos en una sábana que se prestan el uno al otro. Y así fue Obara a casa de Orula.
Dice Orula: —Coge pescado, jutía, akaré, maíz, traelos acá. Masca, échalos a la calle, coge un buche de aguardiente. —Y le explica luego a Obara lo que sucedía—. Sí, tiene que hacer rogación: dos palos, dos cocos, dos gallos y la sábana que tenías puesta
—¡*Totojú*! ¿Y con qué nos tapamos a la noche? —pensó Obara
—Olofi ya no quiere saber de ti, está abochornado. Nadie dice de ti, Obara, nada bueno. Acuérdate, cuando el pueblo fue a buscar el elefante que dijiste que cazaste, el elefante no estaba ahí. ¡Tienes que hacer rogación!
Obara le cuenta a su mujer el caso.
—Pues hoy mismo vas a hacer la rogación —le dice su mujer.
—¿Y con qué dinero?
—No te ocupes. Te lo daré.
—Si tienes dinero para darme es que tienes otro hombre.
El no se acuerda que ella guardaba los treinta centavos que Olofi le daba de las rogaciones que le hacían sus hermanos.
Orula le hace la rogación y después le dice: —Ve al monte y dentro del monte junta leña, haz una hoguera y quema la sábana.
—¿Y con qué vuelvo? ¿Desnudo?
—Cuando se queme la sábana alza los ojos y mira la dirección que lleva el humo. —Obara pensando que Orula quiere perderlo, hizo como

le había mandado y se quedó mirando el humo . . .

Le había dado dos botellas de agua. —Rocíe luego la candela.

—*Teteregú meye mofé uan Babamí oké* (Cuando la candela se levanta sólo el agua la apaga.)

Obara en el monte: —Desnudo ¿adónde iré?

Erraba un príncipe perdido en el bosque con su séquito. Buscaba por dónde salir y «Tapa-Camino» le ocultaba la salida. Al ver el humo de la hoguera exclamó: —Ya, al fin una guía. Busquen esa hoguera, y a los que estén allí que me los traigan.

Fueron seis de sus soldados y encontraron a Obara que no quería salir de su escondite, al advertir que unos hombres se acercaban.

—¡Preséntese!

—No puedo.

—El príncipe lo manda a buscar.

—Estoy desnudo y así no puedo ir donde está el príncipe.

Le trajeron ropa y entonces fue a ver al príncipe. Le dijo a este:

—Soy el hijo de Obalubé.

—Llévame a donde está tu padre, pues precisamente hace tres meses que ando extraviado en el bosque buscando el camino de su reino. Soy portador de muchas riquezas para él.

Entonces Obara, regiamente vestido por el príncipe se puso con él a la cabeza del ejército que acompañaba al príncipe extranjero y cuando los de su pueblo lo vieron llegar corrieron a palacio anunciando que Obara volvía a la cabeza de un ejército poderoso.«¡Seguro que viene a pelear!». Y hubo una alarma tremenda. El rey salió al balcón a esperarlo y cuando Obara lo vio le dijo al príncipe y a su gente: —Ese es mi padre. Espérenme aquí para adelantarme a anunciar su visita.

Y fue donde el rey y este le dijo:

—Obara, mentiroso, no hay tal príncipe y tú mismo vienes a la cabeza de ese ejército.

—No *Babá*. Vienen a saludarlo. Yo me los encontré en el monte adonde fui a ocultarme, pues usted me dijo que me metiese donde no pudiese verme más. Yo estaba desnudo, miserable, y me vistieron y me dieron este caballo, *Yebe-Chintilú*.

Entonces el rey le dio una bolita y dijo: —Tírala, que ruede y donde se detenga ahí te quedas con toda esa gente y con todas las riquezas que traen.

Donde tropezó el caballo blanco y se paró la bola, allí se quedó viendo Obara con el ejército y el tesoro que traían y que fue suyo. Se hizo rico y rey de todo aquel territorio.

(De esta narración hay otras variantes.)

Cruzaba la selva una pequeña caravana de mercaderes. El olor de un asado llegó de pronto a aquellos hombres que venían andando de muy lejos transportando sus mercancías, y despertó su apetito. El buen olor provenía de un carnero que Obara se ocupaba en asar cuando lo hallaron los viajantes. Estos se franquearon y le propusieron que les diese que comer; aún tenían que andar mucho, no sabían cazar, y a cambio de un trozo de carne le dejarían algunas de las cosas que transportaban. Obara pensó: después de todo no es tan grande este carnero ni estoy tan necesitado, y les cedió desinteresadamente todo el animal. Los mercaderes lo saborearon con delicia y se hartaron de tal suerte que para continuar su viaje más ligeros se desembarazaron de algunas alforjas y se las dejaron a Obara.

En unas halló telas y joyas preciosas, en otras calabazas con monedas de oro refulgente en su interior.

Por pura curiosidad fue el *Oba* de cierta nación a consultar al adivino. Este le puso en guardia con los que le rodeaban. Le aseguró que no le eran adictos, y el *Oba* no le ocultó que sus palabras le parecían ridículas, absurda su advertencia, porque cuantos le rodeaban eran sus propios parientes. Muy bien. Pasó el tiempo; fue preciso que el *Oba* se ausentara de su *ilú* para atender unos asuntos y dejó encargado del gobierno a su más íntimo amigo. Pero al regresar, ese íntimo y otros íntimos amigos de su entera confianza, le habían usurpado el poder y tramaban su muerte.

Oba volvió a casa del adivino e hizo *ebó*. Vio cómo sus fieles amigos se asesinaban unos a otros, y con la experiencia adquirida rehízo su gobierno y eligió a otros hombres que le sirvieron mejor.

Orula le pidió dos gallinas a Obara. «¿Cómo he de comprarlas si no tengo nada?» se dijo Obara. Las robó y se las dio a Orúmbila.

Los *Awó* se hallaban de fiesta en casa de Olofi, todos habían asistido al festín y advertido la ausencia de Obara. Los *Awó* habían realizado algunos «trabajos» en la fiesta y recibido en pago, cada uno, una *eleguedé* (calabaza).

Al terminarse el festín fueron a ver a Obara y lo encontraron cocinando las aves. Sorprendidos se miraron maliciosamente y por hacerle una travesura, acordaron esperar que terminase de cocinar para invitarse a comer y dejarlo en ayunas . . . y así fue, Obara no alcanzó ni un ala. Al despedirse los *Awó* le hicieron presente de aquellas calabazas que les molestaba cargar valiendo tan poco. Pero Obara las recibió con muestras de alegría porque era lo único que iba a llevarse a la boca aquel día. Pero cuando fue a abrirlas encontró un tesoro en cada calabaza.

Tiempo después, encaminándose los *Awó* a ver a Olofi, al pasar por la casa de Obara pudieron apreciar la asombrosa mudanza que se había operado, el lujo que la rodeaba, y comentaron el hecho con el divino Padre con mal disimulada envidia.

—Sí —dijo Olofi—, la riqueza que yo les di, ustedes la dejaron tirada en su casa cuando Obara no poseía nada, y él supo aprovecharlas.

El siguiente *Apatakí* parece de rigor contarlo a los que se obstinan en hacer algo que no les conviene y a tiempo se les advierte que no sean porfiados.

Ochosi desobedeció cierto día el consejo de Orula y fue a cazar. Al primer ciervo que vio le disparó su flecha y le lanzó sus perros, pero la imagen del Ser Supremo, de Olofi, se manifestó sobre los cuernos del animal y Ochosi arrojando su flecha se postró a sus pies y pidió perdón.

(Sobre la mala costumbre de porfiar.)

Jugaban el hijo del *Babalawo* y el hijo de la Luna, Ochukuá. La Luna le había recomendado a su hijo que regresara antes que ella asomara en el cielo, y éste, recordando de pronto la advertencia de su madre antes de empezar a oscurecer, se despidió.

—No te vayas, todavía tienes tiempo —le dijo el hijo del *Babalawo*.

Discutidor y amante de llevar la contraria, aun sabiendo que no tenía razón, el hijo del *Babalawo* añadió:

—Es que la Luna no saldrá hasta dentro de tres días.

—No seas tonto —replicó el hijo de la Luna—, de sobra sé lo que te digo.

—Te equivocas y te apuesto . . .

—Apuesta lo que quieras.

—No sale hasta dentro de tres días —continuó en su porfía caprichosa el hijo del *Babalawó*, y violento terminó la discusión:

—¡Te juego la vida, la Luna no sale esta noche!

—Trato hecho . . .— Y de pésimo humor se despidieron.

El hijo del *Babalawo* le contó a su padre la disputa y le confesó la apuesta que había hecho.

—Es un insolente que no podrá ganarme a mí que soy tu hijo; ¡el hijo de un *Awó*!

—Pues esa discusión podría costarte la vida.

E inmediatamente hizo *ebó* para su hijo con un cuero de chivo que untó abundantemente de *epó* (manteca de corojo) y con otros ingredientes y lo mandó a depositar en la cumbre de una loma. Pasó un perro, olfateó, comió el *epó* y manchó el cuero.

Luego, cuando la Luna se disponía a salir no vio el cuero sucio y se manchó un lado de la cara, y avergonzada no se mostró.

Al día siguiente, de nuevo, al asomar el otro lado de su rostro, le ocurrió igual: otra mancha oscurecía la blancura de su mejilla y volvió a esconderse. Al tercer día, ya tarde apareció y así fue como gracias a aquel *ebó*, no perdió la vida el impertinente hijo del *Babalawo*.

Un pueblo unánimemente detestaba al rey que lo gobernaba. Alegaban que no servía para nada. Lo destronaron y coronaron a otro que desde que empezó a reinar las cosas empeoraron en todo el país. Y entonces el pueblo comenzó a quejarse otra vez, a reclamar a su antiguo *Oba* hasta que al fin lograron restituirlo en su mando. La verdad fue que con él volvió a haber comida, salud, y a parir más la tierra y las mujeres . . .

(Este *Pataki* se cuenta cuando en Obara se pregunta qué objeto o trato escondido se tiene que da mala suerte, para que se tire o desheche.)

OBARA MEYI

Obara mató un elefante y lo anunció para que el pueblo fuese a coger carne, y Eleguá hizo que el elefante se transformase en una loma. Le preguntaban dónde estaba el elefante y Obara decía «¡aquí, aquí mismo lo maté! esa loma no estaba ahí. ¡Esas son cosas de Elegua!» Y es que Obara no había querido hacer rogación.

Al día siguiente Obara mató una vaca cimarrona. Fue a buscar gente, y al llegar adonde estaba la vaca, ésta se había vuelto un palo. Eleguá había hecho el cambio para que todos dijeran «¡ya van dos mentiras de Obara!»

Entonces mató un venado y el venado se volvió paja seca, y la gente frustrada de nuevo pudo decir: «¡Es un mentiroso! Con esta van tres mentiras. Te hubiésemos echado de aquí si no fueras hijo del Rey.»

Entonces Obara fue a casa de Orula y le pidió que averiguara qué era lo que estaba ocurriendo, qué significaba aquello. Orula le dijo: «Tienes que hacer *ebó*, el que te juega esas malas pasadas es Eleguá. Ve adonde fuiste primero y haz lo que te dijeron allí, para que las cosas salgan bien.»

Fue a casa de Olofi y Olofi le dijo: «Esta vez si quieres haces *ebó*, hazlo y si no, pues no lo hagas» . . .

Dieciséis cargas de leña, dieciséis calabazas, dieciséis mudas de ropa, dieciséis mazorcas de maíz y dinero. Se hizo la limpieza y Olofi le indicó que llevara la ropa al monte firme, hiciera una hoguera, la quemara y se impregnara bien el cuerpo desnudo de humo.

Dieciséis reyes de otros mundos habían salido para visitar a su padre. Uno de ellos vio el humo y buscó al que había prendido aquella hoguera para que les indicara el camino. Lo encontraron, lo vistieron, le dieron dinero, caballos, gente y casacas (sic); gente para cargar los tributos que le llevaban al Rey. Montó a caballo y los demás lo siguieron. Cerca del pueblo los escondió a todos en el monte y él fue a ver al Rey.

—¿Qué quieres? —preguntó éste, desconfiado.

—Vengo a hablarle.

—No me hables. Eres un mentiroso, ¡*Eyeke*!

—Soy un pobre, y allá en el monte me encontraron dieciséis reyes que vienen de muy lejos buscándolo a usted. Me vistieron, me . . .

El Rey recapacitó. —Vaya, híncate ahí —le echó la bendición— y vete con tus dieciséis reyes a otra parte. Búscate otra tierra para que en ella fabriques un palacio y seas el capataz de toda esa gente.

El pueblo, que oyó la bulla que había en el monte, se alborotó y empezó a gritar que había guerra. A la mañana siguiente salió Orula a caballo seguido de aquella gente, y el pueblo no cesaba de gritar que *Eyeke* había preparado una guerra, pero el Rey les dijo: —*Eyeke* estuvo aquí anoche y me anunció que vendría con dieciséis reyes tributarios míos. No le hice caso creyéndole un mentiroso. No me había metido y lo bendije.

OBARA MEYI

A Ochosi no le gustaba trabajar. Consultó a Orula. Sería rey, y para hacerle y ofrecerle *ebó* a Olofi le pidió unos pájaros.

Ochosi buscó a Ogún y a Changó, le pidió su escopeta a Ogún y la pólvora a Changó, fue al monte y cazó los pájaros que Orula necesitaba. Los llevó a su casa y su madre vio que entre ellos había un chambergo, le gustó y se quedó con él sin que Ochosi lo notase. Cuando Orula revisó la cacería vio que faltaba un pájaro y se lo advirtió a Ochosi. Este dijo tomando la escopeta: «¡*Yaló yaló abeneka!* ¡Si es verdad que falta un pájaro que mi bala mate al que lo robó!»

Se dirigió a la plaza, disparó y su madre cayó muerta.

(En otra versión Ochosi dispara su flecha como dueño que es de la flecha.)

ODI

En un tiempo Yemayá vivía con Orúmbila el adivino. La gente iba a consultarle sus problemas y Yemayá, a través de un agujero que hizo en la pared, observaba cuanto él hacía y oía cuanto decía. Obligado Orula a ausentarse de su casa por el llamamiento de Olofi que reunía dieciséis *Babalawos* en su *afín*, Yemayá, al quedarse sola continuó ella recibiendo a cuantos acudían de todas partes a consultar a *Ifá*. Auguraba, marcaba *ebó* y todos se marchaban satisfechos. Regresó Orúmbila y los clientes ahora preguntaban por Yemayá, pedían, exigían que fuese Yemayá quien los atendiese. En vano Orula les explicaba que a las mujeres les está prohibido «tirar *Ifá*», callaban e insitían en su demanda y se marchaban porque ya sólo tenían fe en los consejos y «trabajos» de Yemayá.

Un día que Yemayá fue al monte a buscar leña, Orúmbila vio mientras interrogaba los *ikis*, dos ojos en la rendija de la puerta. Se acercó y era el Conejo, que remedaba los gestos que le había visto hacer a Yemayá. Temeroso de que lo castigase, Conejo le contó lo que había ocurrido en su ausencia, los éxitos de Yemayá sustituyéndole. Orula corrió a quejarse a Olofi, y este se limitó a decretar la separación de estos dioses.

Por otra parte esa es la razón que explica por qué el conejo abre zurcos en la tierra y escapa de las casas.

En una población vivía una familia que era la admiración de todos. Esto se debía en gran parte a uno de sus hijos, que era bondadoso y amable. No trabajaba, por la popularidad y la suerte que tenía, y era muy valiente y enamorado. Cuantas mujeres cortejaba le correspondían, y así fue que sus hermanos, envidiosos, lo desafiaron a que solo y a título de valiente trepara a lo alto de una columna desde donde se contemplaba el mar. Sin darse cuenta que esto ocultaba una trampa, una traición, subió y comprobó que desde el capitel de la columna también se veía una casa que él utilizaba para sus citas amorosas. A sus pies rugía un remolino de agua. Llegaron sus enemigos, treparon, dijeron a su espalda: «Mira la casa de tu novia.» Lo empujaron y desaparecieron.

(Al que le salga este *odu* que no acepte ir ni vaya a la orilla del mar.)

El mundo era todo tierra, tierra sin mares. Para cruzar de una nación a otra lo que había eran estrechos caminos de agua.

Los que gobernaban el mundo y los que eran gobernados, lo mismítico que hoy, se llevaban de chismes y calumnias e intrigaban y traicionaban.

En el trono de un país poderoso había una reina que disponía de muchos soldados. La Reina tenía siete hijos entre hembras y varones. Por sus ideas y su actuación era muy respetada. El mayor de sus hijos fue a otra tierra a contender por los Siete Arcos de la Victoria, y salió triunfante en el torneo. Gustaba mucho a las mujeres y las más hermosas del reino tenían para él muchas atenciones. Pero los hombres, y ahora en aquel reino los derrotados, que sentían por él envidia y deseos de venganza lo calumniaron diciendo que con su lengua ofendía al Rey vecino y a los mayores consejeros de la Reina, y que eso tenía que pagarlo con su sangre. Lo calumniaron e intrigaron tanto contra él, que su pueblo ofuscado exigió que se le aplicara un castigo ejemplar. El infeliz luchó porque lo escucharan, podía demostrar su inocencia, pero en vano.

A su madre le dieron a escoger entre condenarlo a muerte o declararle la guerra y destronarla. Viendo ella que no podía convencerlos de su error, los reunió a todos y les dijo:

«Me despido de ustedes, enlodados y empecinados (sic), pero sepan, hombres de mi tierra, que sólo han de pisarla hasta que yo quiera.» Y ante todos cogió manteca de corojo, manteca de cacao, cascarilla, siete cocos, siete varas de soga, hilos de distintos colores, siete aros. Continuó:

«Porque andaré debajo de la tierra, perderé a mi hijo inocente, ustedes no se tendrán de pie. ¡Todo será agua salada! ¡Agua dulce no beberán!»

Junto a un trillo de agua echó a rodar los cocos y los aros, e inmediatamente la tierra desapareció. Todo se convirtió en agua. Se formaron los mares. ¡La Reina era Yemayá! Y los hombres, como ella les dijo no pudieron andar por sus pies ni dominar la crecida y perecieron ahogados.

En un tiempo muy lejano, siglos hará de esto, los cadáveres no se enterraban, se llevaban a la ceiba y se dejaban en las raíces de los grandes árboles. Jamás se había cavado una fosa hasta que pasó esto: La mujer de Omofá, que decía adorarlo le era infiel. Tenían un hijo único, al que ella maltrataba en ausencia de Omofá, porque entorpecía sus relaciones y citas con su amante, su *dayafé*. Impaciente por deshacerse del marido y del hijo, le pareció admirable lo que su amante ideó y le propuso: «Hazte la muerta; iré a recogerte y huiremos de estos alrededores.» Y así murió de repente la mujer de Omofá, y su cadáver, como era la costumbre fue depositado al pie de una ceiba.

Unos dicen que falleció hallándose el marido ausente, que llegó cuando se la llevaban y que la acompañó muy afligido, sin sospechar ni un momento que era víctima de una farsa, hasta dejarla en lo que era entonces lugar de reposo de los muertos. Antes de la madrugada llegó el amante y se fugaron. El plan se había desarrollado a la perfección. La mujer de Omofá y su querido se instalaron en un pueblo vecino y éste abrió una venduta de legumbres en el mercado. Y pasó un año o dos. La mujer reemplazó a su amante en el mercado porque él hizo un viaje de negocios a otro pueblo distante. Y dio la casualidad que Omofá necesitó quimbombó, y como no lo había en el mercado, envió a su hijo a buscarlo al pueblo vecino. El muchacho marchó a ver si allí lo tenían. Vendiendo los quimbombó que necesitaba vio a una mujer que se parecía a su madre como una gota de agua a otra gota de agua. El carazón, que empezó a latirle fuertemente le gritaba que era ella y corrió a su encuentro con los brazos abiertos, llamándola por su nombre.

«No te conozco», lo rechazó la vendedora.

Pero su voz era la voz de su madre. El muchacho fue a buscar a su padre y regresó con él, y la mujer no pudo ocultar su identidad. El escándalo fue inevitable, y la indignación de las gentes de su pueblo no tuvo límites. Es que en aquella época no era decente engañar a los maridos, eso no se estilaba, y como ella fue la primera infiel, la mataron. Y para evitar que volviese a ocurrir un caso parecido, —que otra salpicona se hiciese la muertecita— por primera vez se abrió un hoyo en la tierra y en él la sepultaron. ¡Dejaron de alimentarse las auras y las fieras, y le tocó el turno a la tierra y a los gusanos!

Sin embargo, un *Pataki* de *Ifá* en *Obé yono*, nos cuenta que en la tierra *arará* cuando los muertos no se enterraban hubo una gran mortandad y que a punto de perecer toda la población, el Rey consultó a Orúmbila. Este les hizo *ebó* con un pico, una pala y una guataca, un gallo y un saco de *efún* y les ordenó que con esas herramientas abriesen una zanja espaciosa y enterrasen en ella a todos los cadáveres. Terminado el *ebó*, el divino Adivino recomendó que nadie se mojase pues iban a caer aguaceros torrenciales que harían desaparecer la epidemia. Lo que en efecto sucedió a consecuencia del *ebó*. Continuaron enterrándose los muertos y el *arará* consultando para todo a Orula.

Un individuo que tenía setecientos pesos plata malgastó la mitad de esa suma. No queriendo que se le acabase su dinero fue a consultar a Orula, que le recomendó hacer *ebó*. Eleguá estaba oyendo. Buscó tres muñecos pequeños, dotó a cada uno de espíritu para que hablasen y se moviesen. Fue con ellos al mercado, a *aloya*, y el hombre que había consultado a Orula y se disponía a hacer *ebó*, se hallaba allí de compras. Se asombró al ver a los muñecos moverse y le preguntó a Eleguá si estaban a la venta. Le compraría uno, pero Eleguá los vendía juntos y no por separado. El hombre quiso saber sus nombres:

—Masokilo, Adokilo y Modokilo —contestaron a una los tres muñequitos. El hombre quedó maravillado y pensó que adquirirlos sería un negocio excelente. Le preguntó a Eleguá su precio:

—Trescientos cincuenta pesos.

Titubeó un rato, pero al fin decidido, pagó lo que le pedía, que era todo el dinero que le quedaba.

Llegó a su casa con los muñequitos. Pero al cerrar la noche, después de hacerlos hablar y moverse tanto que él mismo se asustó y creyó volverse loco, Eleguá retiró los espíritus que había introducido en ellos y los tres muñequitos quedaron mudos e inmóviles. El hombre tuvo que buscar el dinero que no tenía para hacer la rogación que había descuidado.

Osain el *Oricha* dueño del monte se dedicaba a la hechicería como los congos. Empleaba como estos, palos de monte, malas bebidas —venenos—, bichos, pólvora y aguardiente. Era lo que se dice en lucumí un *ochó*. Siempre angustiado, sucio, harapiento, a pesar de la rapidez con que hacía sus malas obras, sus éxitos no eran definitivos, y el contraste que ofrecía su vida, su aspecto, su suerte, con la tranquilidad, la holgura, el prestigio que gozaban *Babalawos* y *Olorichas*, llegó a abatirlo.

También Changó había sido *ochó* como él, y a él fue a confesarle su amargura. ¡Ah! Changó, que lo recibió limpio, vestido de rojo, era poderoso . . . y él harapiento, miserable. Changó convenció a Osain de que debía apartarse de tan mal camino. «¡*Tanipá faiyá!*» le dijo, y volver a la buena Regla que les correspondía. Lo condujo a los pies de Orúmbila, hizo *ebó* y se redimió.

Odua encargó a Aruma, a Achama y a Adima que le fabricaran una casa de *mariwó*. Y Adima dijo: «Será mejor que antes hagamos *ebó*.» Achama y Aruma se negaron, pero Adima fue junto a Orula y Orula le hizo *ebó* con *ada, mariwó, eyá, orí, ekó,* y mientras tanto los otros dos fueron a ver a Odua. Por el camino Achama criticaba a Adima: —Orula le pidió su machete para el *ebó* ¡idiota, que lo haga él! ¡Yo no hago *ebó*!.

—¡Ni yo tampoco!

Cuando llegaron donde estaba Odua éste le preguntó por Adima, y ellos contestaron que se había quedado en casa de Orula. Odua dijo: —Está bien. —Y cuando llegó Adima les hizo saber a los tres que quería que le fabricaran sin demora el bohío y que fuesen sin demora a cortar las pencas de guano al monte, Achama y Aruma eran desmochadores. Adima era tejedor. Una vez en el monte, como Adima no tenía machete porque había hecho *ebó* con él, arrancaba el *mariwó* con las manos. Al halar unas pencas secas encontró una gran nidada de loros, y la metió dentro del mazo de guano que había recogido. Cuando regresaron donde estaba Odua, Achama y Aruma le entregaron sus trabajos. —Veámos ahora el tuyo —le dijo a Adima, que lo puso a sus pies. Odua descubrió las plumas de loro que le hacían mucha falta y fue inmensa su alegría. Bendijo a Adima. lo colmó de riquezas y le dijo: —Desde hoy no tienes necesidad de trabajar pues estarás a mi servicio.

«(Esto no se cuenta sino en casos especiales.)»

«*Odi ka ka di le gamo gamo kimo ekomayá kilo ebo obe yo we eyé la me yo mariwó adá oko*» . . .

Y se canta: «*Te mi be adá lowó mi ada, ada, ada.*»

Veamos otra variante del mismo *Pataki* contado por otro *Babalocha*.

Tres hijos de Olofi, Adima, Achamaruma y Eyokile, tenían ya edad suficiente para trabajar. Olofi le entregó a cada uno un *ada*, un machete que decimos nosotros, porque esos tres muchachos lo único que sabían hacer era cortar guano. Eyokile hizo *ebó* con su machete y precisamente el primer día de faena no lo tenía a causa del *ebó* que le marcó Orula. Al llegar del campo sus dos hermanos mayores, Olofi les preguntó por él. Ellos envidiaban a Eyokile y le dijeron: «A ese vago lo dejamos allá durmiendo.» No tardó mucho en presentarse Eyokile y Olofi le interrogó. El temiendo decirle a Olofi que había pasado el día en casa de Orula haciendo *ebó*, calló la verdad y recibió un regaño de Olofi. Al día siguiente ocurrió lo mismo y al tercero Olofi buscaba ansiosamente una pluma de loro. Eyokile no tenía *ada* y arrancaba las pencas con las manos, y he ahí que al arrancar una de ellas se encontró la pluma de loro que Olofi tanto buscaba.

Ya habían regresado al *ilé* sus dos hermanos.

—¿Y Eyokile?

—Pero señor, ¿no sabe de sobra que es un haragán que se echa a dormir y que allí está durmiento todavía?

En ese mismo instante apareció Eyokile, y Olofi vio en su mano la anhelada pluma de loro.

Eyokile había escuchado la respuesta de su hermano y esta vez se explicó.

—No señor, no soy un vago, pero Orula me registró y me ordenó que hiciera *ebó* con el machete y lo obedecí. Hice *ebó*, y al no tener machete para desmochar trabajé con mis manos arrancando las pencas y en ellas encontré lo que tanto usted buscaba. Aquí las tiene.

Esto sirvió de gran regocijo a Olofi. Hacía mucho tiempo que buscaba esas plumas, precisamente para Eyokile. Comprendió la envidia que abrigaban sus hermanos contra él y tomando a Ayokile por la mano le dijo:

—Sal a la calle y grita con todas tus fuerzas *Tani ¡Oba! lowomi Tani ¡Oba! lowoni. Ada olowo Ada Oricha.* (¡Con mi mano, con mi machete me hice Rey!)

De aquellos tres hermanos, Achama, Aruma y Adima, el más chico era Adima. Aunque Achama y Aruma lo maltrataban porque Adima era en todo superior a ellos, éste los quería entrañablemente y los seguía como un perrito aunque lo rechazaban a toda hora.

Un día visitaron a Orula y dejaron a Adima en la puerta.

«Ustedes son tres hermanos», les dijo Orula, «y uno que está afuera en la puerta, que entre.»

Fingieron que habían ido a buscarlo y le contaron a Orula que se negaba a hacer *ebó*. Terminada la consulta le dijeron a Adima que los dejara solos, que iban muy lejos y no querían que les acompañase. Adima no quiso separarse de ellos y los seguía. Por el camino hallaron un pozo.

«Ahora sí que no nos molestará más», dijeron a una Achama y Aruma, y cargando con el pequeño Adima lo lanzaron al pozo.

Era más o menos la hora en que acostumbraba Yemayá a sacar agua de aquel pozo. Arrojó dentro el cubo y Adima se agarró a la soga. Al tirar de ésta la diosa, pesaba tanto el cubo que se inclinó sobre el brocal del pozo y vio dentro al chico. Reunió todas sus fuerzas y salvó a Adima. Al preguntarle cómo se había caído le respondió la verdad, que sus hermanos lo habían tirado para librarse de su compañía, pero añadió, «yo los perdono porque los quiero». Sonrió Yemayá y le dio una cuenta azul. «¡No la pierdas!» le dijo.

Adima siguió andando, andando y allá a lo lejos divisó a sus hermanos.

—¡Achama, Aruma! . . . —y corrió hasta alcanzarlos.

—¿Quién te sacó del pozo? —le preguntaron coléricos.

—Una señora muy negra.

Y continuaron andando los dos hermanos y en pos Adima como un perrito, hasta que Aruma decidió.

—Ahora vamos a matarlo, lo cortamos en pedazos y lo enterramos en un hoyo bien profundo. —Y así lo hicieron.

Llegó Ochún buscando dónde habían enterrado a Adima. Excavó hasta encontrar el cuerpo y fue pegando todos los pedazos hasta rehacerlo y resucitarlo.

—¿Quién te descuartizó, Adima?

—Mis hermanos, pero yo los perdono porque los quiero.

Y continuó andando, andando hasta que los alcanzó de nuevo y les gritó:

—¡Achama, Aruma!

Esta vez, horrorizados, Achama y Aruma huyeron hasta internarse en el monte. Las fieras estaban a punto de devorarlos cuando Adima con el regalos de Yemayá los salvó. Pero estos no dejaron de odiarlo y aun lo envidiaron más, pues le echaron en cara que tenía un poder, y en pago lo amarraron a un árbol y escaparon.

Se apareció Obatalá, lo desató y le ordenó que se trepase a un árbol donde irían sus hermanos a dejar unas plumas. Al verlos llegar correría hacia ellos. El árbol era resinoso, y una gran cantidad de resina se adhirió a su cuerpo, de modo que al descender de él se le pegaron las plumas y sus hermanos se imaginaron que era un pájaro, y al punto recibieron el justo castigo de Dios.

ODI (ODI-BARA)

Changó andaba hambriento. Le dijo a Yemayá que él encontraría que comer.

—Ven, resguárdame.

La subió en sus hombros y se echó al brazo una alforja. Así fue al campo de Ogún y le robó ñames de su siembra. Quedaron las huellas muy confusas de unos pies en el campo y Ogún le mandó a preguntar si había entrado en su conuco.

—¡No!

Y Changó lo invitó a que le demostrase lo contrario.

Ogún se encontró con Yemayá y le preguntó sin ambajes si había sido ella la ladrona.

—Mis manos —respondió la diosa arrogante—, no han tocado esos ñames.

¡Ogún, jamás se supo quien fue el ladrón!

EYEUNLE

«Deredé la obalo dede la boyún derederé lo oloto tui loda oke oke elese lada boyú onifé obono orifé obiteré oka lo babule numba aye aba okoloko Babaroko.»

(Cuando sale *Eyeúnle* se marca la persona con cascarilla, se recogen los caracoles y se pide la mano izquierda.)

Eyeúnle era un rey demasiado bondadoso. Abusaban de sus nobles sentimientos, y naturalmente, hubo quien proyectó destronarlo: Omolokún que logró amotinar contra él a la mitad del pueblo. Ante aquel peligro Eyeúnle hizo *ebó* con un chivo y una bandera blanca. Luego, con la cabeza del chivo corrió a esconderse. Eyeúnle no dio muestras de defenderse, no aparecía por ninguna parte. El traidor confiado en que la mayoría del pueblo estaba de su parte, proclamó que era hora de celebrar el triunfo. Mataron un chivo . . . y arrojaron la cabeza al mar. Comenzó la fiesta, y Olofi, curioso por saber lo que ocurría al escuchar tanto bullicio en aquel lugar de la tierra, descendió y preguntó:

—¿Por qué esta algarabía?

—Por que hemos triunfado, estamos de fiesta, vamos a nombrar un nuevo rey.

—Y para celebrar esta fiesta ¿dónde está el animal que han sacrificado?

—¡Aquí está, aquí está la carne!

—¡Muéstrenla! —pidió Olofi.

Y miembro por miembro, víscera por víscera le presentaron el cuerpo del chivo, de *Aukó*.

—¿Y la cabeza?

—La echamos al mar.

Preguntó Olofi: —¿Cuándo se ha visto un cuerpo que ande sin cabeza?

Allá en su escondite dijo la cabeza: —*Iyá mo iyé, iyá mo iyé bó oni kuá kuá.*

Eyeúnle era la cabeza. La cabeza que manda al cuerpo, que debe gobernar y que continuó gobernando. (Además Eyeúnle había hecho *ebó*.)

Eyeúnle, respetadísimo por su alto rango, sus méritos, su edad y sus riquezas, no se libró, a fuerza de oírse alabar, de envanecerse. Olofi que venía observando que Eyeúnle estaba a punto de creerse inmortal, le mandó a decir que él le había otorgado poder y riquezas, pero lo había creado sencillo, bueno, sin orgullo. Eyeúnle no paró mientes en el mensaje de Olofi. Fue cuando dijo: «si mi cabeza no me vende, no hay quien me compre».

No tardó Olofi en soplarle una tormenta que derribó su palacio. Ya los años pesaban sobre Eyeúnle; ya no tenían sus brazos y su cuerpo la fuerza y la agilidad de otros tiempos, y por sí solo no podía reparar los daños que la tormenta causó en su palacio. Recapacitó y acudió a Olofi, que le indicó el *ebó* necesario. Pocos días después un grupo de sabios se ofreció a ayudarlo en la reedificación de su palacio. Comenzaron las obras, pero aquellos sabios no sabían mezclar los materiales ni colocar los ladrillos, y un simple albañil que había hecho *ebó*, después de las avinagradas discusiones que sostuvieron los sabios, levantó el palacio. Olofi les daba así una lección de modestia.

En este odu se cuenta la historia de un Rey tan orgulloso que no toleraba que hombres del pueblo se mezclaran con sus sirvientes. Tenía una hija muy enfermiza que no acertaban a sanar los curanderos. Sus padecimientos se achacaban a un mal de ojo que le habían echado desde antes de nacer en otra vida. Una vez que el estado de la princesa se agravó, el Rey mandó a buscar a Orula. Orula no podía salir de su casa y pidió que la llevasen allí, pero el Rey era demasiado soberbio para acceder a la pretención del *Awó* . La joven empeoraba y el Rey se decidió a molestarse para conocer la opinión de Orula. Fue a verle y al entrar en la habitación del adivino no reparó que el techo era muy bajo, tropezó, su corona cayó al suelo y por una escalera rodó hasta la calle, donde la recogió un pobre hombre y la escondió.

Sin corona, a pie fue el Rey buscándola casa por casa, esperando a las puertas de los más humildes, hasta encontrarla después de andar y mucho preguntar. Dicen que aquel Rey se dio cuenta que el orgullo no evita encontronazos y que al suelo ruedan las coronas . . .

En el siguiente *Pataki*, que gustaba mucho a O'Farrill, el *odu* aconseja que no se tenga nada por seguro. Explica también el carácter travieso de Eleguá.

Eran dos amigos tan identificados el uno con el otro que sus juicios nunca diferían. Siempre estaban de acuerdo. Se jactaban de su afinidad y tan confiados vivían de la amistad que los unía, que se les oía decir: —No habrá nada en esta vida que nos separe. ¡Es que siempre pensamos y sentimos lo mismo! Nunca hemos discutido y no pelearemos nunca.

Eleguá los escuchó y dijo: —Ya veremos.

Unos dicen que el maldito de Eleguá se pintó de rojo la mitad de la cara y se vistió un traje que de un lado era rojo y del otro negro. Así pintado y vestido, al ver venir por la calle a los dos amigos, pasó junto a ellos rozándolos, y rápido fue a plantarse en una esquina.

—¿Has visto a ese hombre vestido de rojo? —le preguntó uno al otro.

—De rojo no, de negro.

—¡Caramba! —comentó el que vio todo de rojo al llamativo transeúnte— que extraño ¡si tal parece un fuego!

—¡Míralo! —dijo el que había visto a un hombre que además de tener la piel muy negra, vestía rigurosamente de negro.

Ya Eleguá se había colocado de manera que no les cupiese la menor duda del color de su vestido, y a cada uno le mostraba la parte negra o roja. Por fin los amigos que en la vida nada podía separar, que jamás habían discutido, ante la evidencia del color del traje que Eleguá les mostraba, uno jurando que era negro y el otro que era rojo pelearon y se alejaron irreconciliables.

(Algunos santeros narran este *Pataki* cuando «habla» *Ojuani-Chobé*, *odu* que aconseja también evitar toda discusión.)

OSA

Osa había empeñado su corazón de Rey. Pasaba tantos trabajos, luchaba tanto —siempre en vano—, por salir a flote, que perdidas todas sus esperanzas, decidió marcharse lejos, lejos y sin rumbo por los caminos del mundo.

Encontró a Eleguá y Eleguá le dijo: «Osa, ve a ver a Orula.»

Tan confundido y abrumado estaba Osa, que no había pensado en ello. Orula lo «miró», le marcó el *ebó* que éste hizo y le dijo que le pidiese al *Oba*, a cuyo servicio entró con el nombre de Ogué, un pedazo de su tierra para sembrar unos frijoles. Este se lo concedió y Ogué sembró sus frijoles. De noche venía Eleguá, los regaba y la siembra crecía exhuberante, mientras las del *Oba* disminuían. Cosechaba Ogué tantos frijoles que el *Oba* iba a robarle, y no era poco lo que robaba. Ogué consultó el caso con Orula.

—Con el tambor con que hiciste *ebó* —le dijo—, ponte a tocar y a cantar, y anuncia en tu canto que vas a descubrir algo, pero no digas qué.

—*Agú ko baniko Ogué nu robe amareye.*

Al escucharlo *Oba* envió a buscar a Ogué.

—Quiero regalarte el pedazo de tierra que trabajas.

Ogué informó a Orula.

—Muy bien, pero no dejes de cantar.

Entonces *Oba* volvió a llamarlo.

—Te regalo todo el terreno, ¡es tuyo!

Ogué corrió a contarle a Orula.

—Toma —le dijo el *Oba*— *toma ade-Oba* (la corona).

Le avergonzaba que su gente supiese que le había robado a un servidor suyo, y de bochorno y de tristeza murió al poco tiempo.

(Y así demuestra este *Apatakí* que no debe robarse a nadie, pues una mala conciencia, por poca que se tenga, a veces mata.)

Murió un padre sin dejarle nada a su hijo. No tenía fortuna. El mozo, indigente y solo, vagaba, unas veces enfermo, otras sin tener qué comer, siempre angustiado y triste, preguntándose qué nuevo infortunio le reservaba el destino. Allá del otro mundo, su difunto padre le mandó un recado con un correo.

«Usted que va allá abajo, dígale a mi hijo, que continuamente pienso en él, que por él paso trabajos y peno, que también necesito comer, que ansío ayudarle y que me envíe con usted a su regreso, dos cocos.»

Cumplió el encargo el correo. El muchacho respondió malhumorado, duro:

«Pregúntale dónde dejó los cocos para mandárselos.»

Trasmitida aquella respuesta el padre disimuló, escuchando el comentario del correo, que criticó la reacción de su hijo; y de nuevo en otro viaje del correo insistió en que le pidiese un gallo.

«¿Dónde dejó mi padre la cría cuando estaba en vida, para que yo le envíe un gallo?»

«Su hijo es un desalmado», le informó el correo a su regreso, «no espere nada de él».

El muerto se afligió mucho, pero padre amoroso al fin, insistió y aprovechó días después otro viaje del correo, para suplicarle a su hijo que le mandase un *ebó* de carnero. El correo, de retirada, se detuvo en su puerta y habló con el joven. Este indignado, gritó esta vez:

—«¡Caramba con mi padre, no dejó para coco ni para gallo y sale ahora pidiéndome un carnero! ¡No tengo nada que darle!»

Le cruzó una idea por la mente.

«Pero espere . . . espere aquí.» Tomó un saco que tenía en su covacha, se metió dentro del saco, lo amarró y llamó al correo.

«Entre, recoja ese saco y lléveselo a mi padre. Es cuanto tengo.» El correo lo cargó y lo llevó a aquel buen padre que se alegró, dio gracias a Olofi porque algo de lo que necesitaba le daba su hijo. Se habían reunido los *Iworo* para hacer rogación y esperaban el carnero para el *ebó*. Desamarraron el saco y quedaron estupefactos al hallar en vez de un carnero, una persona.

El padre al reconocerlo se dijo: «¡Está perdido!»

Los *Awó* dijeron al mal hijo:

«¡Sal de ahí insensato! Abre esa puerta y mira.»

Vio muchas cosas juntas para hacer rogación con el carnero, las que se necesitaban para su *ebó* y salvarlo.

«Abre esa otra puerta», volvieron a decirle. Y vio grandes riquezas, las que iba a obtener haciendo *ebó*, riquezas que iban a ser suyas. Arrepentido y triste se hincó a los pies del padre.

—Te mandaré todo lo que has pedido, ¡perdoname!

—Ya no podrás, hijo mío, no verás más el mundo. ¡Cuanto lo siento, lo has perdido todo!

(Este *Pataki* es un ejemplo de lo perjudicial que es en todo momento no escuchar consejo de muerto o de viejo.)

De la hija de Olofi se enamoró Ikú (la Muerte). Se la pidió a Olofi en matrimonio y Olofi le dijo: —Para casarte con ella te pongo una condición: que antes me traigas cien cabezas monstruosas del más allá. Ikú se preguntó: «¿Para qué querrá Olofi cien cabezas del más allá si una sola cabeza humana vale más que cien de esas cabezas?»

Y le hizo una contraproposición a Olofi.

—La cabeza de Iki vale más.

Accedió Olofi porque Iki era un hombre de mérito, sabio y cumplidor de sus deberes. Jamás descuidaba de hacer el *ebó* que Orúmbila le ordenaba.

Marchó Ikú en busca de Iki y halló en su camino a Ogután (el carnero). Le confió el amor que le había inspirado la hija de Olofi, la entrevista que acababa de tener con Olofi, la condición que éste le había exigido y lo que él le había propuesto.

—Eres mi amigo y si ahora me ayudas te prometo que nunca morirás —le dijo Ikú.

Ogután aceptó y llamó a Oga (la soga). Era su amigo íntimo, podía contar con él y le pidió.

—Oga, necesito que me hagas un favor.

—Por supuesto ¿qué quieres?

—Que me traigas a Iki, que es nuestro amigo. Así te aseguro que no trabajarás más en toda tu vida.

Iki había hecho *ebó* y Orula le había advertido que no abriese la puerta a nadie después de acostarse; y ya estaba tendido en su tarima cuando Oga llamó.

—Abre, soy Oga.

—No puedo —contesto Iki—, ya estoy acostado. Me es imposible complacerte.

Oga sabía cuanto le gustaban a Iki los cocos, y al convercerse que no le abriría la puerta, corrió a buscar uno y regresó con él.

—Oye Oga, te traigo un coco, no hace falta que abras la puerta, entreábrela solamente.

Además del coco Oga había llevado una caja. Iki entreabrió la puerta, estiró la mano para coger el coco, y su buen amigo Oga lo empujó, cayó al suelo, lo amarró y lo metió en la caja. Salió con él para entregárselo a Ikú, pero Oyá que estaba enterada de aquella trama, al verlo venir soltó los vientos, el remolino se llevó a Oga, sacó de la caja a Iki y le puso nueve manillas. Ikú aguardaba escondido, pero al escuchar los rugidos del viento —«*kosi modá fitiwó unu nún nún*»— desapareció. Cesó el viento y Ogután con la caja vacía siguió su camino y llegó junto al *onibodé* —el portero y guardián de Olofi— que lo esperaba. Ogután tuvo de pronto un mal presentimiento. Sintió miedo. Olofi le gritó: —¡Entra! —y Agután avanzaba un paso y retrocedía: *fadiseñe.*

Entonces Olofi gritó: —*Murelé murelé wale* ¡Apresúrense, agárrenlo!

Los que se hallaban presentes respondieron: —*Abo firolo firolo wale abo firolo firolo.*

Olofi maldijo al carnero: —¡Qué te coma Changó! ¡Qué te coma Egún!

(Este *Apataki* de *Osa-Unle* que predice hipocresía, falsedad, se cuenta para dar un ejemplo de cómo actúa la traición entre fingidos amigos.)

El dueño de Ike se sintió enfermo, consultó al oráculo y le advirtieron los dioses que era necesario hacerle un «cambio de cabeza».

—Cambiaré vida con mi esclavo — respondió.

El esclavo a su vez, visitó al adivino y éste le dijo que su amo iba a cambiar su cabeza con la suya y que moriría. Mas le prometió practicar una rogación que lo salvaría y le aconsejó que cuando su dueño lo llamase, no respondiera. Dos veces lo llamaría e Ike guardaría silencio. Así fue, sin embargo a una tercera llamada Ike exclamó:

—¡*Awó!*

El amo lo buscó y lo sorprendió en plena rogación de cabeza.

—¡Canalla, a pesar de eso vas a morir! —gritó furioso. Mandó a buscar al carpintero del pueblo, le ordenó un féretro y en él metió vivo a Ike y lo arrojó al mar.

Olofi le había prometido un rey a un país y la caja flotó por el mar hasta ser vista por una nave de aquella nación que esperaba el arribo de su monarca. Recogieron el féretro, lo depositaron sobre la cubierta y la nave puso proa a la costa. Prevenido el pueblo por sus sacerdotes para recibirlo, se había congregado en la playa.

De la caja de muerto saltó un hombre: —¡El Rey! ¡Viva el Rey! —lo aclamó la multitud.

Los ancianos le dijeron:

—Pide tres cosas que te serán concedidas.

—No, una sola pediré —le contestó Ike—. Que los esclavos sean libres y los libres libres esclavos.

—*Tó iba chó.*

Era un rey que adoraba a su hija, y esto ocurrió cuando todos los años, en su reino se acostumbraba, para bien del pueblo, llevar una doncella a la selva para que una fiera la devorase. De lo contrario muchas vidas se perdían y el país se sentía amenazado. A las doce de la noche, anualmente la doncella que le tocaba en suerte ser sacrificada era conducida al monte a un lugar determinado y allí quedaba abandonada a merced de una pantera que sólo de ella dejaba los huesos. Un año la única doncella disponible fue aquella hija adorada del Rey, que abrumado de color acató su suerte. El esclavo más viejo del Rey, que gozaba de su confianza le habló al oído y le dijo:

—No te aflijas que aún todo puede arreglarse. Te pido que mandes a buscar a Orula.

Asintió el Rey y el viejo fue a buscarle.

—Si logras salvar a mi hija te la doy por mujer, y cuanto quieras, esclavos, tierras, riquezas.

—De acuerdo. Si yo mato a la fiera tu cumples el compromiso que acabas de contraer. ¡Para todo hay *ebó*!

Obedeció el Rey, hizo *ebó* y luego Orula le mandó que se acostase a dormir tranquilo. Pero no podía conciliar el sueño, lleno de angustia, palpitándole el corazón que se podían oir sus latidos en la noche. Orula fue al bosque; subió a un árbol y disparó una primera flecha, más tarde una segunda, y a las doce exactamente, una última flecha. Luego descendió, fue a donde yacía muerta la fiera, le cortó el rabo y dejó el cuerpo. Lo guardó en un saco y volvió a esconderse en el árbol. Al amanecer el pueblo, que había pasado toda la noche temblando de miedo, se enteró que un hombre se jactaba de haberle dado muerte a la terrible pantera y que llevaba a muchos a verla. Todos acudieron a aquel lugar fatídico donde tantas doncellas habían sido víctimas de su ferocidad, a oir al impostor que gritaba mostrándoles el animal.

—¡He sido yo, yo quien la ha matado!

Pero de pronto, Orúmbila, abriendose paso entre la muchedumbre, que ya se había espesado y rodeaba al héroe, dejó oir su voz.

—¡Es un impostor! Que pruebe lo que dice mostrando lo que le falta a la pantera.

El hombre perdió el aplomo, balbuceo unas palabras que nadie entendió pidiendo perdón, mientras Orúmbila exhibía la cola que le había cortado a la fiera.

Feliz el Rey, cumplió su palabra, y el pueblo se libró de aquel horrible tributo que se veía obligado a pagarle a las panteras.

OSA-UNLE

Olofi mandó a advertirle a Yansa que hiciese *ebó*. Un mal la amenazaba. Yansa no obedeció. Ogún dijo que la llevaría a casa de Orúmbila. Se negó a acompañar a Ogún. Un enemigo maquinando cómo echarle la garra y aniquilarla intentó muchas cosas, pero todas sus triquiñuelas fracasaban. Al fin fue a ver al carnero, que era buen amigo de Yansa, le ofrecieron dinero para traicionarla y Abo, el carnero aceptó.

«Ven Yansa, ven conmigo, te conviene. Es necesario que salgas adelante, que triunfes de tus enemigos.»

Yansa confiaba en él. La subió en una carreta y por el camino la iba atando. Ella se dio cuenta y se dejó hacer. Era su amigo, ya se ha dicho, confiaba en Abo. Pero en eso se alzó su remolino, se desataron sus amarras y Yansa en un instante se dio cuenta de la tración del . . . amigo.

Lo maldijo, y desde aquella época remota lo odia y no lo come.

La humanidad perecía, y por orden de Olorun, el Creador, Ifá bajó a la tierra, se entrevistó con Obatalá y le dijo:

«Olorun no quiere que mueran todas sus criaturas.»

Para espantar la muerte Orula les puso el *Idé-Orula*.

OSA-OFUN

Es una vieja historia que todos conocían —me refiero a los descendientes de africanos— allá en Cuba. Jicotea era un personaje famoso por su astucia, y sus hazañas son innumerables.

Este *Pataki* saca a colación la porfía de Ayá y de Ayapá, —del Perro y Jicotea.

Porfiaron cual de los dos llegaba primero a *Oké*, a la cumbre donde estaba Obatalá. Jicotea, que no corre mucho, se preparó de antemano, hizo *ebó* con un hueso y una maraña de hilos, y depositó su *ebó* en el camino que también tomaría el Perro. Apenas éste vislumbró el hueso, se echó a roerlo, y seguro que Jicotea jamás lograría tomarle la delantera y llegar antes que él a ninguna parte, cuantimás a la cima de *Oké*, se entregó al placer de saborear su hueso, despacio, y lame que lame, roe que roe, no reparó que se había enredado las patas en la maraña sobre la que se había acostado. Cuando no quedaba nada de aquel bendito hueso de res, y se dispuso a correr para ganar en pocos minutos el tiempo perdido tan a gusto, se halló preso, y sí que lo perdió irremisiblemente, tratando de desenredarse.

Despacio, un pasito y otro pasito, sin detenerse un instante, Jicotea remontó la cuesta y llegó antes que el perro al *ilé* de Obatalá.

OFUN

Como Ofún no tenía hijos le gustaba cuidar hijos ajenos. Un matrimonio vecino y amigo suyo —se consideraban compadres—, tenían una hijita llamada Anaganú, y Ofún les pidió que se la entregaran para criarla. Accedieron los padres a su deseo y Ofún, feliz, instaló a la niña en su casa colmándola de halagos.

Ofún era un hombre profundamente religioso que había penetrado en muchos misterios. Poseía un secreto, un objeto sagrado que guardaba en un lugar apartado de su casa, oculto tras una sábana de blancura inmaculada. Temiendo Ofún que la niña, en algún momento que se hallase sola fuese en sus juegos a dar a aquel rincón, le pareció que debía advertirle el peligro que corría si descubría lo que había detrás de la sábana. Anaganú prometió obedecer y no acercarse a aquel misterio. Pero . . . la curiosidad es incontenible, y en la primera ocasión, un día que Ofún salió a buscar a la madre de la niña, que como era lógico iba continuamente a ver a su hija ésta arrimó una escalera a la pared para averiguar qué había detrás de aquella sábana. En el preciso instante en que Ofún y la madre de Anaganú entraban, se escuchó un grito desgarrador y el ruido de algo que se desplomaba. Anaganú vio, y lo que vio le produjo tal espanto que perdió el conocimiento y cayó al suelo.

Ofún se precipitó a la habitación misteriosa y desolado recogió a la niña del suelo.

«Devuélvemela», gritaba la madre enloquecida. «¡*Fumi omomi ewa eni ko mi!* ¡Devuélvemela como yo te la entregué! ¡Le echaron una maldición! ¡*Oro jún jún ewaní ko mio!*»

La curiosidad, la maldita curiosidad . . .

OJUANI

Ogún y Ochosi hicieron rogación porque Ogún, a pesar de su machete sufría de hambre, y Ochosi, el cazador no podía abrirse paso a través de las malezas. Además, a Ochosi le espantaban los animales los chasquidos del acero de Ogún. Muchos huían y tampoco Ochosi comía a veces. Hizo rogación siguiendo los consejos de Ifá, quien le ordenó que subiese a una loma y de lo alto dejase caer el *ebó*, que cayó sobre Ogún.

«¡Me has embromado!», fue a quejársele Ogún, pero Ochosi le dio toda clase de satisfacciones y logró aplacarlo. Convinieron en esto: «En adelante», propuso Ogún, «yo desmontaré y tu cazarás.» Por eso Ogún y Ochosi andan siempre juntos; y Ochosi está en lo alto y Ogún en lo bajo.

OJUANI-CHOBE

Dos buenos amigos, Solene y Ojuani; trabajaban juntos, comían juntos, dormían uno al lado del otro . . .

«Los voy a indisponer», decidió Eleguá.

Ojuani sembró un coco y las gallinas se lo comieron. Solene tenía una tinaja desfondada y le dijo a Ojuani:

—Toma, te la doy, siémbralo aquí en mi tinaja y así las gallinas no se lo comerán.

—Muy buena idea, gracias Solene.

Ojuani sembró el coco dentro de la tinaja y la planta creció espléndidamente. Todo el pueblo bebió agua de aquel coco. Ahí fue cuando Eleguá intervino y le metió en la cabeza a Solene lo que nunca se le hubiese ocurrido.

—Ojuani, dame mi tinaja.

—¡Si tu me la diste, Solene!

—No, yo no te la di, tu me la pediste, yo te la presté. Ahora la quiero y tienes que devolvérmela sin romperla.

—Para eso tengo que arrancar el coco . . .

Fueron a los tribunales y la justicia dictaminó que la tinaja le pertenecía a Solene y la ley obligaba que le fuese devuelta.

Ojuani tuvo que tumbar el coco.

—Ahora —le aconsejaron los viejos a Ojuani—, no te pelees con Solene, sabemos quien es. Conserva su amistad.

Solene tenía una hijita, y en prueba de amistad Ojuani le regaló a la niña un lindo collar que no podía quitarse y que cuantos lo veían le celebraban. Pero todo llega en esta vida. La niña se convirtió en una muchacha, y en vísperas de casarse Ojuani le dijo a Solene.

—Dame el collar que me pediste prestado para tu hija.

—Ese collar no me lo diste a mí. Se lo regalaste a mi hija.

—No, tu me lo pediste y yo te lo presté. ¿Te has olvidado? Pero eso sí, lo quiero entero.

—En ese caso tengo que cortarle la cabeza a mi hija y yo no sé cortarla.

—Pues arráncasela y dame mi collar como yo te di tu tinaja y estaremos en paz.

El Camaleón en un tiempo no tenía la gracia de cambiar de color, y no sólo eso, sino que tampoco tenía collar. Por lo que envidiaba al Perro y se recomía los hígados cuando lo veía luciendo un collar que de tiempo en tiempo, le parecía diferente. Para encender más su envidia, los perros variaban también de color. Un día le preguntó al Perro cómo se las había arreglado para tener tanta suerte, para ser más bello que él y toda su casta.

—La verdad que no lo sé —le contestó modestamente el Perro, que movía halagado la cola.

—¿Por qué no se lo preguntas a Orúmbila?

Y Camaleón consulto al *Awó*, y le pidió procurara hacerlo en su apariencia, igual al Perro.

Orúmbila lo sermoneó y le aconsejó que no envidiase a nadie, porque la envidia, al igual que el mal que a otro se desea, se vuelve contra uno mismo y destruye a quien la siente. Le hizo rogación y lo despidió.

—Vaya usted tranquilo.

Camaleón se encaminó al bosque y allí, distraído y sin darse cuenta, tropezó con un árbol y desde entonces cambia de color.

EYILA-CHEBORA

Son aplicables a este *odu* (12), *Apataki* de *Okana* (1), *Ogundá* (3), *Odí* (7), *Osa* (9) y *Ofún Mafún* (10).

Makui también narraba este cuento en *Eyilá*. Moraleja de la predicción que en Ofún se le hace al individuo que ansía ser rico y famoso, lo que en efecto su *Oricha* protector le concederá. Pero si éste deseare más de lo que le daría el *Oricha* y un día impulsado por la avaricia, actuase torcidamente, el *Oricha*, como al sujeto del *Pataki* lo perdonará una sola vez; si no domina su ambición lo aniquilará.

Era un hombre pobre, muy pobre, cargado de hijos. Apenas podía mantenerlos cuando su mujer le confesó llorando que estaba embarazada. El hombre abrumado de trabajo, triste a morir no pudo menos de exclamar:

—¡Si ya no puedo sostener a los hijos que tengo! ¿Qué voy a hacer con uno más?

Dio a luz la mujer y le preguntó:

—¿Quién bautizará a esta criatura?

—¡Qué nadie de este mundo lo bautice! Y guardó un extraño silencio.

Días después se le apareció el Diablo y le dijo:

—¿Quieres que bautice y proteja a este hijo tuyo?

—¡No, contigo nada!

Más tarde llegó la Muerte y le propuso:

—Si deseas que bautice a tu hijo, seré su padrino. Lo protejeré, a ti te daré dinero para que lo cries y dejes de vivir como un miserable.

Aceptó. Creció el niño, y cuando llegó a la edad de escoger una carrera, la Muerte le preguntó qué ocupación o qué carrera le interesaba.

—Quiero ser médico —le contestó el ahijado.

Era ambicioso, soñaba con ser rico y . . . sabio.

La Muerte le condujo a una ceiba.

—Desde hoy —le explicó— al enfermo que le des a tomar infusión de las hojas de este árbol, se curará. Pero una condición te pongo: cuando me veas a los pies de un enfermo, no lo cures, pues lo necesito. No lo olvides.

—Muy bien, Madrina, así será.

Y desde aquel mismo día empezó a curar aquel joven médico, a operar verdaderos milagros y a enriquecerse demasiado rápidamente. Se explicaba, curaba lo incurable y su fama bien merecida cruzaba mares y montañas. Y así pasaron muchos años, y a la par de la riqueza que amontonaba, aumentaba su ambición.

Al andar del tiempo cayó gravemente enfermo el Rey de su país. Naturalmente lo primero que se acordó en palacio fue llamar al médico infalible, que vio a su Madrina a los pies de la cama del soberano. Recordando sus promesa, sin proceder a reconocer al poderoso paciente, declaró inclinándose ante él y los que le acompañaban.

—Yo no puedo curarlo. ¡No puedo!

—Inténtalo —suplicó el Rey con voz desfallecida, como si hablara de muy lejos—. Si me devuelves la vida que se me está escapando, te haré poderoso, más rico y más admirado de lo que eres.

Respondió en él la avaricia con irresistible renuevo de fuerzas. Olvidó el compromiso contraído con la Muerte y administró el remedio maravilloso. El Rey sanó de inmediato.

Pero al llegar el médico a su casa allí estaba esperándole la Muerte.

—Me has desobedecido y mereces mi castigo.

El ahijado se echó a sus pies, pidió perdón, juró y la Muerte se dejó conmover.

—Bien, hoy te perdono.

Meses después enfermó la hija del Rey y lo enviaron a buscar. La princesa se moría, y el Rey, si la salvaba le prometía la mano de su hija y la sucesión al trono.

—¡Rey, ser Rey!

Al entrar en la habitación de la enferma lo primero que vio fue a la Muerte; la Muerte, que clavó en él sus ojos huecos, con una llama en cada uno.

Sin vacilar un instante, ciego de ambición curó a la Princesa y regresó a su casa a ocuparse de los preparativos de la boda, que tendría lugar al día siguiente.

No estaba allí la Muerte esperándole. De seguro que lo había perdonado comprendiendo que . . . no podía renunciar a un trono. Se equivocó. Al día siguiente vino la Muerte; no pronunció ni una palabra, cargó con él, sencillamente.

Lo llevó a sus dominios, a *Ilé-Ikú*, una inmensa, muda y oscura extensión cubierta de velas encendidas, unas que comenzaban a arder o que ardían a la mitad, otras a punto de apagarse.

—¿Dónde estoy, Madrina, para qué me ha traído aquí?

—Para que veas lo poco que te queda por vivir. Cada vela encendida es la vida de una persona. Entre esos cabos está la tuya, de manera que si quieres arreglar tus asuntos, ver qué haces con tus tesoros que no puedes traer aquí, no pierdas tiempo.

—¡Perdón, perdón! ¡Ay Muerte, ten piedad de mí!

No logró nada. Corrió despavorido y al llegar a su casa se desplomó sin vida.

Sin medir las consecuencias de su fanfarronería, un muchacho aseguró que él podía cambiar, sólo con agua clara, en ropa blanca, la ropa de color del *Oba*.

—Pues ven a lavarla —le dicen en Palacio.

—Si es cierto —promete el Rey, que se entera del caso— lo premiaremos, si miente lo mataremos.

El espíritu de la difunta madre de aquel mozalbete le contó a Olofi el atrevimiento de su hijo, y aconsejada por Olofi, el espíritu hizo *ebó*.

Fue llevado a Palacio el muchacho, y rodeado de soldados comienza a lavar unas ropas amarillas. Lava y lava, y por más que lava no emblanquecen. El Egun de la madre viene en su auxilio. Los soldados se duermen y la muerta sustituye las ropas de color por blancas.

Salvó la vida de su hijo, que fue premiado, y en acción de gracias hizo *ebó*.

VIII
Ebó: Ofrenda. Sacrificio

El *ebó* es el medio que de acuerdo con las revelaciones de los *Orichas* y de los *Ikú* que hablan en el *Dilogún* —«y la experiencia»— recalca mi informante Gaytán—, emplean *Olorichas, Iyalochas* y *Babalawos* para aplacar la cólera de un dios, alejar o desviar una desgracia, conjurar la enfermedad o la muerte, modificar un destino, atraer la suerte, obtener, en fin, lo que se anhele. Es para los *iworo* una fuente legítima de ingresos autorizada por los mismos dioses. En lucumí *ebó* quiere decir sacrificio. «Lo que se le da al Santo», ofrenda. Pueden ser de muchas clases: de aves, de animales «de cuatro patas», como se dice corrientemente, que son los más importantes; *ebó* de frutas, como el que se ofrece en ocasión de un aniversario, (*ebó* de los tres meses, del año), o «para refrescar» (*ebó tutu*) ofrenda voluntaria, sencilla, para serle grato a un *Oricha* (*ebó ré*) consistente ésta en alguna golosina o alimento que se tenga a mano (*adimú*). Y . . . «allá», —contaban los viejos— en tierra lucumí, «había *ebó* de gente, y ese *ebó* se llamaba *ebonikoto*». Inútil decir que esto no era posible en Cuba, y jamás se sacrificó una criatura humana a los *Orichas*, y que cuanto corría hace años acerca de clandestinos sacrificios humanos, era pura fábula para asustar a los niños las mismas niñeras negras. Por suerte para la humanidad doliente —y no doliente— la lista de *ebó* es muy extensa, y menos para la muerte cuando se es muy viejo, necesariamente decretada por Olodumare, el Ser Supremo, a fin de dar cabida a las nuevas criaturas que envía de continuo a la tierra, los *ebó*, si no lo remedian todo, como lo demuestran los *Pataki* que acabamos de leer, mejoran o esperanzan.

Las limpiezas (purificaciones) «despojos», que los viejos llamaban en lengua, *wemo*, inseparables del *ebó*, son comprendidas dentro del término castellano rogativas.

El fin de la limpieza o «despojo» es prevenir o quitar un mal de cualquier género, de una persona o de una cosa.

Un padecimiento, una mala influencia, un hechizo, es transferible a un animal o a un objeto. El pollo o el gallo que se pasa por el cuerpo del creyente en esta operación, recogen el «daño» y las máculas.

El que comienza a interesarse por los ritos de la Regla, suele confundirse frecuentemente porque sacerdotes y creyentes aplican un mismo término a varios ritos diferentes. No se olvide que «rogativa» significa además, purificación, ofrenda y sacrificio (de aves y de animales).

Por el *ebó* se gana la voluntad de un *Oricha* —«que también necesita comer, como todo el mundo» (sic), y que en pago se compromete a liberar de un hechizo, a sanar, a proteger, a prestar su apoyo a quien lo solicite para triunfar en cualquier empresa.

Y ahora veamos los *ebó* que indican los *Odu* cuando se consulta el *Dilogún*. Omitimos los «derechos» (honorarios), que comparados a los actuales parecen inverosímiles . . .

Los siguientes son *ebó* que señalaba la famosa Niní.

OKANA — 3 pescados, 3 carreteles de hilo, 3 ñames, maíz, ceniza, tierra de la puerta, 3 tabacos, 3 cocos, 1 tijera y $3.50 (antaño).

EYIOKO — 1 canastica de frutas, 2 muñecas, 2 palomas, 2 cocos, pescado, jutía, $4.29 (antaño).

OGUNDA — 1 perrito, 1 gallo, 1 cuchillo, 1 pedazo de cadena, pescado, jutía, manteca de corojo y 1 botella de aguardiente.

EYIOROSUN (Oyoroso) — 2 guineas, 1 gallina, 1 porrón de agua, ñame, 4 *ekó*, pescado y jutía.

OCHE — 5 palanquetas, 5 gallinas, 5 calabazas, 5 *ekó*, pescado, jutía, manteca de corojo y $5.25.

OBARA — 6 calabazas, 6 botellas de agua, 6 velas, 6 macitos de leña, quimbombó, 1 gallo, pescado, jutía, manteca de corojo, 6 cocos. Después de la limpieza se encienden las velas, con las velas se enciende la leñita y con el agua se apaga.

ODI — 1 barquito, 1 cadena, 1 gallo, maíz, frijol de carita, $7.35, pescado ahumado, jutía, manteca de corojo. (La persona que hace este *ebó* es algo desconfiada y renegadora, ella misma espanta al Angel de su Guarda.)

EYEUNLE — 4 palomas, 4 varas de género blanco, babosa, cascarilla, manteca de cacao, 4 cocos y $4.20.

OSA — 1 chivito, frijoles de carita, maíz, 1 jicarita llena de piedras, 2 palomas y $7.35.

Después que haga el *ebó* que siembre frijoles de carita de esos mismos, y cuando la mata para, haga un ramito de las vainas y lo cuelgue en su casa.

OFUN — Rogación con la ropa que tenga puesta, 2 gallinas, yeso, almagre, 1 racimo de plátanos para ponérselos a Santa Bárbara. Tiene que darle comida a su cabeza, pescado, jutía y manteca de corojo.

OJUANI — Si le sale rogación le pone a Changó un racimo de plátanos, 1 jícara, maíz; tiene que usar un delantal con dos bolsillos. En un bolsillo piedra y en otro maíz tostado para comerlo, y cuando le pregunten qué come, dice, piedra, y enseña la piedra. Si marca *ebó*: 1 botella de agua y otra de aguardiente, aguja, 3 cazuelas, 2 gallos jabados y la ropa que trae puesta.

EYILA CHEBORA — 12 cosas, y si no lo puede hacer que lo haga con menos, pero siempre diciendo que son 12. Marcando enfermedad 4 palos, 1 tambor de cuero de carnero, *ekó*, pescado, géneros de varios colores, 1 gallo. Y ese *ebó* se tiene 12 días debajo de la cama.

Cuando caen todos los caracoles boca arriba se recogen y se echan en agua, se pasa la mano mojada por los ojos y se vuelven a tirar.

(Un baño de sangre de chivo es recomendable según algunos viejos, sobre todo si el que se consulta es hijo de Changó.)

Los *ebó* que ordenaba la *Iyalocha* de Guanabacoa, comadre de Niní:

OKANA — gallo, *adié*[18] (gallina), paloma, carne de buey, *akará*, pescado, *ekó*, miel, manteca de corojo.

EYIOKO — 2 pájaros casados, 2 cocos, 2 *orobó*, *ekó*, *eyá*, maíz, *epó*.

OTRO — 3 gallos, 3 cocos, *ekó*, 3 palos, paloma.

OTRO *EBO* — 1 chivo, carne de vaca, manteca de corojo, *ekú*, *eyá*, mazorca de maíz, 1 gallo, 1 muñeco, 3 bates, la ropa que tiene puesta y $7.35.

OGUNDA — Si pronostica herida: 3 cuchillos, 3 palos, 3 cocos, *ekó*, *eyá*, *epó*.

Si trae *osobo* augura abandono del marido, o si quien se consulta abriga intenciones homicidas: 1 hachita, 1 machetico, *ekrú*, *eyá*. O 1 cuchillo, soga, 1 gallo, *ekrú*, *eyá*, *epó*.

Si trae *iré arikú*: 1 par de palomas o 4 palomas blancas, *ekrú*, *eyá*. O 4 gallos, 4 gallinas, *ekrú*, *eyá*, *epó*.

EYIOROSUM — 4 gallos, 4 cocos, *epó*, *ekó*, *eyá*, corales, 2 sacos con piedras, un racimo de plátanos, 4 varas de género blanco, 1 chiva, 4 palomas, 4 ñames.

Para evitar líos y prosperar: 1 chivito, 1 palo, 3 piedras, 1 pollo. O 1 gallo, 2 guineas, 3 palomas, *ekrú*, *eyá*, *efín*, *ekó*.

Calumnias y malas intenciones: 1 chivito, 1 palo, 3 piedras, 1 pollo. O 2 palomas, 1 freidera, *ekó* y *eyá*.

Cuando habla para bien, de una herencia: 1 chivo, 3 palomas y 1 gallo. Para atraer o más bien adelantar el arribo de una felicidad que está en camino: 1 gallina, 6 velas, 6 palos (para leña), 2 guineas, 6 calabazas, 6 varas de género punzó. Un baño con sangre de la gallina.

Para anular a un enemigo: 6 calabazas, 6 macitos de leña, lirios, 6 guineas, 1 gallo, 1 jutía, 1 gallina, *edrú*, *eyá*.

Para desviar la atención de la justicia o su intervención: 1 género rojo, *ekrú*, *epó*, *eyá*. O 2 palomas, 2 gallinas, 2 calabazas, *ekrú*, *eyá*, *epó* y babosa. O 1 gallo, 1 carnero.

Para asegurar la suerte en un viaje que augura Obara: 1 chivo y 1 gallo. O 1 gallo y 8 palomas.

ODI — Para conjurar una enfermedad genital y de la vista, y a una mujer el peligro de contraerla. 1 paloma, 7 *ekó*, 2 guineas, 2 cocos. O 7 retazos de géneros de diferentes colores, 2 jícaras, 2 cocos, 2 plumas de loro, 1 carnerito.

OCHE — 2 pescados frescos, 5 varas de género amarillo, 1 guinea, 5 botellas de miel de abeja, 5 manillas, *ekrú*, *eyá*, *epó*, *ekó* y 5 plumas de loro.

Para obtener el favor de Ochún, que promete su protección: 5 pescados ahumados (*eyá wiwí*), 5 *olelé*, 5 cocos, soga, calabazas, 5 plumas de loro. O 5 manillas, 5 campanillas, 5 corales, 5 huevos, 5 botellas de miel de abeja.

Para trasladarse de un lugar a otro y evitar enfermo en la familia: 2 palomas, género blanco, manteca de corojo (*epó*), de cacao, *ekrú*, 5 macitos de leña, 5 pañuelos amarillos, 2 guineas y 1 machetico.

Cuando *Oché* trae *Iré* (suerte), enfermedad: 1 gallo, 2 guineas, *ekrú eyá*. Y para desviar una enfermedad: 5 pares de palomas, 5 libras de manteca de cacao, 5 libras de cascarilla de huevo.

OBARA — Evita tristeza, enfermedad y fuego. 2 botellas de agua, 16 cocos, 2 gallos, 16 calabacitas, la ropa que tiene puesta y la sábana de la cama en que duerme el consultante.

Para precaverse de envidia y atajar reyerta: 1 gallina, 2 palomas, 2 mazorcas de maíz, frijoles de todas clases.

O 4 palomas, 8 plumas de loro, babosas, manteca de cacao, de corojo y cascarilla de huevo.

Para desviar la enfermedad o la muerte: 1 gallo, 2 gallinas. Para hacerse perdonar un aborto y la deuda de un *ebó*: 1 gallo, ñame, hilo blanco y negro, *ekó*, *eyá*, *epó*.

EYIONLE — 1 chiva, 8 palomas, 8 varas de género blanco, 8 plumas de loro, 8 cocos, 2 gallos, ceniza, carbón, grama, babosa, *eru*, *osun*.

OSA — Para evitar quemarse, enfermedad, robo, calumnia: 1 gallo, 1 chivito, pescado fresco, 9 *ekó*, 9 varas de género azul, 9 *ajuyá* (pescado), 9 capullos de algodón (*ou*), 9 sacos de tierra, 7 rajas de leña, 9 *ekó*, 9 velas (*atana*).

OFUN — Para la salud y para atraer la suerte, que obstaculiza una «prenda» o maleficio: 10 palomas, 10 pelotas de fufú, *orí* (cascarilla de huevo), 1 vara de género blanco, 10 guabinas, ñame, manteca de cacao, hilo rojo, negro y blanco, 1 sortija de plata, 1 jícara con cascarilla, 10 velas.

OJUANI — Para no caer en manos de la justicia y evitar una agresión: 1 gallo, 1 chivo, babosa, cascarilla, 11 cocos, 11 pescados, 11 *ekó*, 11 *epó*, 1 ratón.

EYILA CHEBORA — Para resguardarse de fuego y enemigos: carnero, 2 gallos, quimbombó, harina, 2 cazuelas de frijoles de carita, 12 muñequitos, 12 jicoteas, 1 jutía.

Los *ebó* preferidos de Rosalía de Sagua la Grande —o mejor dicho, de su antecesora— son los siguientes.

OKANA SODE — 1 pollo jiro, un gallo colorado, 1 ratón, maíz, alpiste, arroz, miel de abeja, 1 panetela.

EYIOKO — 1 pito, 1 cachimba, 1 bola de fango, 1 palo de casa derruida, algodón, 2 palomas blancas, 1 gallo blanco.

OGUNDA — 1 gallo negro (para Ogún), 2 pares de palomas blancas, coco, manteca de corojo, algodón y cascarilla.

EYIOROSUN — Anuncia epidemia y la muerte de un familiar. 4 palomas blancas, 2 gallos colorados, cascarilla, algodón y géneros blancos.

El *ebó* salvador, recalca Rosalía, consiste en frijoles de todas clases, manteca, un gallo viejo jabado, arroz que se ha de comprar en 7 bodegas diferentes, maíz y coco. Una vez que Rosalía termina esta rogación el consultante la depositará debajo de su cama y allí la dejará durante 7 días. Cumplido ese plazo, para que el muerto se marche de la casa, la persona amenazada —y ya liberada— la llevará al cementerio o la dejará caer junto al hospital.

OCHE — Traición, desunión de matrimonios por medio de brujerías: 1 flecha, ceniza, canela, 1 lengua.

Para recibir una fortuna que predice *Oché*: 2 palomas (hembra y macho), manteca de corojo, pescado ahumado, 1 gallo para Ogún.

OBARA — 1 pollo negro jabado, erizo, la cabeza del ñame asado, coco seco, pescado ahumado, jutía, maíz, arroz amarillo de canilla, 1 vara de género negro.

Para dar gracias a Obanla y alejar la muerte: 4 palomas blancas, algodón, cascarilla, 1 pollo, hilo y la ropa que tenga puesta el consultante.

Obara Obasa Orumale ko be te si yo maferefún Eleguá maferefún: cuando anuncia prisión y apremia al consultante a que huya aunque sea por pocos meses y mude de domicilio, le aconseja lo siguiente. Que coja un huevo culeco y diga: como un huevo culeco no saca pollo, que nadie saque nada de mí.

ODI — 1 gallo negro, un pedazo de carne de cogote, 2 gallinas, 2 palomas, 1 faja azul.

EYEUNLE — 2 pares de palomas blancas, 1 pollo negro, 1 gallo blanco.

OSA — *Yewá to tojún.* 1 pollo negro jabado, erizo, cabeza de ñame asado, coco seco, pescado ahumado, maíz, arroz amarillo (de canilla), 1 vara de género negro. O 4 palomas blancas, algodón, cascarilla, 1 pollo, hilo, la ropa blanca que tenga puesta.

OFUN — 4 palomas blancas, 1 babosa, 1 gallo. O 14 babosas, 2 pares de palomas blancas, 4 banderitas coloradas, 4 blancas para clavar detrás de la puerta o donde lo indique el *Odu*, 1 jícara de frijoles de carita y maíz, 4 pencas de millo, 4 varas de género blanco. Para contentar a Changó, un pollo.

Para evitar que un hombre abandone a su mujer o una mujer a un hombre, el *ebó* que aconseja consta de 1 gallina, 10 huevos, 10 *akará* (bollos), miel de abeja, y se dejará camino del río, para Ochún.

OJUANI — (Fue el que trajo el dinero al mundo).

Rogación con palomas.

1 gallo, 1 pollo, 1 ratón, pescado y toda clase de viandas.

Para librar a una persona de comparecer ante la justicia éste es el *ebó* que propone Niní: 1 chivo, 3 gallos, carne de vaca, *ekó*, *elu-bombo*, manteca de corojo, *ekrú*, *eyá*, mazorca de maíz, 1 muñeco, 3 bates y la ropa que tenga puesta.

Omitimos otros *ebó* que en los demás caminos de *Ofún* incluye su «cartilla».

En este caso Rosalía los reduce a 2 palomas blancas y 1 bala de revólver. Regarle alpiste y algodón a Obatalá.

EYILA — *Kabie síle Jebioso elueko Osi Osain. Kabie síle.*

1 jicotea, 8 palomas y 1 gallo.

«¡Ah!» —me dice Rosalía— «y apunte esto que se me olvidaba. Cuando la letra anuncia una 'tángana' muy grande y que una mujer que tiene dos maridos, por infiel está en peligro de que la enfríen, se le toma la medida del cuerpo con una tira de tela y llamando a Ochún se le hace *ebó* con 1 gallo, 1 ganso y 2 gallinas amarillas».

Y por lo exhorbitante de la suma que en aquellos días representaba los derechos que salvara de la muerte a un *Omó* Changó, copiamos:

«Cuando sale malo el *Odu* . . . (*oloun lafín ayalayí . . . Moyuba re Olodumare Moyuba re Changó Elueko elú yo reno kabio kabie sile Jekua jeri*) se asegura el *Dilogún* y enseguida se desbarata la letra. Luego se lee llamando a Olufina. Se pregunta, responde que sí, que acepta *ebó* y se coge un tallo de plátano, una pelota de fango, 14 pares de palomas y la ropa que tenga puesta el sentenciado a muerto y . . . $200.00.»

Aquí tenemos algunos de los *ebó* que indicaba el famoso Andrés Monzón.

OKANA SODE — Problemas de justicia: flecha, jutía, pescado, gallo, paloma, ratón cazado (cogido en una trampa), corojo, *ekó*, cuchillo y bala.

EYIOKO — *Ibeyi oro to ayé, gbo, idogbu, Ainá Alaba.* Frutas, paloma, pedacitos de leña; una ofrenda de comida para Ocha Oko.

OGUNDA — Traición, amenaza de justicia: 1 chivito macho, 1 cuchillo.

Separación, disgusto, mudanza: 1 gallo, 1 pollo, 1 tamborcito (tocarlo ciertos días), 1 cuchillo, *ori*, *epó*.

Para suerte: 2 palomas, pescado de agua dulce, 1 coco, manteca de corojo, de cacao. Si es menester «rogar la cabeza», cubrirla con un pañuelo blanco durante tres días.

Si *Ogundá* denuncia que el consultante abriga malas intenciones —deseos de matar—: *ebó* con un cuchillo, 1 soga nueva, 1 bala y 1 gallo.

Si habla Babalú Ayé, agregar al *ebó* anterior 1 guinea. Rogación aparte y depositar el *ebó* al pie de una ceiba.

EYIOROSUN — Para evitar cárcel y traición: género blanco y punzó, 2 palomas, 1 gallo, 1 pollo (para Eleguá), cascarilla, cacao y 1 tamborcito.

Justicia, enfermedad: 2 pares de palomas, 1 racimo de plátanos manzanos, 1 jícara, flechas, verduras, agujas, corojo y un poco de tierra del quicio de la puerta.

OCHE — Amores, chismes, enredos, rencores, disgusto familiar, amenaza de enfermedad: 5 gallinas, bebida, miel de abeja, gofio y género amarillo.

Embarazo: Gallinas o chivo capón. Pollo, guinea, 2 chuchos, 2 calabazas amarillas, 2 melones de Castilla, 5 palanquetas y 5 huevos.

OBARA — Pobreza y suerte repentina, envidia: 1 gallo, ñame, coco, aguardiente, 16 pedazos de calabaza.

O para resguardarse y suerte: gallos, palomas, 6 trozos de ñame, avíos de fuego, la ropa que lleva puesta, cocos, 3 barretas, miel de abeja y vino dulce.

Y si Obara viene «por camino de muertos» (*Ara Orun*): gallina, vela, coco, *olelé*, tabaco y otros comestibles.

Para Babalú Ayé, la rogación se le hace directamente a este *Oricha* y evitará enfermedades y otras calamidades.

Una rogación muy efectiva para Obara es, después de practicada, cocinar un gallo, quimbombó, harina, en una cazuela nueva, y la persona necesitada la lleva a las doce del día a una palmera y allí la deja después de implorarle a Olufina.

Mala situación, desagrados, angustia, pesadillas, chismes.: 1 calabaza, 1 melón de Castilla, 1 gallo, 1 pato.

Líos de justicia, cárcel: paloma, pluma de loro —*iko ide*— 1 cadena, manteca de corojo, un puñado de agujas, género de 4 colores.

Amores clandestinos, infección venérea contraída o por contraer: 2 gallos, guinea, coco, mazorca de maíz, *ekó*, 1 ovejita[19] para criarla y que Yemayá ayude a la persona interesada.

Para resolver un asunto de importancia: desleír *ekó* —lo que llaman hacer un *saraeko*—, miel de abeja, aguardiente, tabaco y una vela. Para reparar la honra perdida de una muchacha: 1 jícara, gallo, paloma, 1 pato, mazorca de maíz, comida de todas clases.

EYEUNLE — Para dar gracias a Obatalá, calmar y evitar muerte por enojo: paloma, ñame, bejuco de boniato.

Para que se apresure la suerte que está cercana: rogar la cabeza y *ebó*.

Mazorca de maíz, paloma, cacao, cascarilla, género de dos colores, ropa usada y cepa de plátano.

Para evitar robo y mantener un secreto: *iko ide*, es decir, pluma de loro, 2 géneros blancos, algodón y babosa.

OSA — Ladrones, enemigos, pena de amor: gallina, 9 pescados de agua dulce, 9 mazorcas de maíz, 9 plátanos, 9 pedazos de coco, 9 frijoles colorados y de carita, 9 chuchos, 1 tinaja, 1 collar de Yansa. O gallos, cocos, 1 vara de género azul o morado, agujas, capullos de algodón, chivito, tierra, rajas de leña encendida, *ekó* y vela.

Osa por camino bueno, «con *iré*». Alteración en la casa, amenaza de justicia, intranquilidad: 1 pollito para Eleguá, gallo para Ogún y Ochosi, para Obatalá paloma, cascarilla y manteca de cacao. (*Ibori* antes de hacer *ebó*, «refrescarle la cabeza al consultante».)

Y en *OSA MEYI* — Fuego, pleitos de familia, ruptura amorosa, oposición a amores clandestinos: 2 gallinas, 2 pares de palomas, 9 *olelé*, 9 *akará*, 1 machete, 2 piedras, maloja, 1 saquito de tierra, carbón en ascuas que se apagará con agua en el curso del *ebó*, 9 pedacitos de géneros y 1 pollito para Eleguá.

OFUN — Para proteger de acechanzas y rencor: gallo blanco, 1 chivo capón, 2 palomas, pescado, jutía, cascarilla, coral, manteca de cacao y vela. Para atajar una enfermedad de estómago y barrer los obstáculos que se oponen a la suerte: 10 palomas, 10 guabinas, 10 *ekó*, 10 pelotas de fufú, 10 velas, hilo blanco, 10 géneros, *Osun*[20], 1 pedacito de género colorado, 1 sortija de plata y mucha cascarilla. Si a un enfermo le predice *Ofún* que quedará inútil: depuración, limpieza y prepararle un bastón para su uso.

Para dominar la avaricia, la envidia, que son causantes de los contratiempos y desgracias que sufre la persona que se consulta: crin de caballo blanco, 1 bastón forrado de blanco con cascabel, babosas, 1 cesto viejo o usado y una pieza de ropa de su vestimenta.

OJUANI — Ogbani Chobé decía Monzón en vez de *Ojuani.*
Para abrir el «camino» que tiene cerrado Echu: 1 hacha, 1 flecha, 1 machete, 1 guataca, 1 cuchillo, 1 gallo y algas.
OTRO: 1 chivo, 1 pollo, 1 jutía, pescado de río, manteca de corojo.
Para alejar la muerte: gallo jabado, 1 puñado de agujas y *otí* (aguardiente).

EYILA CHEBORA — Para evitar un fuego que amenaza quemar al consultante: 1 carnero, gallos, jicotea, jutía, harina y quimbombó en abundancia, cazuela de frijoles de carita, muñequitas.
Rompimiento de tratos, divorcio; impedir un mal, propiciar un bien: guinea, gallo, chivo, carnero, quimbombó, maíz finado, plátano manzano y un collar de Changó preparado.

De otro de nuestros más viejos informantes este *ebó* para:
EYIOKO (Oricha Oko y los Ibeyi).
Ir al monte con un pollo vivo, mazorca de maíz, manteca de corojo y 1 coco, allí asar el pollo y la mazorca, luego, sentado a la sombra de un árbol pedirle a Orichaoko y a los Ibeyi y comenzar a comer ambas cosas, beber el agua del coco introduciendo en éste una hoja del árbol que lo cobija. Con la hoja de ese árbol y corteza del coco se le hará una reliquia que llevará siempre al cuello.

OGUNDA — Para la enfermead de vientre que augura este *Odu*: 1 pollo que cante, géneros de tres colores, rojo a rayas, morado obispo y negro. Maíz tostado, manteca de corojo, miel de abeja, aguardiente, 1 cuchillo y siete centavos. Se pasa el pollo por el cuerpo del paciente, luego se le abre el vientre al pollo con la mano, se rocía de aguardiente, se le mete en el buche miel, coco y maíz, y se le pone en cruz a la persona sobre el abdomen. Tres pedacitos del cuchillo y todo lo demás se envuelve primero en la tela morada, luego en la roja y por último en la negra, y se arroja en una encrucijada.

OYOLOSO y *OCHE* no difieren de otros ya contados.

OBARA — Baldear la casa con el agua de seis cocos y frijoles de carita, harina de maíz y manteca de corojo. Quemar mucha mirra.

ODI — Para alejar al *Ikú* de la casa: 1 guinea, ñame, azafrán, maíz finado (o tostado), corojo y tela rosada. Este *ebó* se lleva al cementerio para que Yewá se lo entregue a Yansa (la diosa de los muertos).
Para vencer: limpieza con gallo, corojo, quimbombó, leña (palo vencedor), maíz, velas, 2 jícaras nuevas, tela punzó y blanca y 1 carnerito.

EYEUMBE (Eyeunle) — 1 chivita blanca, 2 palomas blancas, babosas, manteca de cacao. Darle de comer a la cabeza del consultante después de lavarle con yerba de Obatalá, 1 par de palomas blancas.

OSA — Tela blanca y a rayas se adorna con 10 caracoles de babosa para ponerla a la cabecera de la cama. Luego ripiar una penquita de guano para colocarla a la puerta del cuarto.

OJUANI SOKE — Mucho maíz tostado, 1 paloma negra sin sal, manteca de corojo, 1 coco pintado de blanco, 1 gallo que sea jabado.

O este *ebó* que aconseja Ogún para escapar de la autoridad: 2 guineas, 1 gallo jabado, aguardiente, corojo, maíz tostado, guano ripiado, tela roja, carne de cogote (para pasarla por el cuerpo y limpiar al que hace el *ebó*). Darle 1 comida a Ayé —San Lázaro— y otra a Ogún, y encenderle durante 17 días a San Lázaro.

EYILA CHEBORA — 1 gallo, 6 jicoteas, 4 jícaras nuevas, 6 brasas o carbones apagados, tela roja, maíz, *amalá* (quimbombó), *alalú*.

OGUERE — Chivo capón, palma negra, frijoles de carita, tela punzó listada, coco, manteca de corojo y maíz.

No se olvide la siguiente «rogación» que salvaba a los que eran víctimas de una maldición, se hallaban enfermos o amenazados de caer en manos de la justicia, muy efectiva y bien conocida de los viejos allá en Cuba.

1 paloma a pintas, 1 pollito recién nacido, 1 gallo. Aguardiente para Eleguá. Pescado ahumado, jutía ahumada, 3 tabacos, maíz tostado, 3 mazorcas, miel de abeja y panal de abeja. Ristra de ajo, 7 bolas de ñame, harina de maíz, alpiste, arroz, 3 cocos, 3 bollos de carita, 3 quimbombós. Toda clase de menestras, manteca de cacao, agua bendita de la Iglesia, agua de mar y de río. Tierra de una loma, de la cárcel y de las cuatro esquinas, 3 jícaras, 3 piedras de la línea del ferrocarril, 1 flecha, 3 bolas de vidrio, 1 soga, estropajo, 3 yerbas acuáticas, plumas de aves (de toda especie), cintas y 3 carreteles de hilo de colores diferentes. 1 vara de tela blanca, 1 azul y otra roja, 1 llave, 1 casita. La ropa, las medias y los zapatos del que es objeto de este *ebó*, y que está obligado a ir al mercado a recoger todas las basuras que pueda.

Se le mide el cuerpo con la soga, que se corta en pedazos con una tijera, cantando. Se hace *sarayeyé* con frutas y coco. Le rocían la cabeza tres veces, le ciñen a la cintura un pañuelo del color de su *Oricha* o Santo tutelar, («su Angel») y se le cruza un collar en el pecho. Tres yerbas de Eleguá, de las cuales la yerba fina es la principal, se le pasan por todo el cuerpo con el maíz tostado, la harina y el alpiste, 1 coco seco, los tres trozos de mazorcas embarradas en manteca de cacao y las basuras y desperdicios del mercado.

El *ekó*, las tres piedras y las tierras dispuestas en montoncitos, se rocían con aguardiente, *orí.* A uno de los tres tabacos le unta miel y se «limpia» al sujeto de la rogación con las siete cintas. Por último, se mete todo dentro del pañuelo de fondo punzó y bordes negros, se le pasa también por el cuerpo y de nuevo se «despoja» con el pollo, que al llegar a los pies se descoyunta. Luego con el gallo, y por último se pasa la paloma, que se echa después a volar.

Durante siete días la mujer o el hombre necesitado de esta rogación, se bañará con las yerbas siguientes: malva, quita maldición, abre camino, verdolaga, ristra de ajos, hojas de algodón y amansa guapo.

Vestir el hábito de algunos santos católicos —el de San Francisco, Nuestra Señora del Carmen, San Lázaro, el de las Animas— era también promesa usual de los devotos de los *Orichas*. Esta piadosa práctica ha desaparecido completamente entre los negros y los blancos. Aún existía en las dos primeras décadas de este siglo.

Para no faltar a la verdad también *Olorichas* e *Iyalochas* a veces atacan a quienes odian y a los que sus consultantes les indican.

Los *Orichas* son fuerzas de la naturaleza, neutrales, y como eran las divinidades de los babilonios y griegos, tienen las mismas pasiones y flaquezas humanas; indistintamente hacen el bien y el mal. Son interesados y golosos como hemos visto. Exceptuando a Obatalá, despiadados si se violentan. Es decir, que merced a un *ebó* del agrado de un dios —un chivo, un cerdo, un carnero— se puede contar con su intervención para satisfacer una venganza o una antipatía gratuita nacida de la envidia o de un rencor. Vamos a presentar un solo ejemplo:

«Con un pollo de cualquier color, puesto yo de pie llamo a Eleguá *Bi Bara ki keño Alaketu,* al Anima más necesitada[21], al Anima Bendita del Purgatorio y a las Nueve Animas. Parto el ala derecha del pollo y digo: No parto el ala de este pollo, parto el brazo derecho de Fulano o Mengano. Y digo lo mismo al troncharle la izquierda. Así voy partiendo todo el cuerpo del pollo uniendo el nombre a la acción: No parto la pata de este pollo sino la pierna de X. Luego, con el cuchillo bien afilado le apuñalo la cabeza: Estas puñaladas no se las doy a un pollo, se las doy y las recibe Zutano o Mengano. Lo abro por detrás, le echo sal y se lo pongo a Eleguá. Le arranco la lengua, que dejo secar colgada al sol atravesada por siete alfileres. Cuando la lengua está bien seca la muelo y la echo en una botella con vinagre, sal, pimienta, harina de Castilla, bledo tostado y molido, clavos y dos centavos. El 'misterio' del bledo está en que tiene un poco de aroma. Meto una pizca de piedra imán, limalla, tierra del cementerio molida y soplo en dirección a la casa del que voy a reventar, en su puerta y en sus cuatro vientos. Y para terminar, tres clavos encendidos que al sonar las doce de la noche le pongo en el umbral.»

Recordemos una vez más, que es indispensable para hacer *ebó*, disponer de coco, jutía, pescado ahumado, manteca de corojo, polvos detrás de la puerta, 3 pedazos de *ekó*, *aché* de Orúmbila (*yefá*), maíz, agua, una hoja entera o tres pedacitos de malanga verde o de prodigiosa. Sin contar, como se ha visto, con lo demás que exige el *odu* para el logro de un empeño o para limpiarse de pecado o brujería; «el mar hizo *ebó* y por eso es limpio», es un dicho frecuente en la Santería. «El *aché* no tiene necesariamente que ser de Orula. Hay muchos *aché* de Santos.»

En cuanto a los animales, pollos, gallinas, gallos, guineos, codornices, patos, ovejas, carneros, chivos, perros, han de ser sanos. Un animal en mal estado no se le inmolará jamás a un *Oricha* o a un Muerto.

Si algún lector no ha presenciado aún una «rogación» con ave, vea cómo procede una Madre o un Padre de Santo:

Dispone una jícara con maíz, otra con *omí* de *otán* (agua del recipiente de una piedra sagrada), una vela, un pollo negro para Eleguá y se hinca de rodillas en la estera. Pone ante sí el dinero —«derecho»— que anteriormente ha sido estipulado en el *Odu* por un *Oricha*, y el Padre o la Madre que oficia pregunta con los cuatro trocitos de coco seco si todo está en regla, y dice:

«Mo yuba ré olono akokoribé Olodumare mo yuba, mo yuba Obatalá, Obalufón, Obamoró, Olofi ko fiedeno Babamí. Moyuba Ochún Abaña Alafiweremo, Iyamí alade koyu Olokun taramaglia Asayabí Olokun tino. Ogún olomí dara Moyubaré aboko Oba.»

Y elevando ambas manos al cielo:

«Ebe Yewá ayé gu re yengueré kelé de miki oloto afelé lako ayó mi alayadé. Elueko Ochosi Osain aweniyé Inle abari olodó ba ré olodó Ochaoko Orúmila asomauro pé ka kuana Agrónika sapata jo wero somugué eye kua korun Eleguá ala kueta Echu Yelu Añaguí añaguioso Echu laroye maferefún Ogún bi oko asasiña fende ure lekobún kobunko Moyuba Babalawo, gbogbo kaleno Ocha mo yuba re Iyamí Baba mi, omo mi abure mo yuba ina moyuba Ochukuá Mo yuba re Irawa mo yuba re.»

Toma el ave, y si hay varios asistentes los purifica pasándosela por el cuerpo; comienza por el más joven y termina por el mayor y reza: *Sarayeyé bakuno sarayeyé.* Al último que limpia es al que es objeto de la «rogación». Este le abre el pico al ave, le expresa su deseo y le escupe tres veces dentro. El *Babá* o la *Iyá* le arranca la cabeza al gallo y le ofrece la sangre al *Oricha*.

Para Yemayá y Ochún se echa la sangre en una jícara. Si es para Yemayá se ordena poner un *kuekueye*, un pato bajo una ceiba.

En una rogación a Eleguá se reza de rodillas, después de lavarle al ave el pico, las patas y debajo del ala, y de poner en el suelo el «derecho» que corresponde:

«*Eleguá Barakikeño Babamí kofiedeno Babamí kinkeño Babamí barakinkeño Omo mi kekere te fumí ota okun owo iré Babamí aradiyé umbo fumi orí odara odara omokekeré ilé fumi okuko etié Barakikeño Babara ikio Odua mi Alaketa Babamí.*» Una pausa y de frente al devoto, el sacerdote le pasa el gallo y reza: «*Oluno kokoribe fiedeno Baba mi saweyé fumi mo kekeré kodá olu mi abila wan wan olu ami.*»

Se canta: «*Sarayeyé bakuno sarayeyé ye únlo . . .*»

Cuando ya se ha pasado el gallo por el cuerpo del penitente —se le ha «limpiado» o «despojado» otro término ya está dicho muy corriente para expresar que está libre de malas influencias o del mal que se ha trasladado al animal—, a éste se le arranca la cabeza y se vierte su sangre sobre el *otán* del *Oricha*. Entonces el Santero o la Santera toma pescado ahumado, jutía, coco seco, maíz, manteca de corojo, un pedazo de género rojo y hace un bulto que prende con alfileres y lo amarra bien. Recoge las plumas y con ellas y tres huevos se purifica. Le echa también unos centavos, que hace años eran siete o setenta y cinco. El *ebó* se entrega simbólicamente a Echu y se envía a una sabana para que las auras tiñosas, *Kolé Kolé*, se lo coman y lleven al cielo la rogación.

Si ésta ha sido bien recibida —«si llegó a las alturas y allí se atendió»— lo sabe el *Oloricha* preguntando con *obí*, entonces puede decir: *Ebó fi che bo da*, (que se traduce: el que hace *ebó* hace todo).

Una limpieza o rogación a Ogún, que es otro de los *Orichas* muy populares y antiguos del panteón lucumí, suele hacerse con un pollo negro, coco, manteca de corojo, jutía, pescado ahumado, maíz, arroz canilla y alpiste. Se envuelve en un género morado, rojo o negro, y si no se deposita en la línea del ferrocarril debe llevarse a una manigua, cuanto más espesa mejor.

Canónicamente, ya se nos ha dicho, el último que se purifica en una rogación es el que más la necesita, la solicitó y la costea.

Para un despojo de Babalú Ayé hay que disponer de diecisiete libras de maíz, diecisiete clases de diferentes *ewes* —yerbas—, manteca de corojo, maíz tostado, siete clases de frijoles —que le serán pasados por el cuerpo uno a uno—, un gallo jabado, un guineo, un género rojo con dibujos de flores y una escoba nueva de guano. Después de despojar al individuo que implora la asistencia del «Dueño de las Enfermedades» —el que las da y las retira, como dice Monikín— un mandadero, el *onché* del *ilé Oricha*, lleva este *ebó* a una sabana. Al salir el *onché* es preciso que se arrojen ante él tres jarros de agua y se tengan prendidas hasta que regrese diecisiete velas. Cuando vuelve de cumplir su misión, antes de que penetre en la casa, se echan, de frente a él, cuatro jarros de agua: uno más que al partir. Y se tendrá preparado para purificarlo un *omiero* —agua con albahaca, apasote, siempre viva, canutillo, bledo, miel de abeja— y agua bendita de la Iglesia que nunca ha de faltar en una casa de Santo.

La rogación que generalmente se le hace a Ochosi, «el Dueño de la Cárcel», como le llaman los criollos, para sacar a algún penado de la prisión —de *ilé Ochosi*— exige una gallina y una guinea. Una flecha, palmiche, un gajito del lado en que nace el sol, una jaula con un pájaro, un verdón, dos jícaras con maíz, arroz, alpiste, aguardiente de Isla, media docena de ñames voladores asados, 13 centavos o 13 medios. Este *ebó* se envía con un mandadero a un cuatro caminos o a una manigua. Allí se le abre la puerta de la jaula al pájaro, se llama por su nombre al prisionero y se dice con firmeza: como le abro al verdón la puerta de esta jaula así le abro a Fulano la de la cárcel.

La guinea se sazonará sin sal, con manteca de cacao y se la coloca sobre un par de hojas de plátano frente a la jaula. Tan pronto quede libre el preso, se le ofrendará dos codornices a Ochosi y a la semana siguiente un par de palomas cimarronas.

Para una rogación a Inle, el médico divino, un gallo blanco. Se cava un hoyo en el suelo a las doce de la noche. Se ruega el gallo, se tuesta maíz con manteca de cacao. Se tienen doce huevos y doce jícaras. El *Oloricha* limpia a su cliente con el gallo, al que arranca la cabeza y derrama su sangre en el agujero diciendo: así como suelta su sangre este *akukó*, así suelto a . . . llama por su nombre al amarrado —al que está mágicamente atado por un hechizo del que es víctima— o bien «amarra» a su contrario si de esto se trata. Tapa el agujero y le echa miel de abejas. El gallo se cocina con agua de azahar, agua bendita y diecisiete yerbas. El que está «amarrado» y hace ebó irá en persona a enterrarlo a las doce de la noche del día siguiente. Llamará a la Madre Tierra y a Inle y les dirá: «Así como la tierra lo destruye todo, así quiero que se destruya la maldad que me han hecho Fulano y Mangano.»

Luego el sujeto se baña con albahaca, *totón*, «que en lucumí se llama *atikuanla*», hojas de cuandiamor, de algodón, azogue vivo y piedra imán. Bien molidas las yerbas en agua fría, se restregará el cuerpo con un medio antiguo. A las doce meridiano del día siguiente se bañará sin jabón. Se dará dos baños más, y al tercero tomará un purgante de verbena con aceite de almendra. El agua de ese tercer baño lo manda a una encrucijada o a los cuatro vientos (esquinas) por las que no transite nadie. Después tomará un último baño con Palo Caja, aguedita, agua de mar, agua que ha de sacarse de un pozo antes de la salida del sol y se bañará antes que despunte el alba.

Una rogación a Oyá muy efectiva es la que se practica con un guineo negro, género de nueve colores, una escoba de palma, tuna de Castilla, nueve espadas de madera, nueve platos diferentes, nueve libras de maíz, nueve cocos secos, nueve huevos, un tallo de plátano que se viste como la persona que va a hacer rogación; nueve paquetes de velas, una libra de manteca de corojo. Todo esto se le pasa por el cuerpo. Luego se le reza a Oyá y el *Olúo* le menciona cosa por cosa. Envuelve todo e imita la figura del cuerpo del sujeto lo más parecido posible, lo amarra y prende con alfileres y lo manda a su destino con el *Onché* pagándole a éste su derecho. Se cobraba por este *ebó* $100.00. Los nueve platos los llena de fufú, calabaza y malanga güigüí, más veinticinco pares de palomas blancas para cumplir con Obatalá y $25.25 de derecho por las palomas. Esto es, nos dicen, para quitarse el Santero la letra de encima, porque de lo contrario Oyá puede ensañarse con él.

Para hacer este *ebó* es necesario que el Santero o la Santera tengan ante sí las 24 palomas. Para halagar a Oyá y que no se resienta por la ofrenda que recibe Obatalá se le sacrifica una chiva y nueve codornices.

Yemayá tiene muchos hijos y devotos que le imploran de continuo y a los que ella protege y complace . . . «si se portan bien», entiéndase. Según nos dijo una hija «legítima» de Yemaya, es clásico este *ebó* que la diosa del mar recibe con agrado. Consiste en dos patos encintados con cintas azules y en las puntas siete medios reales, —los patos que sean blancos— y después de rogados se le mandan con una jícara llena de *akará*, es decir, de bollos de frijol de carita, a la desembocadura de un río o mucho mejor al mar. Allí, después que se le entregue esta ofrenda se llena una botella de agua marina. Entiéndase, que se lleva y se trae tapada dentro de un saco de seda azul, con el derecho. Se cobraba por este *ebó* $8.85 y $2.25 se pagaba al mandadero.

Con el agua salada de la botella, una yema de huevo de pata, aceite, algodón, agua bendita, incienso molido, una cabeza de pato hecha polvo y dinero, se le enciende una lámpará a Olokun. En el plato se pone la vela. Los polvos en la lámpara los arregla el mismo Santero.

Esto se le hace a personas que no tienen suerte. Conviene añadir piedra imán y azogue vivo, porque a quien se aconseja este *ebó* está amenazado por el fuego. Pero se mejora. Verá la vuelta que dan las cosas.

Para solicitar la protección de Ochún —Cachita, la Caridad del Cobre— una vieja informante, Kantomi, que nos dio muchas fórmulas de la magia amatoria de esta diosa del amor[22], nos anota los elementos de una rogación corriente: Hace falta una gallina amarilla (Ochún es la dueña del color amarillo, como lo es del oro, que es amarillo, del ambar, de los girasoles.) Un panal de miel, harina de maíz, gofio, cinco botellas de cerveza, una de vino dulce, una calabaza, cinco clavos de bronce, cinco paquetes de velas. Tome la gallina y después de rogarla la abre y la rellena de gofio, maíz tostado, coco, un poco de vino dulce, de miel de abeja, cinco medios, una vara de género amarillo, y con alfileres lo prende todo y lo manda a una laguna o al río, y le paga su derecho a quien lo lleve (0.55 centavos). Este *ebó* valía $5.55. Después de abrir la calabaza se le reza a la par que a la gallina. Ya terminado este *ebó* sáquele las semillas a la calabaza, échele dentro un huevo, panetela, cinco clavos, maíz, coco y se le ruega. Encienda una vela. Después de cinco días la manda al río, que es la casa de Ochún, con un plato de palanquetas.

La «letra» que prescribe la siguiente rogación a Obanla pertenece al *Odu* que llama G. *Eguani Ayeunle (Ojuani Eyeínle),* se hace con dos pares de palomas blancas, una vara de género blanco, manteca de cacao, cascarilla, babosa, maíz tostado y rositas. Después de hacer la rogación y de arrancarle la cabeza a las palomas, se envuelve todo en el paño y se meten por lo menos seis monedas de cobre. Se paga al que lleve esta rogación que dejará a la sombra de un árbol, o mejor, envuelta en algodón, en un hoyo.

Las horas suelen ser importantes para llevar un *ebó* a su destino y para no citar más que un ejemplo en la rogativa que se le hace a Olufina con doce jícaras colmadas de quimbombó, harina de maíz, de *ekó,* manteca de corojo y un gallo que se ata con un género rojo. Se ofrece después paloma en un plato. Se pregunta si el gallo se debe depositar en una ceiba. Si la respuesta que se obtiene es afirmativa se embarra la paloma en manteca de corojo, se echa el maíz tostado, la jutía, el coco, el quimbombó —*amalá*—, doce medios y todo se envuelve en el género rojo —se calculan algo más de dos varas, y se lleva a la ceiba o a la palma a las once del día o de la noche para entregar la rogación exactamente a las doce.

Los *ebó* de Obatalá se le dejan en la yerba o bajo la ceiba. También en una loma: los de Oyá en el cementerio, los de Ochún en el río, los de Yemayá en el mar.

Los rezos que preceden a una de estas rogativas son muy numerosos. Anotamos: «*Oguani eku, Oguani eya, Oguani owó, arikú Babawé idede guantilokun eyi oko temitan temi aché moyé morolokún Ogún ke da chubirikí ala ilua Ochosi gurugú odemata ma se di si Osain agüeniyé Oguani oguó oguani omo oguani arikú Babawá arikú tin che Eleguá ididé guandiolokun Obalubé akotoemini obí akuná olokosobé ayaguó icholá kiniba.*»

Para una rogación a Yemayá de A. Jorrín conservo este rezo: «*Yemayá Iyamí okun bi lona emí kobun siwa omi tutu Iya se ko añi obi ata oguado mi efa kamariku kamarano kamaruya kosi ikú kosi aro kosi aroye lorimi ko we iya mi olode.*»

«*Moyuba re Oba kone Oba. Moyuba moyubaré Alonu. Moyuba oloyoun moyuba Ochukuan moyuba Alafin. Moyuba Babalawo Lorikio. Ikumore Olodumare Iyamí.*»

Y se canta: *Olomidara Omayeye omi ndara é Iyamí Iyamí.*

Mokose waré Ochún were kete mi oguo agoyo olo mi dara e e kerekete mi oguo Olomidara e e.

Sin embargo, al leerle a otro de aquellos viejos informantes la anterior *ebe* o «*bebe*» —oración, le hace las siguientes correcciones:

«Yo digo así. Apunte: *Oguani eku oguani eya oguani owo oguani eye arikú Babá wa idele kuanto Olokun eyieko temitán temitiche moniwolokun temurán Ogunda guede chubiriguí oló ilúa Ochosi gurugu ode mata mataré Osain acwá neyi awene owo aguana omó awana arikú Babawá tinchelewa edede kuan tolokun Obaluba akoti emi ne obí araiña olokosobi ayawo ichola kiniba Yansan Afiti ewe iwo guinlua awanada ikú jeri jei iya akobiní asayabí Olokun Oyubona Olokun ayao koto afefe ikú orí owo ayé sa bi pabia iya akobiní Yensao.*

«*Yalode erí oguo tono felé Yalode iya ogere yinkoro onide isa iwanarí ko wo kowosi Yeye obiní bona okun isa Babá biriniwa oniwa lano jekua Onibowé okuata okualona Odua ebeyi lache jekua iba Oluo iba Olocha iba Iyalocha iba Babalocha ibayé toto kun.*»

Aún podríamos dar otra versión con pequeñas variantes del mismo rezo.

Y buena memoria ha de tener el criollo que retenga esta plegaria para hacer rogación en *Oriaté*:

Okana ode, oso de oké omó ai ku Babawa eyi oko tenitén temiché omo ogoro loko, Akukó, Gunda fe ran ye ofé su ye losu lemu osun Akuanawá achá awo lideré adafún oli de reti oló tale kase enia suro kakui kakua benu ada odorodó koyé eleko odereso to ro tale tale ogbón aikú ogbó ailá aladaré mofi erewo, Oché Igba ye deún sará uwere sará uwere oló luwere lo dedé Iyá lodé awereyí mo ro undé Osun efiweremo ibú omó Iyalode, Obara Alabara Elebara ki katé ka ma katé arayé, Odi Achama Odima Dima ko dima arun kodina eyó wibé koyima koma oyima koyima koyá dede lagbogbo lu olifé dedé babosi obiti bi tiré dede lobodo akuru bule Obayé atí kolere aun tototó adai bo leti aun tototó adai bo leti aun tototó adai bo le ti aun ro ro ro ada owelé otó bayé ada oboñú ekua efe se nu asawa iwo riwo wo iwo afoniku awo ese ya kosi konko ogbo ni che ro ogbo niché ro ifa de re ku choró ekun.

Para hacer rogación Celestino se limita a rezar: «*Babá oguidigaga ala komako ala mu la mi ba ta ye le wa che Babá aché yeyé aché Oluo aché ache Oyigbona kan di ka da aché Babá ba ri wa aín daí ba ita bia la gelé kití mpó ayumá marada la si eyo la bi ku eya to bi ni un gu me ri ba yimi mari chará adaché mi pe aye maró titi latoke ayan banbai bié úmbo kati nebe ofa ko ti ni toke ayan banbai.*»

Y añade que un *ebó* se despide con estas palabras: «*Ayá ku lo Olorí ewe Ayakú emó che bo mo fa ra ye.*»

Los circunstantes responden: «*Aya ku é moché bo mofarayé.*»

IX
Eborí: Dar de comer a la cabeza

Inseparable del rito de una rogación es el *ebó* de cabeza —*eborí*— «dar de comer, rogar la cabeza» del feligrés, el Padre o la Madre de Santo. Es de importancia vital para toda criatura humana cuidar de su *Eledá*, mantenerlo fresco y bien nutrido.

La cabeza, nos han explicado muchas veces, es el asiento, como la poyata, que se decía antes, la base en que se tiene «algo muy sagrado, muy sagrado», que nos guía, nos protege o nos destruye si lo descuidamos. Nosotros diríamos atreviéndonos a interpretar al más confuso de nuestros maestros por lo profundo que es, que *Eledá* es como una parcela de su divinidad que el Creador, Olodumare, (Dios), «nos pone en la cabeza», —no me han aclarado en qué momento, si al nacer o antes, al ser concebidos,— para acompañarnos a lo largo de la vida instalado en *Orioké* sin separársenos un momento. «No es un Santo», nos advierten. Es . . . pero también, para entenderlo mejor puede pensarse que a este algo «tan sagrado, tan sagrado», divina presencia espiritual que no es un *Oricha*, es posible compararlo —y figurárnoslo sin cuerpo, sin alas— a un ángel, ya que muchos viejos, con ligeras reservas, estaban de acuerdo, y ellos mismos le daban este nombre en castellano, Angel, (¿no decían y se dice «rogarle, rogarse el Angel»?) a nuestro Angel de la Guarda. Su función es la misma: la custodia de la persona. ¿No hay quienes, como suele comentarse de los que son felices o desgraciados, que los primeros tienen «un Angel bueno» y los segundos «un Angel malo»? Según se comporta el individuo con su *Eledá* —su Angel de la Guarda— *Eledá* le corresponde. De ahí que la cabeza es objeto de la mayor atención por parte de los adeptos a la Regla

Lucumí y nos explica por qué infunde tanto temor a las madres del pueblo que a sus hijos se les toque la cabeza. *Ta to Olorun Eledá ta na da*: Olorun hizo la cabeza para que de verdad brille *Eledá*.

Los Iworo no desatienden para sí mismos un cuidado tan esencial para el espíritu, y por consiguiente al buen funcionamiento del organismo.

Para rogar la cabeza se reza: *Igba Babá, igba Yeyé, igba Echu Alawana, igba Ilé akuokoyerí igba eta meta bidigaga ki agbo mo ché akué te bi ki agba mi oché ori mi ki agba moché gbogbo Oricha gba lagba ki agba moché komaledé agba niché eba ni omo oná kuní obaniyo enu ka chocho eni kachocho.*

«Yo digo para saludar y lavar mi propia cabeza», —leo en otra ficha: *Ori mi apere asá ka lewe Moyuba re Ori juju omo ori Alafia ebe mi Olorun akalekua oru male eba mi ché.* Tratándose de la cabeza de un devoto decía: *erí etié*, tu cabeza. Y también: *Awé mbo awé to awé omo we arikú Babá osia we we aweto.*» Y Rosalía: *Aké ebo aké tó omó ake arikú Babá orí owo aketé miré.*

Para «darle de comer a *Eledá*» los agentes imprescindibles son, desde luego, el coco, la cascarilla de huevo, la manteca de cacao, dos platos blancos nuevos, un par de velas, algodón, un pañuelo blanco grande, lo que se ofrece a Eleguá, prescado y jutía y a Obatalá, babosa y *ekru*. Colocadas en los dos platos y prendidas las velas, la *Iyá* o el *Babá* los sostienen uno en cada mano, y de frente al devoto, que ha de estar descalzo, sentado y presentando las palmas de sus dos manos apoyadas sobre sus rodillas, pide permiso a los *Orichas* y dice: *Oba Baba iba Yeye iba Echu Alawana iba ile apoko ye iba ota meta bidi gaga kinkamaché ababalocha ori kinkamaché ababó Ocha abalaba kinkamaché komaleda abaniche ebe mi omo anakuni maná abani yo kachocho emi kachocho.*

Uno de los Herrera rezaba al iniciar este rito: *Awe bo awe to awé omo ori yuba bá wa osiweo owé to mo re.* Los platos que contienen las especies le son presentados al sujeto en la frente —*ayú*—, en los hombros —*yika*—, a ambos lados del pecho —*aiya*—, en las palmas de las manos —*owo*—, en las rodillas —*ekun*— y en los pies —*lese*.

Si *Eledá* lo que necesita es simplemente «refrescarse», se lava la cabeza con agua de coco, agua corriente de río o de lluvia, leche cruda, agua de arroz, manteca de corojo, frutas blancas y jugosas, piñas, peras, guanábanas, chirimoyas; si es preciso fortalecerla se le sacrifican dos palomas blancas, —en ocasiones guineas—, y en rogativas por enfermedad, guabina, un pez de agua dulce estimadísimo por sus virtudes, que no podría vivir en los negros canales de Miami infectados de mocasines. Aún viva la guabina, en un plato blanco y hondo, con agua, se sostiene sin apoyarlo sobre la cabeza del devoto y se reza:

Eya oro tutu omo fi borí ono Olodumare aba chumarere mofi mi be ko orimi komaku olobori tutu kodero owo kodiré omo aiku ti che be. El agua que queda en el plato se derrama por toda la casa. Se envía *Ekó* al río y allí se dirá: *Olomi kodiré owo kodiré omo. Eba mi odo olosun aya koroto abani aché fu mi.*

Era más breve el rezo de Rafaela: *Eya oro tutu bori oloni Olodumare aba achemarremi no fi mi be ko orini komaku alaborí tutu do de ro owo kodiré omo aikú tiché be.* También se me ha dicho: «*Era tuto mo fi oro lo mi lori. Olodumare mofé orumu ala Ochu ma re sa be so ori mi komó pada korituto kodiré awó kodiré omo aikitá chalewá.*

Si es preciso fortalecer a *Eledá* se le sacrifican dos palomas blancas y en ocasiones guineas. La sangre de las aves se derrama en medio de la cabeza del devoto, que luego, con algunas plumas y el coco masticado se cubre con el pañuelo.

Una idea de la rogación a la cabeza, o si se prefiere de «cómo se le da de comer al *Eledá*» la tendrá el lector profano que nunca la ha alimentado, gracias a la descripción de uno de mis viejos: «Cojo cuatro pares de palomas blancas, cascarilla, dos cocos secos, manteca de cacao, un cacho de cola de pescado con pedazos de *obí*. Tengo una libra de algodón y dos varas de género blanco con dobladillo. Ruego, llamo a Olofi, a Obalufón, Osagumá y encima de la cabeza que va a comer le arranco las cabezas a las palomas. Masco manteca de cacao y se lo unto en la cabeza a la persona, y masco coco bien, bien mascado, bien, bien ensalivado, y masco maíz, la cola del pescado, pimienta, y le voy formando con la mascadera un masacote, y canto:

Yeye moré moré salusago mo ré moré ságo.
Obia odi oyiyí ri ri sago Biocadia oyiyí.

Y cuando cae la sangre sobre la caeza canto: *Ogún soro soro ayé ba ekaro . . .*

Después le forro la cabeza con algodón y se la envuelvo con el pañuelo blanco. Las palomas se le cocinan al que hizo *eborí* y los *iñale* —vísceras— se le ponen a Obatalá. Esas palomas hay que cocinarlas en una cazuela nueva, y nadie más que él puede comerlas. Durante tres días no le dará el sol a esa cabeza, ni saldrá a la calle el que se rogó y los pasará sin hablar con nadie, sin alterarse, acostada en la estera.

Tiene que traerme la estera y una sábana nueva, un pañuelo con punta y entredós. Un jabón de Castilla, una palangana y un peine que sea blanco, y todo eso nuevo. Cuando le quito la paloma lavo la cabeza, y después de echarle el agua de dos cocos le unto manteca de cacao y le estriego el peine.

Este *ebó* se lo hago en casa al que viene a consultarme y le sale *Okana Sode,* que es un *odu* de mucho cuidado.

(La misma técnica se emplea para rogar la cabeza del *omó* en una iniciación.)

Un rito tan importante como éste que precede a tantos otros, se hace al atardecer y el sujeto dormirá esa noche con todas las materias enumeradas —«bien ensalibadas»— alrededor de su cabeza, y para no exponerla a la luz del sol ni a la frialdad del sereno, permanecerá prudentemente recluída tres días, si es posible, como dice Gabino, aunque a la mañana siguiente de la rogación se retire cuidadosamente el pañuelo con lo que contiene. Si se ha practicado la rogación en la casa de una *Iyalocha,* el pañuelo y componentes del *ebó* se envuelven en otro pañuelo blanco y nuevo y ésta o su mensajero lo llevan a un matorral, también a la hora del crepúsculo y allí lo dejan bien oculto en el lugar más sombrío que encuentren. Pero siempre, como en toda rogación, se pregunta adónde debe dejarse.

La cabeza se ruega con frutas que refrescan a *Eledá.* Acompañando una «obra» para Ochosi se ruega con agua bendita, cuatro frutas distintas, pera, naranja, manzana, plátano, dos cocos, tela blanca, pescado y jutía. Se utiliza el pargo; «dos cocos partidos se ponen en dos platos blancos, el pargo en una fuente blanca con una tela blanca, cascarilla, manteca de cacao y miel de abejas. Sobre la cabeza del *omó* se le reza al pargo. Se cogen las dos aletas y las puntas de los dos lados de la cola y el espinazo de arriba y se le ponen en la cabeza. Se corta con un cuchillo la cabeza del pargo al pie del *omó* y se le da la sangre a su cabeza; se le unta en las sienes, en la frente, en la hoyita, en las manos, en las rodillas y luego, sobre la sangre se unta la manteca de cacao, la miel de abeja y se le envuelve en hojas de algodón. Al espinazo del pargo se le quitan las espinas, y con las aletas también sin las espinas, se hace rogación a Eleguá. Se le pregunta antes si la recibe y qué camino coge (adónde se le lleva).

Otra rogación de cabeza se practica sacándole la masa a las babosas y poniéndolas en la cabeza con hojas de prodigiosa y hojas de algodón. Y ahora, antes de escuchar lo que nos explican sobre la «matanza», el acto del sacrificio, copiamos para los *eniwe,* (estudiantes), no confundirse con *weriweri,* que quiere decir chiflado, «los que tienen guayabitos en la azotea», y para las *Iyawó* desatendidas dos ejemplos de rezos para las rogativas.

Okan ode osodé oke omo aiku Babawá eyi oko teni temiché omo ogoró loko akuko gunda ferán ye ofesu ye losu lemú osun akuanawá acha owo lidere alafún olidé re ti olotale kase enia suro kakuí kakua be nu ada pdorpdo ko ye eleko odereso to ro tale tale ogbon aiku agbo aila aladare mofí erewo oché igba ye de un sará uwere sara uwere ololu were

lo didé Iyá lodé awereyí mo ro unde Osun efiweremo ibú omo Iyalode
Obara Alabara Elebara Kikaté kama Kate arayé Odi Achama Odima
Dima ko Dima koma oyima koyó dedé lagbogbolu olife dede ba bo si
obiti bi tiré dede lobodu akuku bulé Obayé a ti kolere aun to to to ada
ibo leti aún ro ro ro ada awele Oto bayé ada obonu ekua efe se nu asawa
iwori wo wo iwo si nu asawa iwori wo wo iwo afoniku awo ese ya ko si
konko ogbo ni ché ogbo ni che ro Ifa de re ku choro ekun.
En *Oriaté en una reuniń de Santeros.*
Owani Iku, owani Iyá, Owani owo, owani eye, owani aikú Babawá,
Idede wantolokun Eyioko teni tente miché Moni wolokun telaroko temi
ura Ogundá we de chibiriki ala ilua. Ochosi Gurugo ode mata si Osain
agbaniyé awani agbo, awani omo, awani diku Babawá te niché legua
idede wantolokún Obalubé akoti eme ni obi ara iña. Oluko so bí ayawo
Icholá kinibá Yansan akuoti oke iwo kinlú awama ba, iku jeri jeri Oyá
okobini Yeye mi asayabí Olokun Oyugbona Olokun Iyá okoto afefé iku
ori ayé Iyá akobini yen yá o Yalode eri owotó oni kuelé Yalode eye iwere
yi mo ro ni de isa iribañale kowo osi yeye obini toná okun isa Babá obiri
niwa oniwalano jekua abuké awati oku, Odua Ibeyi ni la che jekua igba
Olúo, igbá Oloricha, igbá Iyalocha ibayé ku . . .

X
La Matanza

Como en todo hay jerarquía, para los sacrificios los cuadrúpedos son los más importantes: carnero, cerdo, chivo, un venado. Las aves ocupan un segundo rango; en primer término el pato, de sangre muy cálida, cuyas plumas no adornan soperas y que como se hace con el verraco entre los animales de cuatro patas, hay que consultar con el *Dilogún* o con el *okpelé* para sacrificarlo. También es preciso consultar para inmolarle a Ochún un pavo real. El ganso le está reservado a Yewá y no se sacrifica con cuchillo: antes de ofrendárselo a esta diosa de los Muertos, se le lleva a correr por un llano. («Yewá lo asfixia» —muere por opresión.)

Siguen en importancia el gallo, las gallinas, las guineas, codornices, el pollo.

Las palomas son de Obatalá.

Naturalmente los *Orichas* tienen sus preferencias, pero casi todos, con la marcada excepción de Oyá, que lo detesta, «comen carnero». Esta es la ofrenda que más aprecia Changó, animal que pertenecía a Oyá, y es tal el terror que a ella le produce ver la cabeza tronchada del carnero, que para dominarla cuando Oyá se enfurece, Changó se la muestra. Así es que si no se les separa en el momento de sacrificar el carnero se altera el orden en el *Ilé Oricha*; siempre da motivo esta sacrílega negligencia a altercados y lamentables ocurrencias: «estos Santos no pueden comer juntos».

No se olvidará que la sangre del carnero es muy caliente, y que ha de ser vertida con mucho cuidado sobre la cabeza de los hijos de Changó. En la de los hijos de Oyá sería fatal.

(*Ogután nile ebo ebo niyá okumao Ogután ni le ebó niya*: el *ebó* de carnero es el mejor de todos).

Tampoco Odua, (el Obatalá más viejo, según unos) come carnero. Cuando se le sacrifican palomas, blancas por supuesto, a Obatalá, la sangre se vierte alrededor de su *otán*. Jamás sobre ésta.

A Ochún, a Ochosi, a Yemayá y a Orúmbila se les sacrifica venado —*agbaní*. A Olokun se le ofrece uno vivo en alta mar.

Ochún, Ochosi, Oyá, Orula, comen chivas. La gallina con almendras deleita a Ochún, «y no se diga el *ochichín*», acelgas con camarones, alcaparras, tomate y huevos, su manjar favorito. Ogué, representado por dos cuernos de toro come lo mismo que Changó.

Yemayá, Olokun, carnero y cerdo. A Ochumare, el Arco Iris, —que ya no se mienta— se le ofrendan pavo y pato de la Florida.

A Eleguá no se le inmolan gallinas, palomas ni guineas. Sólo gallos y pollos.

«No, Eleguá no come gallina, pero mi Madre se las robaba por ahí y le decía: mira Eleguá, para que las maldiciones no me caigan encima, tu también vas a comer gallina, y se la daba. Una vez se metió una del vecindario en nuestro patio. La matamos, nos la comimos, no le dimos su sangre a Eleguá. ¡Para qué fue eso! Armó una tángana del mismísimo demonio, y ¡na, na! castigó duro.

Una golosina que aprecia mucho Eleguá es ratón asado. «Le encanta el ratón.»

Animales de cuatro patas se inmolan a los *Orichas* en la ocasión de un aniversario, de un *ebó*, de una fiesta; de un «tambor» que se celebra en honor de un *Oricha*, de todos —cuando se festeja a un *Oricha* se festeja a todos— sin otro objeto que el de halagarlos y divertirlos. Desde luego que estas fiestas, abiertas a cuantos deseen asistir a ellas, son con frecuencia peticiones que se les hacen a los *Orichas* o para expresar la gratitud de quien ha obtenido lo que anhelaba o ha sido curado de alguna enfermedad. A veces las exigen las divinidades y los muertos.

«Los muertos de ustedes los blancos piden misa. Los nuestros, tambor.» Los alegra y aplaca si se ha incurrido en su cólera. Un *Odu* determina en qué circunstancias y con qué objeto hay que celebrar un toque: *Eyioko* (2), *Osa* (9), *Obara* (6), *Oché* (5), *Eyeúnle* (8). Los tambores, las danzas, son esenciales en el culto a los *Orichas* y antepasados. (Esenciales en la vida de los negros.) En esas «fiestas de Santo» que en Cuba duraban tres días con sus tres noches, al medio día, hasta el atardecer, tocaban los tres tambores sagrados, *Batá*, que contiene un secreto que no debe revelarse y que no tocan manos profanas, («*Aña* es un santo, un espíritu que está en el tambor».)

Durante la noche tocaban los tambores de *bembé*. De noche deben cesar los *batá*, porque a su son todos los muertos acuden y su influencia es nociva para quien celebra la fiesta y para los *olú batá*, —los tamboreros—. Por eso antes de comenzar a medio día como se ha dicho, los tambores inician un «*Oro seco*» para los muertos y los *Orichas*: «un rezado de tambor sin canto, dirigido a los *ikú* que se plantan delante del Santo», y antes de retirarse, al comenzar la noche, se despiden. Los *Batá*, su dueño es Changó Ogodó, van bien alimentados, y Osain debe cobrar un «derecho».

De acuerdo con la importancia de la fiesta se cuenta el número de animales que se sacrificarán. Los *Orichas* quieren que todos los asistentes a sus fiestas coman a saciarse: propios y *aleyos* (extraños).

Estos animales se «limpian», purifican. En una fiesta al aire libre, en el campo, los que van a sacrificarse, se pasean antes llevados en procesión, ostentando en una manta que se les ciñe, el color emblemático del *Oricha* al que será inmolado. En las viviendas urbanas, que sólo disponían de un patio, en La Habana, que cuanto más antiguas eran más amplias, éstos se llevaban al cuarto de los Santos, al *igbodu* o *yaraocha*, y el *Babalawo*, que es indiscutiblemente el llamado a realizar el sacrificio o el *Achogún* —un hijo de Ogún— entraba en funciones.

Sólo una vez he asistido a un sacrificio; quiero a los animales y sufrí presenciando la inmolación del carnero que se le ofrecía a Changó y a Yemayá y la de una chivita destinada a Ochún. Me partió el alma su resignación, su mansedumbre al topar el oferante con su frente la del carnero en el momento en que se canta: *Iwo iwo iwoché omo de waíño waíño fé re re.*

Luego la rebeldía de la cabrita que se defendía y berreaba desesperadamente. Compasión la mía que demostraba una incomprensión sacrílega, pues el carnero y la chiva iban a incorporarse a estos *Orichas*. En el acto de matar, en ocasiones, se le oye decir al *Babalawo*, al *olupá* o *achogún*: «*Erá kunde eyé su moyuso*», que comienza cantando su faena.

—*Achegún obé oweo.*
El coro: *Ená Oricha obé ewe ená Oricha.*
—*Ená kunayeri.*
Coro: *Ewe Oricha eyé kuna ye re Oricha.*
—*Firolo firolo balé abo firolo.*
Coro: *Firolo balé abo firolo.*
—*Ñakiña ñakiña Olorun.*
Coro: *Bara ñakiña Olorun bara ñakiña.*
—*Firolo firolo bale abo firolo.*
Coro: *Firolo abo firolo.*
Y se repite: *Bara ñakiña ñakiña Olorun ñakiña.*
—*Ya we se le ma.*

Coro: *Bara ya wo se le ma bara ya wosé.*

En el momento de separar la cabeza del cuerpo del animal canta el matador:

—*Okeke ni re.*

Responden en coro los circunstantes: *Oni awadé okeke nireo Orí awadé.*

—*Korambé ri ko.*

Coro: *Akuara kuta komberiko akuara kuta.*

(Y cuando esa cabeza se sazone para depositarla ante el *Oricha*) cantará: —*Te po ma ré te po ma ré.*

Coro: *Obalá te po ma ré.*

—*Marañí la wi ñiñío marañí la wi ñiñío bo du o Mamá la wiñío.*

Coro: *Marañí la wi ñiñío marawí lawí ñiñío, bodu o Mama lawí ñiñío.*

—*Atori atoró.*

Coro: *Afarimá lorí odi atowao afarimá.*

—*Adederé moni adedereo adede moni adederé. Ocha lerí alayiki adederé morí adederé.*

El coro repite lo mismo.

Durante mucho tiempo después de aquel sacrificio que presencié, recordaba la voz de Marcos de Pedro Betancourt que salmodiaba mientras la sangre del carnero borboteaba y caía en una palangana.

— *Yakina lo ún. Eyé moyuré eye dekún. Ebi ama Ogún mo yu ré ebi ma. Odumare eyé eyé . . .*

Para templar el ardor de la sangre, «que no caliente demasiado» se arroja agua.

—*Eroko su wo owo somó,* —se dice, y se responde—: *Ero ero ko ise eré arikú Babawá*[23].

Los que presencian un sacrificio tocan con un dedo el pescuezo sangrante del animal se trazan una cruz en la frente y chupan la sangre que les queda en el dedo «para su bien y alejar lo malo». Esto y la contemplación, la atmósfera del sacrificio, fortalece el organismo de los hombres.

El *Ochogún* dice entonces: *Oto wo mi oto wo re oki ri mo ye ori oñi otowo ma.*

La cabeza del chivo que se le sacrifica primero a Eleguá, como corresponde, el *olupá* la ofrece después, cantando y bailando, a todos los asistentes: *Tente Obara oñi fo wa.* Y se le responde en coro: *Tente Obara oñi fo ba.*

La baila y la entrega a la *Iyaré.*

Cada cabeza se baila y, «cuando se le echa miel», se canta: *Epó ma le ro awalá. Epó ma lero awalá,* y se responde en coro: *Epó ma lero awalá. Bara i kawi oñi bara i ka wi oñi. Odu ma la wi oñi oñi . . .*

Consumado el holocausto de los animales se les juntan las cuatro patas, se agarran por ellas y se dice tres veces: *wo mi elán*. Se responde: *mé mé*, y se sacan fuera del *igbodú*. Luego se desmembran y se presentan a los *Orichas* nombrando las partes separadas. Se comienza por Eleguá. No se olvide que hay que decirles cuanto se hace y se les da . . . Según Muyao, dos patas: *elese meye akuá meye Eleguá a bé*. Los que están presentes responden: *Kumá che ninio Eleguá abe*.

Las cuatro costillas: *ikan niká akuá meye Eleguá abe*.

Responden: *Igan ñika nikaté abo mi*.

La aguja: *guengueré ayá*.

Responden: *kamaché ninio Eleguá abé o*.

La parte que corresponde al rabo: *guengueré ayá*.

Responden: *kamaché ninio Eleguá abé o*.

Hígado, corazón y bofe: *Adofi adofá okán*.

Responden: *Kamafé ninio Eleguá abé*.

Rosendo nos dice que con estas palabras presenta las patas del animal: *Itebe ese awa meyi*. Las costillas: *Igaya igata aweni enuré aché*. El rabo: *otoñí guengué iru*. La gandinga: *odoro ado fi*. Las mamas: *mu*. El cogote: *Aya kula*. Testículos: *tichomo okuni*. El cuero: *aworeo kuminiku*.

Otro informante *achogún* de S.H. llama a las faldas, a la de la derecha *otun*, la de la izquierda *osí*, la del vientre *aboni*.

Responden: *Kamaché ninio Eleguá abe*.

El collar: *ayawalá*.

Responden: *ayawalá kosi ikú, kosi aro, kosi eye, kosi ofó, arikú Babawa*.

Pescuezo: *gunuguaché*.

Responden: *kamaché ninio Eleguá abé*.

La rabadilla: *baradí*.

Responden: *kamaché ninio Eleguá abé o*.

Mamas: *emugage*.

Responden: kamaché ninio Eleguá abeo.

El cuero: *aboreo*.

El viejo Gabino llamaba a la cabeza, como es sabido, *lorí, lerí*. A la frente: *yo yo abo*. Al pescuezo: *anokú acheó*. Al pescuezo grande: *Komonoki*. A la pata delantera: *gayagatasi*. A la tresera: *iganí*. Al estómago chico: *abañu*. Al grande: *ayabala*. A los dos costados y al estómago: *Ifá otó ifadosi abañu*. Redaños: *ochareo alaá*. Costilla: *iguanu, igani, igata*. Testículos: *okonie*. Pedazos de la cola: *oloñiguenagueré*. Mamas: *mamú*. La cruz («la que tienen en la cabeza los cuadrúpedos»): *aiyé yeiloto*.

«Y cada vez que se presenta un miembro se canta: *Barakí oñio oñio la be o*». Y aún podemos aportar otros nombres que nos facilitan

Petronila Hernández y Humberto tomados al dictado.

Las cuatro patas: *itebé ese agwá meyú*. Costillas: *igaya igata inguemi enbere aché*. Rabo: *otoñí gwengwé irú*. Gandinga: *odoro odofi*. Testículos: *Tichó mokuni*. Cuero: *agwereo kuminikú*. Patas delanteras: *Apuá meyi*. Traseras: *erenoyi*. Pellejos del vientre: *ifodu etu ifadori*. Gandinga, vísceras: *edoki adoki ole*. Cogote: *orugué orogún ayeré*. Pecho: *iwewe ayá*. Cuero: *awaro*. La parte que le pertenece al matador: *amaniku*.

Apuá meyi llamábale X a las patas delanteras de un animal y *Erenoyi* a las traseras. A la gandinga: *edoki odokole*. Al cogote: *orowá ayé ero*. Al pecho: *iwewe ayá*. A lo que es del matador: *Amaniokún*.

Marcelino le presenta así a Changó los miembros del carnero: Patas delanteras: *akue meyi*. Traseras: *itona meyi*. Costillas: *Igayé*. Pecho: *Odibó*. Gandinga: *ijata* o *ijane*. Tres trozos de carne: *ije aya*. Cuero: *dosún, afún*. Pescuezo: *ajuaniko*.

Y por último Hernández:

Las cuatro patas: *itelese owa moyi*. Costillas: *Igaya gata ewe ni mure aché*. Pecho: *kuenke aya*. Gandinga: *adofo dofi*. Pedazos del vientre: *ifadeta ifadosa*. Testículos: *Lodomokuni*. Cogote: *achabalá ofo achabalá*. Cuero: aweroko komoniko.

En fin, sobre el tema tan debatido y hoy más que nunca, al parecer, palpitante de quien debe ejecutar los sacrificios, si el «hijo legítimo de Ogún, pues el cuchillo es su derecho, le pertenece de nacimiento, y a un hijo de Ogún dueño del hierro, que nace con cuchillo, no hay que dárselo» o al *Babalawo*, por la voluntad de Olofi, trataremos más adelante.

A las aves que van a ser inmoladas se les lava, además de las patas, debajo de las alas. El oficiante la toma por el pescuezo, le da una vuelta rápidamente y dice: *Ko ikú oti eyé oto se mu otosé epó*.

Y al desprender la cabeza del cuerpo: *kuanla ofo ku orun*. (El viejo Gabino dice: *ko ikú oto ko eyé ko ikú oto ko ofo*.)

Al sacrificar un gallo Herrera decía en el instante de arrancarle la cabeza: *Oni ti kuá si la ofo ku*. Y al presentarlo al *Oricha: Akuko mo kua arayé*.

Otro dirá: *Atoko ikún atoko arún atoko ebó atoko ofó*.

Los miembros del ave se llaman: Cabeza = *orí*. Patas = *oro, ese*. Alas = *apán, pakán, afán, apaeiye*. Pechuga = *ayá eloni, wokán*. Huesos = *efa, gungu*. Corazón = *okán*. Hígado = *imuí, ino*. Molleja = *igu*.

También aparecen otros nombres en nuestro apuntes: Cabeza = *orikeko*. Pechuga = *ayariko*. Rabadilla = *badariko* o *bradiriko*. Muslos = *itareko*. Ala derecha = *apatotín, apatarú*. Ala izquierda = *apari*.

Para desprender las plumas de las aves sacrificadas, que adornarán las soperas que contienen las piedras de los *Orichas*, se canta: *To ru ma lé nkuí, to ru malé nkuí.* Y se responde: *To ru ma lé nkuí jujú.*
—*Bowo komi.*
Se responde: *Ena wo ko mi erán. Bo wo komí enago bo wo komí eró.*
Se arrancan de la cabeza, de la pechuga, de las alas y muslos, y al dejarlos caer se dice: *Ejú ju fí ju ju ejú malé.*
—Yo canto para sacar las plumas —nos dice G.B.— *Ko lese ori ta oché.*
—Y cuando las dejo caer: *Orisá fifeto obiama. Orisá fifeto obiama.*
—Canto para desplumar: *Ta mara le pun tere ma lé pu koko koko omí ayá ko ko ni eyé koko la wañiwa ye le wañe.*
Si el *Babalawo* arranca las plumas, —«lo que generalmente no hace»— dice: *Edekú edekú eyé etí Eyé edé ya li kuí to lo ma li kuí elá popó mi eye.*»
Otros *Babás* repiten varias veces estas palabras hasta que las plumas de las aves sacrificadas cubren todas las soperas que contienen las piedras del culto:
Ejujú epí jujú ma le eyán koko ku mi yeye.
La primera ave que se ofrenda es el gallo; al arrancarle la cabeza se dice: *Akuko mo kuó. Arayé.*
Al desprenderle las plumas del ala derecha: *Akua otun.* De la izquierda: *Akuá osi.* De los muslos: *Ibako.* De la cola: *Aiyé koré.* O se dice: el ala derecha, *opa otun.* La izquierda: *osí.* Pechuga: *agaré.* Muslo: *araireke.* Al darle la vuelta en la mano: *Odu eyé epe otepa ti pe.*
De este rito que se practica siempre cantando el Santero y coreando los que se hallan presentes, son estas notas:
Al ofrendarle a Ogún: *Erende kundé Ogún den.*
El coro: *Erende kundé.*
Para Ochosi: *Erendé kundé Ochosi eren de kunde.*
Coro: *Se re ebiama Ebi ama eyé si mo eyé. Eyé si mo yu re, ebi ama eye si mo yun.*
—*Ero ko isoro ero ero koi soro.*
Coro: *Ero koi soro ero* etc.
Termina el sacrificio, «la matanza» de aves con las gallinas de guinea si estas se ofrendan. Los cuerpos se juntan con ambas manos, se golpea el suelo con ellas y como en todo sacrificio se dice: *Emí lo ku sé osin Ogún lo kuó.* (Yo no maté, mató Ogún.)
Jutía y jicotea son animales que se le ofrendan a Osain y a Changó. Para sacrificar la jicotea se canta: *Ayapá fi ré ré Ayapá fi re re Osain. Bara bakiña bakiña* . . .
Siempre el que oficia para sacrificar se quita los collares.
Y para refrescar de nuevo la atmósfera que la sangre derramada

caldea, se le ofrecen frutas a los *Orichas*. A la acción refrescante de las frutas, del gusto que proporcionan a los dioses —y a los muertos— sobre todo el plátano, razón por la cual éstos nunca faltan en los *ebó* y en los *ilé Orichas*, ya nos hemos referido.

No hay por qué advertirlo, es harto sabido, que de esas frutas depositadas ante los *Orichas* nadie puede comer hasta pasado el tiempo que ellos indiquen en caso que no determinen que se las lleven a un sitio apartado, —mar, río, manigua, loma, cementerio . . .

De glotones insensatos que no han respetado este «*dalekun*» podríamos contar muchas cosas que ahora no viene al caso mencionar. Pero no se olvide que no se toca la comida que se ofrece a los *Orichas*... «hasta que ellos no hayan comido». No que éstos mastiquen y traguen, pero absorben la esencia, el fluído de los alimentos; de la vida que está en la sangre, y de cuanto en las frutas, golosinas y bebidas es nutricio y grato.

XI
De la conducta de los Iyawó, de las yerbas y otros conocimientos que deben adquirir

La primera condición que deben exigirse a sí mismos los *Iyawó* para cumplir más tarde las funciones del sacerdocio a que Olorun los destina, será —ya nos lo han dicho— la de observar una conducta honesta, ciñéndose a ciertas exigencias religiosas, en algunos puntos muy estrictas, sobre todo en lo que se refiere a «*euó*» —tabús— relacionados con la práctica de los ritos que no pueden ejecutarse en estado de impureza física, menstruando las mujeres, los hombres sin purificarse y dejar pasar las horas convenidas depués de fornicar. *Euó* o abstención de determinados alimentos o bebidas, de ocupaciones, de asistencia a ciertos lugares, etc., que su *Oricha* le haya señalado en el *Itá*.

Esas transgresiones, las más sacrílegas, siempre se expían, y para no citar ninguno de los numerosos casos que nos reportan en la actualidad, daremos un sólo ejemplo histórico y muy típico, de las funestas consecuencias del proceder inescrupuloso de la *Iyalocha* o del *Babá Ocha*, recordando el del templo en Matanzas —Buen Viaje 35— en una hermosa casa como era la del Cabildo de las Cuatro Naciones, que fue de Iño Blas y luego de Mateo Sasi su heredero. Iño Blas, *Olocha* prestigioso tenía tres hijos: Pedro José, Antonino y Salomé. Su predilecto era Antonino. Al morir Iño Blas, Antonino se quedó con todo, y por su actuación incalificable descompuso a tal punto el respetado *Ilere* de su padre, que fue menester llamar al competente viejo Clotilde Chano. ¿Qué había ocurrido, por qué había caído tan bajo aquel *Ilé Oricha* en la opinión del pueblo? Clotilde Chano no tardó en saberlo. Antonino introducía mujeres de la vida en el templo —*pan chágaras y akoínis—*, y para desagraviar a los *Orichas* fue menester practicar muchas limpiezas y rogativas, y apartar a Antonino, que murió castigado por Babalú Ayé. Ni José ni Salomé Blas quisieron hacerse cargo del templo, pero Iño tenía un hijo de crianza, Mateo Isasi, y con la mujer del difunto, éste cuidó de los *Orichas* y del culto. Mucho antes de caer Cuba en mano de los rusos, subsistía en Matanzas el *Ilere* de Isasi, pero la familia de Ño Blas había desaperecido.

«Y la verdad obliga a decir que tampoco Mateo era ningún santo . . . Una vez le aconsejó a un habanero, porque sabía que tenía trescientos pesos, que Asentara Changó. Pero sucedió que en un tambor que dio el mismo Isasi y al que asistía el habanero que él iba a Asentar para cogerle los reales, se apareció un negrito viejo muy nombrado, de la finca de los Averhoff. Se «subió»[24], y aunque no querían por sus muchos años que saludase al tambor, pegó un cabezazo en cada uno de los tres *batá* y se echó al suelo. Eso significa, como usted sabrá, que el dueño de la casa de Santo tiene que ir a levantar a ese «caballo» y llevarlo delante de los *Ocha* para que hable. Mateo se hacía el sueco. Una señora que era *Iyalocha* y de las buenas, se plantó y dijo: ¡hay que levantarlo, que venga enseguida Mateo! Pero Mateo no fue. Lo levantó aquella santera, lo llevó al cuarto, y lo que hablaron el *Ocha* y ella lo oyeron todos afuera perfectamente.

El «Caballo» dijo: —¿Mateo, no sabe quién soy?

¡Era Babalú Ayé, San Lázaro!

—Parece que no, no quiere saberlo porque no quiere que le diga que lo que pretende hacer está muy mal. Y Babalú Ayé lo largó todo. Entonces, a grito pelado, cuando no le quedó más remedio a Isasi que presentarse:

—Tráeme a ese hombre que vas a Asentar para robarle el *owó*, pero su *owó* te tumbará a tí. ¡Que lo oigan todos! El *omó* está *odara*[25] como una manzana.

El habanero no se dejó hacer Santo. Isasi tuvo que devolverle parte de su dinero y luego enfermó de gravedad.»

Es la moral del *Babalocha* y de la *Iyalocha* lo que les gana el favor de sus dioses y el respeto —«respeto es confianza»— de los creyentes.

Por su propio bien el *Iyawó* debe aspirar a ser un *bábika* y no un *Chotoloto*, términos que aplicaban al buen y al mal *Oloricha*. Continuamente los *odu* dan consejos de una gran moralidad: que no se robe, que no se desee a la mujer de otro, que no se mienta, que no se maldiga a nadie, que se respete a los mayores . . .

Sobre este particular me es grato reproducir los párrafos de la carta de un joven y recto *Oloricha* de la raza blanca que me escribe desde Nueva York el 1970 y que me tenía al tanto de las actividades de la Santería transplantada a la gran ciudad del Norte donde en esa fecha, diez años después del éxodo, ya se habían multiplicado las botánicas y aún más los *Olochas*.

Creyente sincero se quejaba del desmedido afán de lucro que se había apoderado de los sacerdotes exiliados. «Como no quieren trabajar el Santo lo cobran desmesuradamente; le dicen a la gente que si no hacen Santo se mueren; que para conseguir trabajo tienen que hacer Santo; para poder casarse, hacer Santo. Que uno se dio una caída, pues es señal que tiene que hacer Santo. No hay registro en que no salga una letra que hable de hacer Santo, y a la carrera, desde *Okana* a *Meridilogún*, ya no hay *ebó* que valga. De una vieja lista de *ebó* se eligió para una persona uno que en Cuba valía once pesos. ¿Cuánto cree usted que se cobró aquí? ¡$100.00! y además el interesado lo traía todo.

No hay santero que le haga un resguardo. Pocos saben hacerlo. Pero le ponen los collares por un simple dolor de muelas. Y le diré que quienes empezaron con esto fueron los negros haraganes que luego dicen que el blanquito tal o cual no sabe ná. Todos estos negros se jactan de que aprendieron con los viejos lucumises, y ¡no hablan lengua!

«Actualmente quien más desprestigia la Santería, le diré mi opinión sincera, es el mismo negro, que piensa que por ser negro tiene el monopolio de ella. Esa es mi opinión sincera. En el caso de muchos mayores[26] son ellos los que cometen las atrocidades más feas, y como son mayores, no se les dice nada. Aquí la mayoría de los blancos que conozco y que han hecho Santo, todos trabajan. Viven de su trabajo, no del Santo. Entran en la Santería con respeto, son más creyentes, yo diría que el 80% de los negros cubanos que hoy viven a costa del Santo y de la droga. El 20% vive del *Welfare* y del Santo, y sólo un 5% trabaja. Y dejemos eso porque a mí me indigna.»

La mujer de este corresponsal es *Iyalocha*, y concluye diciendo: «Mi esposa hizo un Changó el 3 de julio y su primera *Iyawó* ya terminó su año. Tanto ella como yo pensamos que sólo se debe Asentar a la persona que el Santo quiere. Eso de hacerle Santo a cualquiera nada más que para que diga 'tengo Santo hecho', no entra en nuestro corazón.

«El Santo le vale si usted cree en él, si usted tiene fe. Si no es un adorno. Si lo respeta como él se merece, si en realidad el *Olocha* siente y piensa que el Santo es su vida y que hace milagros, pues que se comporte como es debido y no le faltará nunca su protección y durará muchos años.» Estas frases son eco fiel de las recomendaciones que oía a los negros viejos en Cuba. Debe retenerlas y hacerlas suyas el futuro Santero o Santera convirtiéndolas en regla de conducta. La honestidad conlleva a la vez el propósito de no engañar ni robarle al prójimo, la obligación de profundizar en el conocimiento de la religión para hacer exactamente, oponiéndose a cualquier fraude o evitando algún error, lo que procede en cada caso.

«Todos los días se aprende algo nuevo en nuestra religión, que es muy vieja y nunca se acaba de aprender», —era un dicho de Yeya Menocal— «y la futura Santera o Santero tratará de acrecentar sus conocimientos acercándose a los que saben, que son, por fuerza, los viejos, que aprendieron con los que eran más viejos que ellos, que aprendieron con otros más viejos y que sabían más que ellos.»

Las alteraciones de la tradición, y tradición es experiencia, o por ignorancia, los imperdonables o interesados descuidos que nos denuncian continuamente tantos devotos al culto de los *Orichas*, ha impulsado a algunos que debían Asentarse por elección divina a «hacer *Ifá*» a marchar a Nigeria. Mas no faltan especuladores, me dicen, que aseguran haber sido «reconocidos» o iniciados en *Ifé* o en Lagos, y acaso sólo han permanecido en un rápido recorrido por tierra yoruba para que puedan acreditarse de sabios, mereciendo que en vez de *Moyé*, se les llame «*enlatiyá*». Es muy posible que también existan en Nigeria aprovechados que se aprovechen de ellos.

Para consagrar sacerdotes de *Ifá* en el exilio se ha carecido de una pieza sagrada, indispensable —*Olofi*— que no ha sido posible traer de la Isla. Algunos *Babalawos* aseguran poseerlo, «pero no es cierto», protestan otros, «y sin *Olofi* no se hacen *Babalawos*». Es una impostura peligrosa para el neófito y aún más para el que la comete.

Este hecho y otras disparidades de criterio ha dividido en dos grupos antagónicos a los *Babalawos* exiliados. Los consagrados en Cuba no reconocen a los consagrados —sin *Olofi*— en Miami y otras partes.

Tengo en mi poder otra interesante correspondencia con uno de esos descendientes de lucumí que conocen su religión y defienden su fe que partió realmente a iniciarse en Nigeria. Ocuparía mucho espacio reproducirla aquí, mas por esclarecedora será objeto de un folleto.

«Hay una Santera puertorriqueña en *Ilé Ifé*» —nos escribe un *Omó Yemayá* desde New York— «con tres de sus ahijados americanos en un templo de Obatalá; ella hizo Santo en Cuba hace muchos años y piensa traer el Fundamento de Champaná y 'coger cuchillo'. Aquí se habla también de traer *Añá* legítimos, de Fundamento, que todavía no los tenemos. ¡Ojalá! Aunque ya hay quien dice que sabe Dios qué cosas darán por allá. Como siempre sucede en la Santería, se habla mal, todo se critica, sin acordarse que lo que tenemos en nuestra religión vino de Africa, y a mi parecer, si lo de allá no sirve, pues tampoco sirve el secreto que nos pusieron en la cabeza.»

No creo que sea una insensatez compartir la opinión de este otro *Olocha*: «Si se puede ir a Guinea, magnífico. Allí está la fuente. La Madre Patria de la religión. Sabremos más. Si no, con no olvidar lo que nos enseñaron y arrimarnos a buenos troncos, tendremos de sobra, porque tampoco es justo decir que ya no hay casas donde no se hagan las cosas como es debido. Es verdad que un registro cuesta más caro, que por un *ebó* se paga lo que comparado a lo que se pedía en Cuba parece enorme, pero . . . ¿cuánto valen los animales? Todo ha subido y hay que pensar que estando todo por las nubes, los Santos y el Santero tienen que comer.»

Las yerbas son de suma importancia en el culto, y la futura *Iyalocha* y el *Babaocha* deben conocerlas bien. En esto descuellan el *Osainista* y el *Babalawo*, que se encarga de suministrarlas y darles su *aché* en el *Kari Ocha* y otras ceremonias; pero las *Iyawó* no deben ignorar cuáles son las más útiles y cargadas de virtudes para la protección de su hogar, las profilaxis de sus cuerpos, las limpiezas, rogativas e «*iches*» que harán más tarde.

«¡Imagínese, conocer todas las yerbas cuando cada *Ocha* tiene ciento una!», dicen Achadé Oré y otros *Olochas*.

Sería pues, imposible, son demasiado numerosas, incontables, los *ewe*, las plantas que utiliza la Regla Lucumí para mencionarlas todas. Nos concretamos, siguiendo las instrucciones de viejos informantes, a dar una lista reducida de las más conocidas[27].

Es sabido que cada *Oricha* es dueño de una planta, de un árbol, de una yerba, que a menudo comparte con otros *Orichas* afines y a las que les traspasan su *aché*.

Muy populares, con nombres que variaban a veces de una provincia a otra dificultando su clasificación científica, eran en Cuba las siguientes:

Abrojo amarillo = (*Tribulus cistedes*, Lin.)
Aguinaldo lechero = (*Rivea corymbosa*)
Atipolá = (Bledo blanco) = (*Amaranthus veridis*, Lin.).
Alacrancillo = (*Heliotropo indicum*, Lin.)
Almendro = (*Terminalis catappa*, Lin.)
Anón = (*Ammona squamosa*, Lin.)
Algarrobo = (*Pithecoloblum saman*, Jacq. Benth.)
Alamo = (*Ficus religiosa*, Lin.)
Ateje = (*Cardia sulcata*, D.G. *Cordia macrophylia*, R. y Sch.)
Artemisa = (*Ambrosía artemofolia*, Lin.)
Albahaca = (*Ocimum basilicum*, Lin.)
Botón de oro
Cupido = (*Ginoria americana*, Lin) = (*Jathropha gossyfolia*, Lin.)
Cucaracha = (*Zebrina pendula*, Schnize.)
Cundiamor
Galán = (*Cestrum diurum*, L.)
Culantrillo = (*Adiatum tenerum*, S.W.)
Canutillo = (*Comelia elegans*, H.B.K.)

Campana morada = (*Datura suave oleus*, S.W.)
Cordobán = (*Rholo discolar*, L. Herit.)
Cañamazo = (*Raspalum congujatum*, Berk.)
Ciruela = (*Spondius citronela*, Tussae.)
Piñón botija = (*Cuecus curcas*, Lin.)
Sabe lección, Mastuerzo = (*Lepidium virginun*, Lin.)
Escoba amarga = (*Parthenium hysperophorus*, Lin.)
Pata de gallina = (*Eleusine indica*, Gaerth.) •
Cardo santo = (*Argemone mexicana*, Lin.)
Romero, romerillo = (*Rosmarina officiales*, Lin.)
Itamo real
Guisaso = (*Xantuiub chinensis*, Lin.)
Yerba buena = (*Mentha cativa*, Lin.)
Salvadera = (*Hura crepitana*, Lin.)
Vicaria = (*Vinca rosea*, Lin.)
Pendejera = (*Solanum torvum*, S.W.)
Yerba mora = (*Salanum nigrum*, Lin.)
Zarzaparrilla = (*Smilax havenensis*, Jacq.)
Peregún
Maravilla = (*Mirabilis jalapa*, Lin.)
Verdolaga = (*Tanilum paniculatum*, Goern.) y
        (*Portuka oleoracea*, Lin.)
Túa túa o Tuba tuba = (*Jathropha gossypholia*, Lin.)
Flor de agua = (*Eichornia azurea*, Lin.)
Nelumbia
Frescura
Helecho = (*Osmunda regalis*, Lin.)
Malanga = (*Xantoma sagitifolium*, Schoff.)
Peonia = (*Abreus precatorius*, Lin. W.F. Wight.)
Limo de mar = (*Potomageton lucens*, Lin.)
Zarza = (*Pisonea aculeata*, Lin.)
Vergonzosa = (*Mimosa pudica*, Lin.)
Salvia = (*Pluchea odorata*, Cass.)
Madreselva = (*Lonicera japonica*, Thum.)
Girasol = (*Helianthus annus*, Lin.)
No me olvides, Aralia, Mantos.
Piscuala = (*Quicualis indica*, Lin.)
Resedá = (*Reseda odorato*, Lin.)
Himo macho = (*Potomageton lucena*, Lin.)
Malva té = (*Corchorus siloquosa*, Lin.)
Paraíso = (*Melia azederach*, Lin.)
Flor de mármol, Uva gomosa, Paragüita.
Orozuz = (Lippia dulcis, Trec.)

Mejorana = (*Origanum mejorana*, Lin.)
Sargaso = (*Sargassum vulgaria*, Ag.)
Ruda = (*Rita chapelensis*)
Guanina, Filigrana.
Diez del día = (*Portulaca pilosa*, Lin.)
Llantén = (*Echidorus grisebachü*, Small. E.)
Ponasí = (*Cordifolius*, Gris. *Hamelia patensis*, Jacq.)
Rompezaragüey = (*Eupatorium odoratum*, Lin.)
Travesera = (*Eupatorio villosum*, S.W.)
Caisimón = (*Potromorphe peltata*, Mig.)
Algodón = (*Pithecolobium saman*, Jacq.)
Yagruma = (*Ceropia peltata*, Lin.)
Jagüey = (*Ficus membranacea*, C. Wight)
Sapote = (*Sapola achrass*, Mill.)
Guayaba = (*Psidium guajaba*, Lin.)
Toronjil = (*Melissa offinalis*, Lin.)
Siguaraya = (*Trichilia havanensis*, Jacq.)
Higuereta = (*Ricius communis*, Lin.)
Tamarindo = (*Tamarindus indica*, Lin.)

No es posible prescindir de ciertas yerbas y de las hojas de algunos árboles que se emplean para el *Omiero*, el agua lustral del Asiento, y de otros ritos: «es el agua bendita de los lucumí», sin que esta definición abarque todas las aplicaciones y virtudes del *Omiero*, que purifica, sacraliza, cura y tonifica.

El *Omiero* del *Kari Ocha* se compone con los *Ewe* que corresponden a cada *Oricha* y las siguientes y acostumbradas especies: pescado —*eyá*—, jutía —*ekú*—, manteca de corojo —*epó*—, miel —*oñi*—, maíz —*aguadó*—, pedacitos de coco —*obí*—, cascarilla —*ori*—, pimienta —*ataré*—, aguardiente —*otí*—, *yefá* de Orúmbila; agua bendita de la Iglesia —*omí ilé Olofi*—, una brasa de candela —*itana*. (En el momento de echarlas en el agua con las yerbas se dice: «*Aché Olodumare, aché Olofi, aché lowó, aché omó, aché gbogbo iwaro*».

Para su preparación, ripian las yerbas y hojas las *Iyás* convocadas a oficiar en este rito que llaman «el *Osain*», «hacer *Osain*», las toman de los distintos mazos destinados a cada *Oricha*, las desmenuzan, cantan los rezos de Osain y las depositan en sus correspondientes cazuelas para lavar por separado las piedras de los *Orichas:* Obatalá, Yemayá, Ochún, Changó.

Pero antes de ingresar en el sacerdocio de la Regla Lucumí se reciben los que llaman Santos Guerreros: Eleguá, Ogún, Ochosi.

«Primero. En nuestra religión comienza así» —nos escribe un *Olúo* muy interesado en que se proceda rectamente sin alterar la tradición—

«Elegua, Ogún, Ochosi y Osún[28] los da el *Babalawo*, que autorizado también por Olofi da, para protección, la manilla de cuentas verdes y amarillas —*kodide, kofá, idé*— de Orula. Esta manilla de *Ifá* la llevan muchos hijos de Yemayá. En un camino, avatar de la diosa, Yemayá fue mujer de Orula.

«Segundo. El que necesita del amparo de los Santos verá a una *Iyalocha* o a un *Babaocha*, los que a su vez están autorizados para imponer los *ileke* o collares de Santo —de Eleguá, Obatalá, Changó, Yemayá, Ochún.» La imposición de collares es un rito que precede al *Kari Ocha* o Asiento. Tiene por objeto que aquel que reclama un *Oricha* para que le rinda un culto particular o para desempeñar las funciones de *Olocha*, para curarlo si se halla enfermo, y no dispone de la cantidad que cuesta el Asiento, aplaza su compromiso sin irritar ni impacientar a los *Orichas*, bien protegido por los *ileke*. Este rito equivale a un Medio Asiento. El *omó* ingresa en el *ilere*, permanece en este tres días y tres noches durmiendo en el suelo junto a las piedras sagradas. Hace *ebó, eborí* se le purifica con *Omiero* y se le imponen los collares. Estos se ensartan con hilo natural —no aceptan las *Iyalochas* tradicionalistas el moderno nylon que repele el *aché* del *Omiero*», Y «deben lavarse en el río y llevarle allí a Ochún una gallina y miel.»

El orden de ensartarlos es el siguiente: primero el de Obatalá, luego el de Yemayá, el de Ochún y el de Changó. Esta operación se acompaña de una oración para cada *Oricha*. Se les pide que protejan y le den su *aché* al hijo que va a recibirlos. Bien lavados y lustrados con agua, se compone el *Omiero* de los cuatro Santos. Se mezclan las aguas, es decir, los cuatro *Omiero*, y en este líquido se sumergen los *ilekes*. Luego, separadamente se les «da de comer». Sacrificio de aves. Paloma para Obatalá, gallo o pato para Yemayá, gallina para Ochún, gallo para Changó, frutas y dulces.

Al devoto se le baña con *ewe* de su *Oricha* el día antes de ponerle los collares. Se le hará dormir una noche en el cuarto donde tienen lugar las ceremonias. Aquí en Miami, por falta de tiempo, por las exigencias del trabajo, el corre corre de la vida americana, esto se despacha en un día y una noche.

Tercero: cuando un ahijado está a punto de Asentarse, el Padrino o la Madrina de collares lo llevarán a visitar al *Babalawo* para que éste, con Orúmbila en el suelo —*Igbalá*, el recipiente en que guarda las semillas de adivinar—, acompañado de otros tres *Babalawos*, pregunte qué *Oricha* coronará su cabeza. Cuál es su padre. Olofi determinó que se hiciera preguntando el *Babalawo*.

Ya cuando la *omó* o el *omó* va a entrar en el *Ilé Oricha*, la *Oyugbona*, segunda Madrina de Asiento o el Padrino, vuelve con su ahijado a la casa de Orula y ante el tablero de *Ifá*, el *Babalawo* hace el *ebó* de entrada, y al terminarlo le entrega a la Madrina o al Padrino, el *Aché* de Orula para la consagración de las yerbas en la ceremonia del *Osain*[29], y los «secretos del Santo», las semillas africanas que se pondrán en su cabeza.

Cuarto: De casa del *Babalawo* terminado el *ebó*, se lleva al *omó* al río a bautizarlo. Va con la *Iyá* y la *Oyugbona*, con ofrendas para Ochún: una muda de ropa nueva, una tinaja para llevarse agua del río y una piedra. Era una ceremonia preciosa allá en Cuba en ríos cristalinos. Una vez bautizado entra puro en el *Igbodu*, el cuarto en que se celebra la iniciación o *Kari Ocha*.

Quinto: Sucede inmediatamente a esta ceremonia el sacrificio de animales, que debe ejecutar el *Babalawo*, en consideración que fue a Orula a quien facultó Olofi para matar, pues no bajándole Santo ni espíritu, es siempre dueño de sí mismo y no puede dañar a ninguna criatura humana con el cuchillo.

Sexto: Si lo dispone el *Oricha*, a los siete días o a los que señale, de haberse Asentado la *Iyawó* en el trono, saldrá del templo vestida de blanco. Pero no podrá asistir a ninguna fiesta religiosa sin ir acompañada de la *Oyugbona*. A los tres meses se celebra otro *ebó*, «el *ebó* de los tres meses», ofrenda de aves y frutas. El chal blanco que hasta entonces está obligada a llevar la *Iyawó*, se le quita y se le entregan los caracoles. Durante un año y siete días están obligadas a llevar una vida recatada. No se podrán retratar ni mirarse al espejo, ni exponerse al sereno ni comer aquellos alimentos que le fueron prohibidos en el *Itá*, en fin, ni andar «como andan muchas ahora por ahí muy vestidas de blanco y como unas chivas locas».

Al término de ese tiempo, de un año y siete días, el Padrino o la Madrina le entregan el derecho del cuarto, el peine y la tijera y, no necesariamente en el *Ilere*; esto no importa que se haga en algún otro Asiento. Cumplido el año sus Mayores le hacen el «*ebó* del año», y en éste hay que sacrificar animales de cuatro patas, los mismos y en igual número que en el *ebó* de entrada.

Le dan entonces su «libreta de nacimiento». Su partida de nacimiento en la Regla de Ocha.

Los primeros derechos u honorarios que reciben los nobeles santeros, van a depositarlos en un rito muy sencillo, puestos de rodillas, ante el *Oricha* de sus Mayores.

Este amable informante, un *Babalawo*, añade otros datos que a su entender deben ponerse en claro. Insiste: «Se pretende usurpar los derechos del *Babalawo*. Cuando se Asienta un Eleguá, la ceremonia del monte debe dirigirla el *Osain*, y tres *Babalawos*, que allí celebrarán los ritos, llevarán al *omó* Eleguá a la manigua, lo traerán al *Igbodú* o cuarto sagrado y se lo entregarán al Mayor para que lo corone.

«Tres *Babalawos* tienen que llevar al monte al hijo de Ogún, y cinco *Iyalochas* al de Ochún. Los *Babalawos* ofician en el monte y las Ochún le ofrecen miel.

«Como en el Asiento de Eleguá los tres *Babalawos* lo conducen al *Igbodú* y se lo entregan a su Padrino.

«La consagración de Ochosi es semejante a la de Eleguá. Pero Ochosi deberá tener un venado para ofrendarlo y su pilón o trono (*apotí, ité oba*) debe fabricarse con el tronco de un árbol de almendra. Antes, como los viejos enseñaron que se hacía en Africa, era el *Babalawo* quien sacrificaba, quien afeitaba las cabezas de los *Iyawó*. Así se hacía todavía en La Habana en la casa de Valero Esquivel, *bokono*, y en casa de la famosa Pilar Fresneda *vodunsi* de la Regla Arará, en la que adoran a San Lázaro, Agróniga, como Santo Mayor que ellos Asientan sobre la cabeza y los lucumí entregan (apoyándolo en el hombro).»

Sobre esta información otro Babalawo eminente y muy conservador nos hace la siguiente observación.

«Sin duda es el *Babalawo* el que debe sacrificar. Pero hay que convenir en que los antiguos *Babalawos* eran un tanto déspotas y querían avasallar a los Santeros y éstos se fueron zafando de su yugo . . . De ahí que no sea siempre el *Babalawo* el que sacrifique, sino el *Olocha Oriaté*. A falta de *Babalawo*, si se quiere respetar la tradición, mata un hijo legítimo de Ogún. Terminantemente, el *Babalawo* no afeita, no raspa la cabeza del *omó*. Lo que sí hace, de hallarse presente en la ceremonia de prepararle la cabeza al *omó*, es recibir la navaja de manos del *Afari*, le reza, la *moyuba*, se la presenta en la frente al *Iyawó* y vuelve a entregarla al *Oriaté*. No comprendo cómo en casa del *bokono* Esquivel, sucesor de Pilar Fresneda, la arará, dónde sólo se adoraba a Agróniga (Sán Lázaro) oficiaba el *Babalawo*, porque el *Babalawo* no pasa muerto, no le está permitido ir al cementerio, y en el culto a San Lázaro de los Arará actúa mucho la Muerte.»

Volviendo al rito de *Osain*, al *Omiero* , esas cazuelas —*ikoko*— que van a emplearse, como todo se *moyuban*: «*Moyuba gbogbo ikoko to chu di male.*» Por último, todas las yerbas y aguas se reúnen en un depósito de suficiente capacidad. El *Omiero* contiene también sangre de los animales sacrificados y el *aché*, el secreto de los dioses.

Reducidos a polvo, el *Aché* de *Ocha* consiste en cabeza de paloma, de jutía, ñame, *ewe atikuanlá*, de hojas de mango —*orobego*—, de harina de maíz, y *tuché, eró, obikolá* y *osu*, semillas importadas de Africa sin las cuales es impracticable un Asiento.

Ayaio utiliza además *aché* de lirio blanco y *aché* de semilla de canistel, carne de vaca y carnero.

De las *ewe* que anteriormente se han mencionado y de otras que se omiten para no repetirnos, —los devotos curiosos e *Iyawó* hallarán en

El Monte una lista más detallada— ofrecemos sus nombres en lucumí, «pues en lengua lucumí deberán llamarse».

Tete, Totón, Etikualá = Bledo
Ewe nani = Yerba de la niña
Enuekiri = Itamo real
Epinché = Kotonembo
Oú = Algodón
Ewere yeye = Peonía
Oleyetebe = Piñón botijo
Ewe aye = Helecho de río
Ekisan, Euro = Verdolaga
Odundún eluko = Prodigiosa
Ibakuá, Minokui, Karodi = Canutillo
Eprimocho = Zargazo
Awema, Edú, Ilanseré = Maravilla
Obatuyé = Piñón
Tentén = Piña ratón
Baroni = Helechillo
Oniyoko = Canistel
Onabiri = Yagruma
Ichu, Osura = Ñame
Afomá, Afamó, Ofá, Ikereyeyo, Iwereyeko = Alamo
Ayán = Caoba
Irueri, Ope-cefediyé, Alabí = Palma
Okibrán = Pino
Maribé = Aguacate
Iresiano = Guira cimarrona
Abusí = Almendra
Oburuko, Osaoyimbo = Naranjo
Ewerán, Otari = Pata de gallina
Achibatá = Nelumbio
Tabate = Rompenzaragüey
Kikán = Carquesa
Kotonlo = Culantrillo de pozo
Atekedín, Biedú = Zarzaparrilla
Atopá = Ruda
Epolé = Yerba hedionda
Peregún = Cordobán
Epriki = Albahaca
Erukumú = Vergonzosa
Oluana = Grama cimarrona
Ewe sani = Verbena
Ochibatá = Alambrillo

Inabibi = Guacalote
Eyini, Yenu = Cundiamor
Opepe = Cedro
Iroko, Ayaba, Erekeali, Yarajara, Ebeke ali = Ceiba
Tini ochín = Palma areca
Eyo = Cerezo
Ayeko, Folé, Gusaye = Granada
Erere = Anón
Ererés = Mamey
Uro = Salvia
Eweakeké = Alacrancillo
Añaí = Cucaracha
Chini chini = Sabe lección
Ichoro = Culantro
Ewe rumatán = Malva té
Miekerí = Chirimoya
Adama = Almácigo
Kuyé = Escoba amarga
Olune = Cerraja
Eyeni keño = Albahaca menuda
Eberegún = Bayoneta africana
Kokodí = Pegazo
Ewe isa = Ortiguilla

He aquí la larga lista que conservo de yerbas y hojas con que deben limpiarse las casas y las habitaciones destinadas a los *Orichas*. Bledo blanco, algodón, campana, sauco, atipolá, almendra, flor de Mayo, higuereta, prodigiosa, paraíso, ítamorreal, sabe lección, yerba hedionda, yerba fina, yerba de la niña, yerba kautele, mazorquilla, mango, romerillo, guacamaya, piñón blanco, jagüey, almácigo, cordobán, caimito, rompe zaragüei, malanga, limi, trepadera, álamo, iroko, uva, maravilla, lengua de vaca, alacrancillo, coralillo, ponasí, perezoza, verdolaga, fruta bomba.

Aunque confíe en su yerbero, la futura *Iyá* tratará de conocer por sí misma el mayor número de plantas posibles, y cuáles son los *Orichas* que les infunden sus virtudes, ya que continuamente en el ejercicio de su sacerdocio habrá de recurrir a ellas. Si no puede augurar ni oficiar en el Asiento, sí está autorizada para practicar algunos ritos, como les ocurre a las que tienen Eleguá, porque 5 (*Oché*) 5-5 es su «letra de cabeza».

Las *Iyalochas*, como el *Babalocha*, tienen potestad para «lavar», consagrar y dar un Eleguá, este *Oricha* temido por sus travesuras, sus cóleras y maldades, y a la vez protector precioso, «guardiero» de las casas, «dueño» de los caminos y encrucijadas del mundo, con potestad para abrírnoslos y cerrárnoslos a su antojo. Eleguá, que no es uno solo, son siete: Añaguí, Layiki, Laroye, Alagwana, Batieye, Oku Boku, Ode Mará, cada uno con tres «caminos» o avatares, lo que eleva su número a veintiuno —«y creo que quedo corto», nos decía Chono, añadiendo otros nombres a nuestra lista de Echu-Eleguá.

Aunque ahora se discute si es de la competencia de las mujeres «dar» a Eleguá, pero entiéndase bien, un Eleguá de piedra, no de maza, cuya preparación sólo corresponde al *Babalawo*, la opinión de los viejos en Cuba les era y les es favorable a las mujeres, siempre y cuando la *Iyá* sea competente.

Pero, continuemos con las yerbas.

Ha habido yerberos, *Osainistas* notables, pero a Osain, el gran *Oricha* dueño de las yerbas y del monte y sus prodigios, —«por lo que al nombrarlo debe levantarse de su asiento quien lo miente, y tocarse el vientre»— no pueden recibirlo ni darlo las mujeres hasta que no alcanzan una edad avanzada, porque en punto a castidad Osain es muy severo. Como Olokun, el oceano insondable, o Agayú, la gran extensión de tierra que se pierde de vista. Son dioses, fuerzas demasiado poderosas para «ponerlas» en la cabeza, Osain, el mundo vegetal, la selva misteriosa, se apoya en el hombro de quienes el día de su *Itá* fueron elegidos con los *Odu* 6-3 (*Obara-Ogundá*) y 3-6 (*Ogundá-Obara*) para obtenerlo.

Sin embargo, la *Iyalocha* —o la *Omodó-Oricha*— no podrá poseer una «guía», es decir, un amuleto de Osain, hasta que pase la menopausia y se apaguen los últimos ardores de su sexualidad.

Para preparar un resguardo de Osain son varias las técnicas que suelen emplearse. Por ejemplo: a Talakó le bastaba con una pluma de loro, la lengua y los espolones de un gallo; de una jicotea, la cabeza, el corazón, las cuatro patas, las tripas, una parte del pecho, la sangre y raspadura del carapacho. Tierra de dos lomas, piedra imán y del Cobre. Telas de colores, una moneda de oro y un centavo. Un crucifijo y un escapulario. Tres clases de pimienta. Casa de abejas (panal) y de colmena. Yerbas de Eleguá, de Ogún y de Agayú. Tierra de dos esquinas y de la puerta de la casa. Limalla. Un caracol. *Omiero* y cera virgen. Hay muchas clases de Osain, —Osain ha pasado a ser un sinónimo de «resguardo», amuleto. Por ejemplo, para el Osain que se incorpora en un muñequito y que se lanza a caminar, el Santero necesita un pollo blanco, una jicotea, un pito, siete de sus yerbas, un género de color rojo, hilo blanco y un pequeño saco en el que se cosen un palillo y las siete yerbas. Se seca cuidadosamente el esqueleto del pollo, se esparce su carne por toda la cuadra en que está situada el *ilé* y se le pone al muñeco una pluma de pollo.

Otro *Osain* que le procurará ganarse las simpatías de la gente que le interesa se confecciona con cresta de gallo y la boca de un macao, que se quema con alcohol y se machaca. Hay que tener la precaución de preguntarle a Fleguá o a Orúmbila si debe llevar pimienta y en cuántas banderas se ha de envolver, y ¡atención! antes de valerse de este *Osain*, darle *aché*.

Para los «viandantes», que se decía antes, un Osain para caminar por este pícaro mundo «resguardado», la fórmula es la siguiente: cabezas de jicotea, jutía, paloma y gallo, hojas de ceiba, hilo fuerte y dieciséis agujas para coser todo esto en telas que se preguntará de qué color. Es preciso indagar también en qué dirección se tira del hilo, si hacia fuera o hacia dentro, y si una vez terminada la «obra» se coloca encima de Changó o de Eleguá.

El dueño de este Osain deberá puntualmente rociarlo todos los viernes con vino seco, le ofrendará tres granos de pimienta y le encenderá una vela.

Un *Osain* para buena suerte no podrá estar en contacto con mujeres y requiere: una piedra imán hembra —«porque las hay que son de sexo masculino y otras de sexo femenino»—, limalla, una codorniz, siete caracoles, siete mates, un guacalote, siete bolas de vidrio, siete tabacos, tres jabones, una botella de vino seco, una botella de agua de Quina, una planta de mejorana, otra de albahaca, incienso molido, canela molida, una herradura y un paquete de tela.

Osain como Eleguá, que es su *egbe* —«compa», camarada— cuida las casas y abre las puertas de una prisión: liga y desliga, atrae y desvía.

Así, sin que el camino de la *Iyawó* la destine a ser Santera, para su seguridad se esforzará en conocer las yerbas principales de su *Oricha* y de los demás que venere.

Una hija de Obatalá me enumeraba las de su divino Padre: «*peregún*, maravilla blanca, *oniyoko, aye,* yerba plata, yerba fina, *otikuanlá, tete, oyuobo,* higuereta, algodón, prodigiosa, belladona, plátano, salvia, yantén, saúco, almendra, anón, estefanote . . .»

Sabrá, por lo menos, que las de Changó, aunque muy numerosas, son: hojas de mamey, de carolina punzó, de canistel, diez del día, campana blanca, guacalote, San Diego punzó, yerba buena, cimarrona, alambrillo, álamo, mazorquilla, filigrana, peregún, platanillo de Cuba, ciruela, maravilla, resedá, ciguaraya, ponasí jobo, ceiba, peonía, ítamorreal, algarrobo, jagüey . . .

De Eleguá: zargazo, aguinaldo lechero, sabe lección, piñón, pata de gallina, ateje, escoba amarga, lengua de vaca, yamao . . .

De Ogún: la ceibadera, zarza, campana morada, abrojo amarillo, sabe lección, manajú, salvadera, vicaria, eucalipto, campana morada, yerba mora . . .

Ochosi: peregún, siempre viva, maravilla blanca, *ewe ayé oniyoko*, *atikuanlá*, bledo blanco, flor de agua, vinagrillo, higuereta, belladona, prodigiosa, albahaca, algodón, almendra, guanábana . . .

De los Ibeyi: zarzaparrilla, rompezaragüey, naranja, chirimoya, guayaba . . .

De Inle: sacu sacu, imo de río, ruda, romerillo, mar pacífico, flor de agua . . .

De Agayú: toronjil, malva té, abre camino, colonia, salvadera, jobo, serraja, marpacífico . . .

Yemayá: cucaracha, túa túa, filigrana, culantrillo, uva gomosa, yerba añil, verdolaga, achibatá, su flor favorita: la flor de agua. Paragüita, sauce, frescura, helecho, totón, malanga, verbena, diez del día, pringamosa, meloncillo, canutillo, cimarrosa, lechuguilla . . .

De Ochún: botón de oro, romerillo, canutillo, coralillo, yerba la niña, cerraja, limo de río (*imo Ochún*), culantrillo, saúco amarillo, resedá, alancrancillo, rosa, maravilla amarilla, orozú, canela . . .

De Oyá: pepino cimarrón, caimitillo, higuereta, yerba de pascua, garro, cordobán, manto, galán, cucaracha, ciruela, baría, mazorquilla, guasimilla, caja, yuca . . .

Un matancero, para que no las olvidara, me regaló esta pequeña lista de *ewe* que Chanuá Didawo tenía por insuperable.

Para Eleguá: rabo de gato, sabe lección.

Ogún: marilope, pata de gallina, salta perico, agrimonia, apasote, anamú.

Ochosi: helecho, cerraja, romerillo blanco, berro, botón de oro, vinagrillo, geranio de olor, verdolaga.

Yemayá: canutillo, flor de agua, mazorquilla, verbena, culantrillo, mejorana, baría.

Ibelli: bejuco, canastro.

Yansa: ítamo real.

Yewá: pendejera.

Babalú Ayé: yerba buena, cimarrona, cundiamor, pendejera, pegudo, rabo de gato, escoba amarga.

Changó: jagüey, zazafrá, siempre viva, laurel, álamo, caisimón, nigba, ruda, platanillo de Cuba.

Obatalá: siempre viva blanca, hojas de algodón, hojas de granada, esclariosa, tontón, bledo blanco, frescura, verdolaga francesa, canutillo blanco.

«Claro que el conocer bien las yerbas es una ventaja enorme para el Santero, y es un *aché*, porque hay manos que las secan, sombras que enferman la tierra en que crecen, y lenguas que saben cómo hablar con ellas.» Pero oigamos cómo se dirige a la travesera, a la espuela del diablo y a la ortiguilla el que va a buscarlas para defenderse de un enemigo: «Afosí, travesera, te vengo a buscar antes de las doce porque te necesito, ven conmigo para que te le atravieses en el camino a Fulano de Tal y no pueda hacer nada de lo que tenga pensado.

«Espuela del diablo te vengo a buscar porque así como tú no tienes dónde agarrarte, Fulano de Tal tampoco tenga dónde agarrarse, viva intranquilo, y con el poder de Osain, tragando espinas.

«*Ewe Isa*, ortiguilla, vengo a buscarte para que antes de las doce piques a Fulano y no halle paradero ni sosiego en ninguna parte» . . .

Y como todo tiene su contra, hay bueno para malo, este daño se mata con *iguere yeye* (peonía), *ewe bara oni* (helechillo), *ewe dudu* (siempre viva), *Omi Olorun* (agua bendita de la Iglesia), azúcar blanca y tres baños con hojas de majagua, yaya blanca y siempre viva.

Mónica, que sabe mucho de yerbas y cuida mucho de sí misma, trabajando por su bien y el de sus ahijados, le dice al bledo sin espinas: «Según estás de chiquito y es grande tu poder, así quiero que me engrandezcas a mí y a mis hijos, y que tu poder sea suave.»

Al *atipolá* o *tontón* se le dice:

«Según semillas tienes así me des a mí y a mis hijos, dinero y suerte.»

A *Ewe Iná* o *Ainá*: Según usted es *Ewe Iná* así quiero que me caliente a mis hijos por cuanto vayan a hacerme a mí.

Ewe Edú (Maravilla): Según tienes fresco así quiero que refresques el corazón de mis hijos y según abres tus flores se me abran las puertas.

Al Algarrobo: Según tú vences y das sombra así se la des a mis hijos para que mis hijos me la den a mí.

A *Yení* (Cundiamor): Para que le des amor a mis hijos y le atravieses el carazón a todo el que de mí hable mal.

Balsamillo: Para que cuanto hagan mis hijos sea un bálsamo, el que sube y baja.

Ewe Sani (Verbena), *Iguereyé* (Peonía) y canela: Para que cuanto mis hijos hagan sea sano para mí y tengan fortaleza.

Ewe gusayé (Caimito): Para cuanto mis hijos piensen sea fresco.

Ewe guegué: Para que cuanto mis hijos hablaren se les sujete la lengua y les toques el corazón.

Pendejera: Para que si mis hijos me vayan a hacer mal o me levanten la mano se apendejen.

Salvia: Salvia salvadera salva a tus hijos. Apasote, según tienes de semillas así sea de abundante la felicidad en mi casa.

La *Iyá* no sólo podrá refrescar a su *Oricha* con los *ewe* más *officinalis* cuando éste se incomode sino mantener puros, inmunes a malas influencias, con baldeos, sahumerios y baños su cuerpo y su casa sin recurrir de continuo a la Madrina y al Padrino, que no se cuidan de instruirlos. Un devoto de Changó lo refrescaba y «amansaba» con quimbombó. Obtenía lo que le pedía cortando el quimbombó muy menudito; lo mezclaba con harina de maíz, pescado ahumado, jutía, manteca de corojo y miel. Hacía una masa y formaba con ésta diez bolas que ofrecía a Changó. Le pedía durante doce días, al cabo de los cuales, a las doce m., dentro de una jícara envuelta en una tela roja y otra blanca, las depositaba cabe a una palma, un álamo o una ceiba.

No era muy sumiso a la voluntad de Changó su hijo el Moro, y éste cuando su divino Padre se enojaba con él, tomaba su *Otá* y sus caracoles, los sumergía en manteca de corojo y miel de abeja y le rezaba y suplicaba. Al día siguiente le regalaba lo que tanto gusta a Changó, un racimo de plátanos (*aguadó*) y de nuevo rezaba y suplicaba. Al tercer día una pitahaya, y le derramaba miel de abeja, manteca de corojo con unos granos de pimienta de Guinea. El quinto día seis mameyes adornados con cintas. Al sexto dos gallos blancos, quimbombó cocinado sin semillas, que ponía en la bateíta de cedro del *Oricha* y lo cubría con un pañuelo blanco. (Esto es lo mismo que le hacen los Santeros cuando ruegan —hacen *ebó*— a quien ha provocado el enojo del dios del trueno.)

Para apaciguar a Yemayá, que es muy severa: —«muy buena pero muy fuerte y no le gusta que se juegue con ella»— *Omibiawo* nos dijo que introducía su piedra envuelta en limo marino en una palangana con agua de mar. Durante siete días le derramaba melado. Siete botellas de melado. Le ofrecía al segundo día un plato con frijoles de carita, y le rogaba. El tercero una papaya. El cuarto un dulce de coco; el quinto maíz finado y le rociaba con añil. El sexto le ofrecía siete palanquetas, y el séptimo y último día un hermoso melón.

A Ochún se le amansa metiendo su *otán*, envuelto en berro en una tinaja con agua. El segundo día se le meten en la tinaja cinco cazuelitas. El tercero las cinco cazuelitas se llenan con cinco flanes: el cuarto con arroz amarillo y el quinto con pescado en salsa verde. O bien, se le ruega el primer día con cinco palanquetas. El segundo con un plato de natillas, el tercero con dos racimos de plátanos con cintas amarillas. El cuarto con botellas de laguer, —«¡cómo le gusta a Ochún el laguer!»—, y el quinto con cinco calabazas.

Las *Orichas*, como es sabido, son susceptibles, y lo son especialmente con los hijos que más quieren. Estos, a veces sin proponérselo, hieren su sensibilidad o los irritan con alguna negligencia. («Y hay que pasarles la mano».)

«Obatalá es muy delicado. Cuando está bravo se le envuelve la sopera con algodón que pese cuatro libras y se le ponen dieciséis plumas de loro. El primer día se le ruega y se le ofrece una fuente de arroz con leche. El segundo una torre de merengue adornada con grajeas. El tercero natilla que sea bien blanca. El cuarto cuatro litros de leche en taza de loza blanca y seis platos blancos. El quinto día la ofrenda consiste en arroz blanco sin sal y manteca de cacao. El sexto se ruega con calabazas blancas. El séptimo con una taza de champola y guanábanas. El octavo se le ofrendan dieciséis anones, y todo esto se le lleva a una loma o a una manigua.»

Para ofrendarle a los *Orichas* alguna golosina que les agrade, frutas, dulces, se tendrá en cuenta sus «marcas», los números que representan, como nos advierte Feliciana, simple devota que le ofrece a Ochún cinco naranjas o cinco panetelas, porque cinco —y múltiplos de cinco— es la marca de Ochún. Por eso un *Omiero* de Ochún se prepara con sus cinco *ewe*; de Changó con seis; de Ogún y Yemayá con siete; de Obatalá con ocho; a Eleguá con tres, etc.

Para un *ebó* clásico de enfermo grave, como nueve es la marca de Oyá, se necesitan nueve palomas, nueve guineas, nueve gallinas negras, nueve bollos, nueve panales de abeja, nueve manzanas, nueve caimitos, nueve naranjas, nueve cocos, nueve plátanos, nueve géneros de colores.

«Son cosas que parecen tonterías y ayudan mucho en la vida y la niña las debe aprender . . .» (hace más de treinta años la «niña» era yo, y es que antes, habitualmente, en Cuba, los negros viejos llamaban así a los blancos aunque estos peinaran canas) «si la niña está pasando disgustos y necesita que se le aclare la suerte, que haga baldear su casa con guacamaya, adormidera, un poquito de canela, azúcar, apio, artemisa, embeleso y agua de Florida, y a esto le echa incienso en polvo, los martes, jueves y viernes . . . y todo se aclarará».

Por cuenta propia y consultando con el *obí*, otros devotos que conocen las yerbas limpian los suelos de su casa y atraen la suerte con lechuga, berro, escarola, apio, artemisa, cundiamor, maravilla punzó, y benjuí.

En una de mis fichas olvidadas aparece esta misma fórmula reforzada con *ekó, eyá, aguadó, oñí,* incienso y . . . porquería de vaca.

El piñón botijo, álamo, totón, canutillo, ruda, jabón prieto —que no debe obtenerse aquí en U.S.A.— se empleaba mucho en estos baldeos, que solían completarse esparciendo después harina de maíz con manteca de corojo y miel.

Con piñón, rompezaragüey, agua de jicotea, amoniaco, y si es posible conseguirlo, pelo de chino, que se riega en la puerta, nada malo penetra en un hogar.

Hasta las maldiciones se anonadan con romero, quita maldición, yerba buena, berro, lino macho, botón de oro, canela, *eyá* y *aguadó.*

A veces por ciertos extraños fenómenos que se ven o experimentan, angustias, sobresaltos en el sueño, pesadillas, se sabe que un muerto, sin paz, «oscuro», se manifiesta en la casa. Pues como primera providencia se hace un *Omiero* para derramarlo en el suelo y lavarlo de adentro hacia afuera, que lleva granadillo, rompezaragüey y escoba amarga. Este *Omiero* aleja al espíritu; a la vez que se baldea se quema incienso, azúcar morena ajo y canela.

Era con ese *Omiero* con el que el pueblo allá en Cuba, «cuando se moría tranquilo y acompañado, en su propia cama, al salir el cadáver, se limpiaba la casa y luego se limpiaban los familiares y los amigos al regresar del cementerio».

Hay *ewe* que son maléficas, que atrasan o enferman, como la peonía, que fuera del *Omiero* provoca tragedia. Muy peligrosas si se pisan. Y las hay excelentes, que alejan a los brujos y a los malos espíritus, como la ruda y el ñame volador.

Para sus baños lustrales *Iyá* e *Iyawó* tendrán un cuidado extremo; equivocadas las *ewe* podrían serles fatales y de ahí la necesidad en que están de conocerlas, «de modo que, al mezclarlas que se entiendan bien unas con otras». Las hijas de Oyá, con pocas pueden bañarse. Las yerbas de Eleguá calzan bien con las de Ogún. Las de Ochosi con las de Obatalá. Las de Obatalá con las de Changó, Yemayá y Ochún.

Y de su peor enemigo se librará el que invocando a Oyá lo nombre y sople cenizas a las doce del día o de la noche.

La madre o la esposa que sufre y se avergüenza porque el hijo o el marido roba cediendo a una tendencia irreprimible, lo curará averiguando cual de los *Orichas* lo ahija. En estos casos una buena *Iyalocha* utiliza peluza de maíz y el número de mazorcas que indique el dios. Se tuestan y derraman las pajuzas e invocando a Ogún y rezando la oración de la Mano Poderosa se le pide que asi como están amarradas las mazorcas le ate las manos del ladrón para que no pueda robar más. Su nombre se deja escrito en un papel en los hierros en que se materializa Ogún y a los tres días se le da sangre de un gallo.

Un pollito robado es lo que le ofrecía J.M.A. a Eleguá cuando estaba cesante para obtener trabajo. En vez de arrancarle la cabeza le arrancaba la lengua, lo abría por la mitad y le sacaba «la cruz que tienen las aves en el pecho». Entizaba la lengua con hilo rojo y blanco. Le daba coco y le preguntaba si le bastaba con el pollito. Si decía que no le echaba aguardiente y le ponía jengibre y pescado ahumado. Para contentar a Eleguá, alejarlo, y que complazca, Inesita lo ponía a tomar el sol de la mañana, pero cuidando que estuviese en su lugar a las doce del día. Le pasaba maíz a la piedra y le ponía tres cabezas de arenque cocinadas con verdolaga, tete y hojas de guayaba. Le dejaba tres días las cabezas de arenque y luego le mataba un pollito que anduviese detrás de la madre, y si el pollito era robado, más le gustaba a Eleguá.

También se saca al sol a Eleguá cuando hace falta que ayude a encontrar empleo o a ganar algún dinero cuando éste falta. Con un pollito que se le mate se le dan siete clases de comidas crudas, *orí, epó, eyá, ekuté,* aguardiente, retazos de telas de tres tiendas, y el que le implora toma un baño de artemisa, mejorana y alcanfor.

Quien sospeche que se le ha echado brujería y tiene nociones de las virtudes de las yerbas, sabe que el *iche* será inoperante bañándose con rompezaragüey, orégano de la tierra, corteza de cedro, tuba tuba, ítamorreal, ristra de ajos y dos perfumes, Agua de Florida y, si lo encuentra, Loción Pompeya. Otro antídoto muy conocido y bien experimentado es, de ser vista la brujería, orinarse sobre ella.

Los que estaban expuestos por su oficio inconfesable de apropiarse de lo que no era suyo, a ser un día atrapados por el «achelú» —el policía— encendían de vez en cuando durante tres jueves una vela a Ochosi, se daban tres baños con hojas de caimito y se «limpiaban» de pies a cabeza con dos huevos de paloma que después arrojaban hacia atrás, iban escapando.

«Si en el automóvil, en la guagua se pusiera una rama de trepadera, no habría tantos choques.»

No permanecería mucho tiempo cesante quien se hiciera de una estrella de mar viva y la tuviese en una vasija con agua también de mar en un rincón de su casa. No tardaría en llegar a ella el trabajo y el dinero que tanta falta hace.

¡Cómo se alejarían de las casas esos seres atravesados del otro mundo que se envían a tomar posesión de ellas para mortificar y dañar a los que las habitan, si supieran que bastaría con comprar en la botica un poco de asafétida en piedra, meterla en una lata a la que se le abre un agujerito y en la que se echa una brasa encendida!

Tradicionalmente cada día de la semana es regido por un *Oricha*. Los lucumí les enseñaron a los *Olorichas* criollos que el día de su Patrón debían descansar.

Según Andrés Monzón, los Lunes, —día de la adivinación, se consultaban los caracoles, (aunque a diario «registraban», se «preguntaba» en la mañana)— le corresponde a Eleguá, Ochosi y Oko.

Martes: Día de la guerra, manda Ogún.

Miércoles: el tirador de piedras. Changó.

Jueves: Día del reinado. Obatalá, Olofin, etc.

Viernes: Día de la expiación. Oba, Yansa, Yewá.

Sábado: Día del enamorado. Ochún.

Domingo: Día de peticiones. Olodumare, el Todopoderoso.

«Día en lengua», decían los viejos, es *iyo*, a la semana, *ose*. El mes *Ochukán.*

EL Lunes: *Iyo awo.* Martes: *Iyo karusé.* Miércoles: *Yakuta.* Jueves:

Iyaba. Viernes: *Yokefa.* Sábado: *Iyo abameta.* Domingo: *Iyo olorun.*

En efecto, G. saludaba a Eleguá los lunes con el siguiente rezo: «abría la semana: *wese eba ra mefá pa ibé se ka pun temí wane jinsun ona wite Ogún wite eye aburusu ún bane arayé ún one édun se me oná ché Olodumare.*»

Algún otro informante estima que efectivamente, los lunes son de Eleguá, martes de Ogún. Pero el miércoles es de Babalú Ayé, de Ayanu, como éste tiene costumbre de llamar a San Lázaro, porque su madre era arará. Jueves de Obatalá, viernes de Changó, Jebioso. Sábado de Ochún y el domingo de Olodumare y de todos los Santos. Así es que una hija de Ochún le «ofrendaba» los martes, no los sábados, «porque cada *ilé* tiene su costumbre», y me dictó esta oración con que acompañaba su ofrenda: «*Dán dán iré ire eyo Yalode abe yi moró kumale gui gui obemale odun Iya mio sa fiedenu temi ware únlo tié tié temi fé da fuín moré sa wa Ocha kinche kinché obío sarayeyeo be du mo mi ché ode yoko oche temi . . .*»

«*A decir verdad, allá en tierra lucumí la semana era de cuatro días . . . pero todos los días son buenos para rogarles a los Santos. Con fe ¡dabobo mi Oricha!* (Ampárame mi Santo.)»

Ya para concluir, tocaremos un punto muy interesante que no escapa a la atención del más simple observador.

El clero católico, que en Cuba nunca evangelizó a los africanos, no lo ignora. De ello hemos hablado muchas veces con sacerdotes tan inteligentes como buenos cristianos. Los adeptos de las Reglas Lucumí, y los de las Congas, que se llaman con orgullo cristianas (*Mayombe Cristiano*), para distinguirse de la Judía (*Mayombe Judío*), estableciendo una diferencia esencial con la que se considera en Europa magia negra o goética, son católicos y en ocasiones sinceramente católicos, y nos consta, católicos más fervientes que muchos católicos que conocemos[30]. ¿Raro, no? Lo cierto es que en casos graves de enfermedad y convalecencia, por ejemplo, Oyá hablando en *Osa* aconseja que se lean las oraciones de San Luis Beltrán y San Lázaro. Y Obatalá en *Eyeúnle*, a quien esté amenazado de un padecimiento envía al consultante a visitar al Santísimo. Los hijos de Obatalá no dejarán de rogarle ningún jueves en el templo católico.

Los viejos apreciaban mucho más para sus difuntos la tradicional misa católica que la «espiritual». De una misa en el *oro ilé Olofi* o templo católico no podía prescindirse cuando moría un *iworo.* Así aún puede afirmarse que para los verdaderos ortodoxos lucumí hay obligatoriamente una misa católica y una misa africana, y que ambas se complementan.

A los nueve días de morir un *Oloricha* o una *Iyalocha* es de rigor —lo era en La Habana— celebrar una misa en la Iglesia e inmediatamente después de oída trasladarse todos los asistentes, *iworos* y dolientes, a la casa del difunto para el «*itutu*»: ofrecerle *obí*, interrogarle acerca del destino que desea dar a sus pertenencias sagradas y cumplir sus disposiciones. Un año más tarde tiene efecto la ceremonia conocida por «Levantamiento del Plato» y es ésta la que se ha llamado «Misa Africana».

Tan ligada está en efecto la religión que trajeron los lucumí a Cuba, con la católica, que aunque parezca inconcebible, después de la iniciación es de rigor que el *Iyawó* asista a una misa, y allí en la Iglesia los vemos con sus trajes blancos, cada vez más numerosos. No puede recibir collares ni Asentarse quien no esté bautizado en la Iglesia.

«Nuestros Mayores cumplían con Dios y los Santos 'por camino de blancos', en la Iglesia, y con los suyos 'por camino africano' en la casa y en los cabildos. Y lo mismo con los muertos: a lo católico y a lo africano. Así nos enseñaron.»

Y así es que continuamente nos encontramos al practicante de los cultos africanos en los templos católicos implorando la protección de Nuestro Señor, de los Santos y rezando nuestras oraciones.

Véase lo que un viejo «trabajo» —*iche*— se recomienda para invalidar la acción de una brujería.

«Se le enciende una vela a Changó y se le regala un racimo de plátanos verdes y un plato grande con listas punzó. Al primer plátano que tome le unta manteca de corojo, y hablándole se le ata en el medio un lacito punzó. Se hable con cuatro plátanos y a cada uno se le pone su lacito punzó. Se enciende una vela y se echa en el plato un poco de agua. Se dice: lo malo que me están haciendo ahí te lo dejo Santa Bárbara.

«Cuando los plátanos se pudran los lleva a una ceiba y allí se dirá: *Alafi Obakoso*, mi padre, aquí te dejo lo que me están haciendo. En su casa coloca en el plato tres cocos de agua y una libra de manteca de cacao y se los pasa así mismo tres veces al día diciendo: Alafi.

«Después tomará cuatro u ocho baños de albahaca de anís (dicha del Santísimo), mondonguera, cimarrona, hoja de campana o flor blanca, prodigiosa o siempre viva, atipolá, hoja de algodón y quita maldición, ripiadas muy finas. Pero la que cae no se recoge. Se dan los baños con jabón de Castilla y un estropajo. Un peine y una tohalla. No usarlos nadie. En cada baño siete esencias, agua bendita y una vela de a cinco centavos. Se dice: Olofi, Papá en su mano está mi limpieza. Y encienda la vela. Después vestirse de blanco. Peine, jabón y tohalla dejarlos en el campo, y después rezar tres Padres Nuestros y tres Ave María, que no pueden olvidarse.»

Para que un amuleto sea operante no faltará en su composición agua bendita de la Iglesia, y con frecuencia se introducen en ella escapularios. En otro trabajo que tiene por objeto lograr el amor de una mujer, se dispone que el enamorado, provisto de tres velas de cera de «cualquier colmena» y de una botella de miel, vaya a la orilla de un río a las doce del día o de la noche, de preferencia jueves o viernes, y que allí donde sea más profundo pronuncie estas palabras: «Con licencia de Dios, de la Virgen María y de toda la Corte Celestial solicito la protección de Ochún», para que ponga en práctica el conjuro que le ha dictado un *Olocha.*

En un «amarre» muy viejo y . . . reprobable, para dominar y vencer a una persona se rezan tres credos cada vez que se hace un nudo, y son siete los que deben hacerse en una mata que se coge en el cementerio. *«Parawan obini oku* . . . Se le arranca hincándole siete alfileres y se le dice: Te cojo porque te necesito y porque tienes que venir conmigo para subirme sobre Fulano o Fulana.»

Y para cerrar con broche de oro, con el siguiente *iche* le brindamos a la *Iyawó* un ejemplo de los que no deben practicarse y que además le permite al lector establecer mejor un paralelo con las prácticas de los temidos Mayomberos llamados «judíos» asiduos a los cementerios y las de algunos torcidos *Olorichas.*

«Para causar un daño a una persona odiada se va al cementerio llevando unos dulces, una cajetilla de cigarrillos, un tabaco, una caja de fósforos, café y azúcar. Disimulado en un bolsillo una botella de agua y media de aguardiente. Se visitan siete sepulturas distintas. En la primera se dice: Después de Dios y de la Tierra, le pido a Santa Teresa, a Oyá, que me conceda, como dueña del cementerio la petición que vengo a hacerle. Y es que el muerto que está bajo su mando me obedezca.

«Después se dirige al muerto y le habla: Si eres un espíritu bueno deseo que te vuelvas malo. Quiero que devores a Fulano o a Fulana como este dulce que aquí te pongo. Si fumas tabaco aquí lo tienes. Si fumas cigarros, aquí te los pongo. Si tomas café aquí te lo doy. Si bebes aguardiente, toma. Si deseas agua aquí está, y si no tienes vicios, con este dinero (un medio, entonces) te pago la tierra que vengo a buscar y que recojo con la mano izquierda. Se hace la misma invocación en las seis sepulturas. Y han de cogerse los puñados de tierra siempre con la mano izquierda, no se olvide. Se compra una cazuela de barro en la que se dibuja con yeso la fisonomía de la persona, mejor dicho, de la víctima de este maleficio, si no se tiene su fotografía, se echan las tierras de las siete sepulturas sobre el retrato o el dibujo en el fondo, se derrama sobre las tierras luz brillante y se coloca una botella de barro con un pabilo. En una tabla bastante gruesa se abre un agujero y en el centro se pone el nombre de la persona condenada. Una vara de tela negra que se corta en dos y se compra un gallo negro y doce alfileres. A las doce de la noche se va al río y se le llama treinta y tres veces en alta voz. Si es un hombre el ser odiado, se emplea un gallo; si es una mujer, una gallina negra. Con un cuchillo nuevo de cabo blanco (como se acostumbra) se abre el ave y se le extrae el corazón y la molleja. Se le clavan los doce alfileres pronunciando a la vez el nombre y apellido de la víctima. Se envuelven en el paño negro, se le hacen tres amarres y se lanza al río 'ahí arrojo la vida de . . .' Acto seguido se empuña el cuchillo de cabo blanco y una sola vez, llamándole, se atraviesa el cuerpo del ave y se deja clavada en la tierra. Se enciende el pabilo, se pone en el agua la botella de manera que la arrastre la corriente y se la ve alejarse hasta que se pierda de vista . . . 'Luz, así te pierdo de vista así Fulano o Fulana de Tal se pierda de este mundo'.»

Luego, al regresar a la casa se hará lo siguiente: se escribe el nombre de la persona odiada en un papel, se escancia brillantina en una botella que también ha de ser de barro, la llena hasta la mitad, toma una estampa de San Lázaro y el papel con el nombre escrito va . . . al retrete. Allí sobre el nombre coloca la estampa y dice: Fulano o Fulana está muerto. (Es a los muertos a quienes se les encienden lámparas fuera de la casa para que vayan a arder al infierno.)

En torno a la piedra de San Lázaro se riega ajonjolí. La lámpara arderá tres días y tres noches. Al tercero la lámpara y la estampa del Santo se retiran y en el mismo sitio se cava un agujero. Se tiene un gallo que es jabado, una botella de aguardiente, maíz tostado, manteca de corojo, dos cocos secos, pescado ahumado, jutía y pan. Con el gallo se despoja, lo mata y echa en el hoyo la sangre, el aguardiente y el maíz. Con una tela amarilla comprada al efecto, desnudándose todo se limpia el cuerpo. El gallo asado y untado abundantemente en manteca de corojo, se le presenta a San Lázaro. Los cocos se rompen y se depositan en el hoyo. El que ha realizado el maleficio se hinca entonces de rodillas y pide tres veces la gracia de Afimaya (San Lázaro). Tapa el agujero, le vierte tres jarros de agua; recoge el ajonjolí, la tierra, y siete veces toca una campanilla. Llamando a la víctima, se echa a la calle el ajonjolí con la tierra. San Lázaro se hará cargo de aniquilarla. Terminado el maleficio San Lázaro permanecerá el día allí hasta que baje el sol y se le traslade a la casa.

«Es un trabajo mortal», me aseguraron, «y lucumí.»

Si es lucumí o arará, es una muestra de que se condena sistemáticamente a los Congos, a los Padres y Madres Ngangas, como los únicos dedicados al mal, que hacen daño y nada más que daño. ¿Qué diferencia hay entre el trabajo anterior y éste de un Mayombero?

«Con veinticinco centavos se va a *kunalumbo* (el cementerio). Se saluda en la puerta, se explica por qué razón se ha ido allí y lo que desea obtener. Pronuncia el nombre de la persona a la que quiere hacer bien o destruirla, y deja caer los veinticinco centavos. Entonces vuelve a saludar, pide permiso arriba y abajo, es decir, al cielo y a la tierra: Yo Fulano de Tal, dice dirigiéndose a un muerto, te ruego que vengas conmigo para esto o lo otro, y en ese instante deja caer cinco centavos junto a la sepultura y se lleva *toto* (tierra). Cuando llega a su casa le pone a esa tierra pimienta molida de dos clases y ají guagua y los cierne con sal común. Liga los polvos y luego los tira a la puerta y al techo de la casa de la persona que se quiere destruir. Al terminar se lava las manos en cualquier cañada o arroyo. Cuando se ve el resultado de este trabajo se enciende una *muinda nfumbi* (la vela del muerto). Al consumirse la luz se le dice al *fuiri* (muerto): Váyase a descansar, y se le rezan tres Padres Nuestros y tres Ave Marías». Apartándonos de los sacerdotes y devotos de la Regla Lucumí el mismo cuidado de cumplir con Dios y con los Santos de nuestro panteón lo encontramos en la Regla Mayombe, el mismo uso del agua bendita por el sacerdote católico, indispensable para consagrar los palos (*nkunia*), la tierra y los huesos que constituyen la Nganga o «Prenda» del Mayombero o Brillumbero.

Una vez más la autora de este libraco se ha limitado a repetir lo que oía. No interpreta. Eso queda a cargo de alguno de nuestros futuros antropólogos bien nutridos de lecturas y dotados de mentalidad científica, a quienes también modestamente, para que le impriman el sello de su erudición, ofrezco este material reunido sin ciencia pero, de veras, con mucha paciencia.

Miami, Sept.-Nov. de 1977

Y ahora Iyawó ba soro, si así lo desea Iyawó va hablar lucumí . . .

DIOS Y LA CREACION

El Creador, Dios: *Olodumare. Olofi. Olorun. Babálubo.*

El Diablo: *Araya. Echu.*

La creación: *Ida.*

Mundo: *Aiye.*

Cielo: *Oru. Oro.* «Donde están todos los Santos: *Ilé Oricha gbobo».*

Cielo de agua, encapotado: *Oyoumbo Olorun nwá Loke —*decían los *egbado.*

Mar: *Okun.*

Sol: *Oru. Malé. Itabo.*

Luna: *Ochupá. Ochukuá. Ochú.*

Luna saliendo del mar: *Ochú yadé lokun.*

Estrella: *Irawo. Omó Ochu.*

El lucero: *Ayaochu.*

El lucero del alba: *Akualá.*

Agua: *Omí.*

Nubes: *Kuku. Asama. Saumá. Ikukú.*

Celajes: *Elubé. Lorun.*

Lluvia: *Oyoro. Oyo. Omi birere. Omí oru.*

Arco Iris: *Ochumaré. Oronu. Charawó.*

Cuando sale el Arco Iris se va la lluvia: *Ochumaré oyareo oyo.*

Aire: *Afenfén. Oyuma.*

Atmósfera: *Oyusama.*

Viento: *Efufú. Efufunla. Fenfén. Afenfé.*

Brisa: *Laféfe.*

Tempestad: *Oyi. Oyoyi.*

Tranquilidad: *Idake.*

Fuego: *Iná. Aina. Inabo. Ikan.*

Humo: *Lafín.*

Calor: *Orumina.*

Rayo: *Manamana. Manamanadá.*

Relampaguear: *Ñara ñara. Orun fiyupé.*

Relámpago: *Oyu Olorun. Un cha timá. Akarandá.*

Está relampagueando: *Oyu Olorun un che timá.*

Centella: *Manamana. Oyá majalá.*

Trueno: *Ará ará enu Changó. Babukoso.*

Tronando: *Kesoke Changó Oloke.*

Ruido, barullo del mundo: *Oriwó.*

Día: *Oyo. Iyo. Olán. Asá. Alarun.*

Se va el día, viene la noche: *Oyo unlo walá lale.*

Horas: *Wakati.*

Minuto: *Kio.*

Noche: *Oro. Chúoro. Irago. Yuru.*

Luz: *Mole. Imole.*

Oscuridad: *Kun Kun. Chu. Ididu.*

Neblina: *Kiku.*

Nube: *Ikukú.*

Amanecer: *Afemoyumo. Oyo keke. Ilaun.*

Medio día: *Osangán.*

Atardecer: *Chalé. Nchú. Asale. Bá wiwa. Chokú.*

Tiempo: *Akoko. Nakoko.*

Estación de invierno: *Tútú. Otútú.*

Estación de verano: *Erún. Oyo Fibona.*

Año: *Odún. Ochumeyila. Edun.*

Año tras año: *Layé layé. Edun.*

Horas: *Wataki. Agongó.*

Mes: *Ochukan. Lochú.*

Semana: *Iyomeye* (siete días). *Oche.*

Semanas: *Lo cheoché.*

Días de la semana: *Oyo Iyo Osé. Oyo isimí.*

Lunes: *Oyo aye.*

Día de provecho: *Iyo awo.*

Martes: *Oyo Ichegún.*

Miércoles: *Oyo oru. Yakuta.*

Jueves: *Oyo achechida iye. Iyoba.*

Viernes: *Oyo eti. Yima.*

Sábado: *Oyo abameta. Yokefa.*

Domingo: *Oyo aiku.*

Antes: *Loyú. Nibani.*

Después: *Lejín. Ngatibó.*

Siempre: *Lailaí.*

Ayer: *Laná.*

Antes de ayer: *Iyeta.*

Hoy: *Loni.*

El otro día: *Iyosi.*

Mañana: *Lolá.*

Futuro, porvenir: *Yina Ibowá.*

Pasado mañana: *Odolano.*

Presente, ahora: *Nibayí.*

Pasado, antes: *Tiló. Nibani. Igbani.*

Hace mucho mucho tiempo: *Lailai.*

La vida: *Iwá.*

La muerte: *Ikú.*

La eternidad: *Lai lai. Nigbabobi.*

Lo que está dispuesto: *Kadara.*

El mundo. La tierra: *Aiyé.*

Los caminos: *Ona.*

Buen camino: *Onareo.*

Polvo de la tierra: *Ekuro. Erupe.*

Montaña: *Oké. Okénla.*

El pico de la montaña: *Oríoké.*

Lomas: *Oké Kekere.*

Rocas, peñasco: *Okutan. Okutánla.*

Tierra: *Erupe.*

Piedras: *Otán, Otá.*

Valle: *Ifomifoyí. Odeanga. Alafo. Alafún.*

Campos: *Araoko. Ideoko. Igbo.*

Bosques: *Igbe. Ibodu. Igbo.*

Maniguas: *Iki. Niwe. Ilé nike.*

El llano: *Iberiko.*

Arboleda: *Igí. Igbi. Igbo.*

Frutales: *Eso.*

Hierbas: *Ewe.*

Conjunto de hierbas: *Eweko.*

Ramas, follaje verde: *Koku.*

Ríos: *Omisan. Odo. Ilé Iyumo. Nilo.*

La corriente del río: *Odo Ugbami puín. Omisan.*

La canoa de Ochún: *Omikan. Igbaya.*

Los remos: *Walami. Awako.*

Torrente, crecida: *Abara.*

Arroyos: *Omodó. Odo Kekeré.*

Fuente: *Osigango. Dada.*

Laguna: *Olosa. Osa. Ibuodo. Ibondó.*

Lago: *Adagumí. Omínla. Omisila.*

Manantial: *Kanga. Osingango Dada. Omisan. Omídaraya.*

«Corriente de agua que guia»: *Omitolá.*

Cascada: *Omichoro. Ochorodo.*

Charcos: *Kudu. Omikú.*

Pantano: *Pepete.*

Fango: *Pepeté-leré.*

Ciénaga: *Ere. Omirá.*

El mar: *Okun. Ibún.*

Mar profundo: *Okunyale.*

Agua salada: *Omiyo. Omi-Yemayá.*

Ochun (La Sirena nada en el río): *Omi Obini Luwe Odo.*

Yemayá se zambulle en el mar: *Yemayá ala buyi kun.*

Cruzar el río: *Babaja odo.*

Duendes. Güijes, seres que viven en el agua: *Afomisili. Iwi. Wíjil.*

Agua dulce: *Omi domi.*

Agua caliente: *Omi Bona.*

Agua fresca: Omi tutu.

Agua muy fría: *Omi didi.*

Agua buena para beber: *Omi dara.*

Olas: *Bilumi. Bilu-omi lokun.*

Costas: *Eté odo. Okun ete. Lokun odo.*

Arenas: *Yari.*

Arrecifes: *Okuta. Okután. Otanlokun.*

Manglares: *Olafaya.*

Conchas, caracoles: *Ayé. Pekuni. Kawo. Ayekujere. Owo.*

Los caracoles de adivinar: *Dilogún.* (16 *Ayé*).

Conchitas que no son hijas del mar: *Okoto.*

Conchita del mar: *Okoto Lokun.*

Lo profundo del mar: *Ibuodó. Ibú.*

Mar tranquilo: *Okundake. Okundale.*

Mar violento: *Okunbino.*

EL TIEMPO

Tiempo: *Oyusamá. Oyuyo.*

Cielo enteramente cerrado de agua: *Oyoúmbo. Olorun nagwa loke.*

Cielo despejado: *Olorudán.*

Cielo con nubes: *Olorun Kúko.*

Amanecer: *Diféyumo. Oruana.*

Mañana: *Tukutu. Uro.*

Mañana cálida: *Utukutu Fibona.*

Día: *Oyo-Osá.*

Tarde: *Ichale.*

Atardecer, tarde fresca: *Chale Tutú.*

Oscureciendo: *Kache Oyo. Oyuale.*

Al filo de la media noche: *Oruganyú.*

Noche: *Oru. Sonmó.*

Noche de luna: *Oru Ochu.*

Noche de estrellas: *Irawo.* ᴅɹⱱ

Noche negra, sin luna ni estrellas: *Okunkún. Orudu.*

Celajes: *Elube Lorin* —«Los celajes son las moscas del cielo».

Lluvia: *Oyó. Oyóuro.*

Tempestad: *Efufúnla- Oru Iña. Oyáoyi.*

Truenos: *Ará-Chango bino.*

Rayos: *Manamana. Ñára-Ñára.*

Calor: *Oyumuna. Orumina.*

Frío: *Oyututu.*

Mucho frío: *Pididi.*

Humedad: *Tutu-Lomí.*

Rocío: *Lo iri.*

Sequedad: *Pógbe-Erupégbo.*

LAS CRIATURAS

Criaturas: *Edá. Bibiyé. Eni. Enia. Ananagú.*

La humanidad: *Eniyan. Yenia. Ananagu.*

La gente: *Afoyuona. Loriléde.*

Hombre: *Oko. Okoni.*

Hombre bello: *Okowa. Okodara.*

Hombre feo: *Okobuku. Aratiyu. Abuku. Araniya.*

Mujer: *Obini. Obirin.*

Mujer bonita haragana: *Obini Buloya Mele Mele.*

Mujer bella: *Obinilewa. Bolova. Didara. Bamba Bamba. Telebi.*

Encontre una mujer bella: *Moba obini arewa. Beleye.*

Virgen: *Omodida. Omódan.*

Fea: *Obini Labuku.*

Altos: *Araun. Gan. Agadigadi. Fío Fío. Gan Gan.*

De poca estatura, rechonchos: *Aradié. Ara Keke. Guén, Guén.*

Gordos: *Orá.*

Flacos: *Tirin.*

Hermafrodita: *Okobo.*

Marimacho: *Obinílogun.*

Pederasta: *Asokosobo. Obiniteyo. Akenkén. Okunidini. Obodi.*

Blancos: *Oyibo. Oibo. Funfún.*

Negros: *Enidudu. Eru.* «Niche». («Niche» porque los negros tenían que trabajar mucho. «Niche» no quiere decir negro ni africano).

Mulatos: *Kukundukú. Chafá. Oyibó Imí. Akuamade.*

Africanos: *Nago. Dudu. Atifún. Eru. Awada. Okotó.* «Negro que se compra y se embarca, *Burudodura wokó la Bana awadá.*»

Criollos: *Omolei. Araperepere.*

Chinos: *Finlandi. Filani. Fula. Chifá.*

Nosotros los negros buenos: *Ava lo eru ta ta.*

Extranjeros, «que no habla español»: *Oriyé de.*

Viajero: *Arayo.*

Uno que va sin rumbo: *Achanlo.*

LAS EDADES

Viejos: *Arúgbo. Egbo. Odarugo.*

Vieja: *Agba. Egbo. Arugbó.*

Muy viejos: *Adarugbo.*

Hombre joven: *Tito. Omodékori.*

Mujer joven: *Omodebiní. Obiní. Chomodé.*

Muchacho: *Omodan. Omure.*

Niños pequeños: *Omowó. Kekeré. Omodié. Koké. Mokenkén.*

Niño que nace de pie: *Atesebi.*

Niños mellizos: *Ibeyi. Neyi.*

Niño que nace para morir pronto: *Abikú.* «Viajeros».

Espíritu de abikú que defiende la casa de agresiones de muertos y espíritus malos: *Abikú bombaya.*

EL CUERPO HUMANO

Cuerpo: *Ara.*

Fuertes, vigorosos: *Ara Obara. Aralara. Chibónle. Didara Dura. Tobi. Gboye.*

Débiles: *Arafa. Koitalaya. Idera. Ailera. Kodara.*

Sanos: *Dara.*

Enfermos: *Aidara. Aro. Laru.*

La sangre: *Eyé.*

Venas, arterias: *Eye Ona.*

Huesos: *Egun. Egungun.*

Esqueleto: *Agungún (Egun, Egungun se le llama también al espíritu de los muertos).*

La columna vertebral: *Egun, ejín, Egunti*

Rabadilla: *Idi.*

Carne: *Eran-Epo*

Piel: *Awo.*

Músculos: *Araichan.*

Tendones: *Ichánlara.*

Nervios: *Araimo.*

Cabeza: *Ori. Erí.*

"Lo sagrado que está en la cabeza, el ángel guardián": *Eledá.*

Sesos: *Modumodu. Foloripa.*

Cerebro: *Iye.*

Cráneo: *Ibá Orí. Abari. Gbarí.*

Pelo: *Eri Ori. Iro. Ironí.*

Peludo: *Kikiro.*

Pelado: *Lari.*

Barbudo: *Irobón.*

Bigotudo: *Ironeke. Iroreke. Iroke.*

Cabeza calva: *Páorí. Ori-Koiro. Loripipa. Apari.*

Nuca: *Chukuakuó.*

Cara: *Oyu. Iwayo.*

Frente: *Loyú. Iwayu. Doyuko.*

Mejillas *Eke.*

Ojos: *Oyu.*

El huevo del ojo: *Iyiyú. Eyinyú.*

Cejas: *Iroyu.*

Pestañas: *Iropepeyi. Kuekuéoyu.*

Ver, mirar: *Iwoyu. Ofé. Ri. Wariri.*

Desafiar con la mirada: *Oyú. Iña Iña.*

Parpadear: *Fiyupe.*

Ojos grandes: *Oyunla.*

Ojos bonitos: *Oyudara.*

Ojos pequeños: *Oyu Kéke. Oyudié.*

Ojos feos: *Oyubuku.*

Tuerto: *Olovukan. Oyuoka. Oyukan.*

Ciego: *Lofeyu. Ifeyu. Koriri.*

Bizco: *Foyukan. Oyumeru-(Aojador).*

«Malos ojos»: *Ayé. Oyuburi. Oyu ochono. Oyú ofó.*

Ojo de Dios: *Oyu Ketefún. Oyudumare.*

Ojos buenos: *Oyurere.*

Ojos abiertos: *Oyuyá.*

Ojos cerrados: *Oyufimo. Oyúokuo.*

Ojos alegres: *Oyu Yó Yó.*

Ojos tristes: *Oyuburo.*

Ojos llorosos: *Oyuya. Oyupé. Oyu Sukú.*

Ojos con cataratas: *Oyutafoyu.*

Acariciar: *Mababé.*

Llorar: *Sukú.*

Lágrimas: *Omí Oyu.*

Ojos ciegos: *Ifoyu. Iboloyu. Oyutan.*

No ver: *Kowayu. Ko Rí.*

Nariz: *Inu. Ino. Imo. Imu.*

Nariz grande: *Inuwu.*

Nariz chica: *Inudie. Inukere.*

Hoyo de la nariz: *Ijomu.*

Repirar: *Imi.*

Estornudar: *Sínsín. Chikichiki.*

Mocos: *Ikun. Omi inu. Kumino.*

Orejas: *Eti.*

Oídos: *Eti.*

Cerilla: *Adati.*

Boca: *Enu.*

Risa: *Rinru.*

Besar: *Fenu Konu. Fíenu.*

Silbar: *Chufe.*

Comer: *Yé. Yeun.*

Beber: *Mumu. Momu.*

Chupar: *Yemu.*

Dulce: *Didó, Didu. Okikio-Kikio.*

Amargo: *Ikoro.*

Tragar: *Dami-Ona, Ofon Da Mi.*

Eruptar: *Igofé.*

Labios: *Ete.*

Encías: *Eriyi.*

Dientes: *Ejin.*

Muela: *Kokoró.*

Los viejos no tienen dientes: *Arugbo Ailejín.*

Palillo de diente, «jaboncillo» (La madera de este arbusto, en efecto, era excelente para limpiar los dientes): *Itajín. .*

Quijadas: *Ereke.*

Lengua: *Emu. Ede. Eda. Elemú.*

Voz: *Enujun. Ojún.*

Palabra: *Oro.*

Palabra de honor: *Orodara. Oropé.*

Hablar: *Soro. Ba soro. Boti-boti. Babilú-kuele kuelé.*

Se acabó la conversación, el cuento: *Kejín jin.*

Hablar en voz alta: *Kikan Soro.*

Hablar en voz baja: *Soro yeye.*

«Hablar fañoso como Eleguá y Jicotea»: *Fimuso.*

Saliva: *Omi enu. Iwato.*

Sudor: *Omi Ara.*

Garganta: *Ofo. Efón-Gongofó.*

Barba: *Akbon. Loyugo. Gunuguaché.*

Cuello: *Oró. Orón.*

Nuca: *Ipako.*

Hombros: *Eyika.*

Brazos: *Apa.*

Pecho: *Aya. Akuá. Aiya.*

«Hueso del pecho»: *Egungú Aya.*

Senos: *Omu.*

Espalda: *Leyín. Paku.*

Vientre: *Ino. Ikun. Ido.* («Ilé Akará, la caja del pan»).

Ombligo: *Dondo. Iguo.*

Intestino: *Ino.*

Ano: *Obun. Ibilu. Ibimo.*

Excremento: *Imi. Yagbe. Purupuru.*

Evacuar: *Yagbé. Odofo.*

Pedo: *Fonpé.*

Brazos: *Akuá. Apa. Apatá.*

Manos: *Owo-lowo.*

Apretón de manos: *Owolowo.*

Mano derecha: *Awota.*

Mano izquierda: *Owosi.*

Palmas de las manos: *Atele Owo.*

Dedos: *Ika. Fikato. Ikawo.*

Dedo gordo: *Ika.*

Uñas: *Ikana.*

Muslos: *Itan.*

Piernas: *Eche.*

Cintura: *Ibadé.*

Caderas: *Okiti. Ibaroko. Ikúm.*

Nalga: *Idi. Edi* (*Idi Iyadé* es una injuria imperdonable: las nalgas de tu madre).

Rodillas: *Ekun.*

Tobillos: *Kokose.*

Pies: *Ese. Lese. Elese.*

Uñas de los pies: *Lese Ikan. Elesekan.*

LOS ORGANOS DEL CUERPO

Corazón: *Okan. Kokan. Timó.*

Corazón en mitad del pecho: *Okan Owokan.*

Pulmones: *Fukufuku. Ojunsi. Ojúnmísi.*

Estómago: *Ikun. Ino. Inu.*

Digestión: *Iseyé.*

Intestinos: *Fonino. Inoino. Inonino. Ifo.*

Dar de cuerpo, evacuar el intestino: *Fotimi. Yagbe.*

Hígado: *Edo.*

Vesícula: *Apoito.*

Riñones: *Oloino.*

Vejiga: *Apoito.*

Uretra: *Onaito.*

Matriz, ovarios: *Inobiní.*

Menstruo: *Eyé bayé.*

Sexo femenino: *Obo. Inu.*

Mujer de sexo gordo: *Obo oñolóun.*

Mujer embarazada: *Obini Koyún.* (En ebgado).

Sexo masculino: *Oko.*

Penis: *Elenga* (En egbado).

Testículos: *Epon. Ekuá. Koropon.*

LO QUE SALE DEL CUERPO

Flema: *Omiara.*

Tos: *Fukufuku. Kuju Kuju. Ikoiko. Ikopa.*

Escupitajos: *Tuto. Ikó. Tútútú.*

Vómitos: *Biyeun. Bino.*

Bilis: *Ororo-Omiedo.*

Eruptos: *Gufe.*

Excrementos: *Ifi-Imi.*

Sangre por el recto: *Eyéino.*

Diarrea: *Ichuno.*

Pus: *Iyón. Oyón. Oyonyú. Bayé.*

Supuraciones: *Ichoyo.*

Hedor: *Iyonu. Méche.*

Semen: *Okoru. Okówara.*

Sangre menstrual: *Eyesóso. Eye Obo.*

Orina: *Oto.*

Caca (excremento): *Cheré añaga.*

ACHAQUES DEL CUERPO: ENFERMEDADES

Enfermedades: *Ororo. Aidara. Aru. Aro.*

Epidemias: *Tanka. Titánkánka. Niyuba. Baba Ayé. Loiramo.*

Enfermo: *Aro. Nibo.*

Enfermo de los ojos: *Aroyú.*

Débiles, matungos: *Arafa. Ofo. Ailera. Fúwo.*

Tumores, llagas, úlceras: *Iléara. Oyonyu. Dégbo. Unwolumi.*

Granos, «nacidos»: *Isuara, lo susu, Nabi, Súsuéran.*

Gangrena: *Bayé.*

Escaras: *Isura. Ñongo.*

Zarna: *Ororo. Roro.*

Salpullido: *Tara. Itara.*

Sarampión, chinas: *Chura. Ichura.*

Cáncer: *Akacha. Oyuyu. Eguaro.*

Reumatismo, los «huesos virados»: *Arinko. Lajuérunka.*

Catarro, pulmonía: *Tifón. Tutú. Seuma.*

Anginas, mal de garganta: *Kofinfón.*

Tuberculosis: *Fukufuku. Eniko. Aronibe.*

Fiebre: *Araniba-bona.*

Ahogo: *Ifon.*

Tos: *Ikoiko.*

Desmayo, vértigo: *Daku.*

Cólico: *Inoro-inoíromi.*

Lepra: *Champonó. Chakuana. Aye* (San Lázaro).

Leproso: *Ete. Elete. Didete. Araete. Ayé.*

Viruelas: *Champonó. Chakuana. Ereré.*

Marcas de viruelas: *Chachányu.*

Verrugas: *Jejé.*

Epilepsia: *Ipá. Tanipá. Wawá.*

Epiléptico: *Ipaeni. Eníwapa.*

Mal de San Vito: *Aro Wariri.*

Convulsiones: *Ipa.*

Dolores: *Korosin. Aroró. Emiporo.*

Jaqueca: *Orifomi.*

Dolor de cabeza, neuralgia: *Ifoerí. Iforí. Ori indumí.*

Dolor de estómago: *Aro ikun. Oroíno.*

Estreñimiento: *Didí. Didifón. Aimí.*

Locura: *Chiwere. Weri weri. Siwí.*

Locos: *Eri aro. Fomodú. Weri. Esiwi.*

Nerviosos: *Ipaeni.*

Delirio: *Apeniyé.*

Cólera: *Ichuno.*

Palpitaciones: *Kokan Miyele.*

Opresión: *Ochiaya. Ochiokan.*

Hinchazón: *Igbinoko.*

Cólicos: *Inoiro. Iníromi.*

Temblores, mal de San Vito: *Aro Warire. Iriri.*

Calambres: *Ifonpo.*

Fiebre: *Elugo. Figbona. Bibona. Igbona. Araniba. Bona.*

Parálisis, paralítico: *Enilégba. Kódidi.*

Inválido: *Lanu. Ailá. Nijuro.*

Jorobados, deformes: *Abukén. Abuku. Abukenke. Labuku. Telejin. Obolengo. Enigan.* (Son hijos de Obatalá, y no hay que reirse de ellos).

Cojos: *Imoku. Yaro. Kolese.*

Mancos: *Owokéku. Enikowo. Owo Okan. Koniapa. Chewo.*

Sordos: *Iditi. Deti.*

Mudos: *Yadi. Ededake-Enidake. Enuko.*

Gagos, tartamudos: *Güíyi. Wíyi-Wíyi.*

Neurasténicos: *Fayuro Weri. Oriwerí.*

Moribundos. Desahusiado: *Nkuló. Nijuro.*

Yo me muero: *Eminkú lo.*

«Está podrido». Papá está podrido: *Kolé bayé. Kole Babá.*

Ronquido, hipo de muerte: *Sikisikú.*

Dios da la muerte: *Olorun fun ikú.*

Morir de muerte natural: *Ikú fororiku.*

Dios vino a llevarse al hermano: *Olorun waniwá abure ole.*

Muerto: *Araorun. Oku. Ikú. Oteribachó.*

Murió: *Tikuta.*

No llores, paciencia, Dios se lo robó: *Un su ru ko sukú Olorun gba ole.*

El muerto llora en su tumba: *Ikú unsukun oku chubú.*

Caja del muerto: *Posiku.*

Cadáver: *Alamurieku.*

Pena, duelo: *Fayuro. Ekun. Chichefo.*

Pena, tengo pena: *Mo banuye.*

Preparar el muerto para enterrarlo: *Wekuche.*

El dolor ponlo fuera: *Fimo pamu kanu.*

Estoy contento: *Moyó.*

¿Qué dice?: ¿*Ki lo wi?*

«Yo digo que la muerte lejos de casa»: *Emí wi ikú lo lo ilé dale.*

No le tengo miedo a la muerte: *Mo ma diyá ikú.*

«Vivito y coleando»: *Yiyé.*

Inmortal: *Aikú.*

Espíritu: *Odocha.*

Los Orichas no mueren: *Oricha aikú.*

¡Fuera daño!: *¡Ko si elebu!*

Uno que lleva luto o «muertero»: *Alawe-Güodu.*

Ya eres espíritu y ante tí me arrodillo: *Lení odegu odocha oda kulebo.*

LAS ENFERMEDADES LAS CURAN LOS MEDICOS: CUANDO OLODUMARE Y LOS ORICHAS QUIEREN

Médico: *Onichegun. Ichegún. Okogun.*

Medicinas: *Egboyi. Ewe. Itá. Ogún Mu. Ebó. Chegún.*

Purgante: *Omikiku.*

Patente, (medicamento caro): *Enlá.*

Calmante: *Ewe Bibale.*

Veneno: *Mayele. Ibaya. Kiku.*

Estoy enfermo: *Ara mi aro. Emisán. Saisán.*

Estoy sufriendo: *Oyu kuan mi.*

Me duele la cabeza: *Orí fo mi. Orí indumé.*

Estoy cansado: *Ore mi. Alagó.*

Estoy bien: *Ara mi dara. Emi odara. Emi lalafi.*

Me curé: *Emí san.*

Resucitar: *Abien.*

Por poco me muero: *Mo fere ku.*

«Todo lo que no debe hacerse para estar bien»: *Euó.*

Enfermedad que mata: *Eboré.* (Brujería).

Enfermedades y desgracias. Son tres: mujeres, padecimientos y la muerte: *Oro la meta obini, aro, ikú.*

SENTIMIENTOS — CUALIDADES Y DEFECTOS DE LAS CRIATURAS HUMANAS

Alma: *Okan.*

Carácter, genio: *Iwami.*

Amor: *Fe. Nifé. Ife.*

Persona que ama: *Enifé. Enirino.*

Afecto, cariño: *Okánfunfé.*

Querer: *Feran. Ofé. Fe.*

Quiero a mi familia: *Eyé mi fé.*

Quiero a mi mujer: *Aya mi fé.*

Quiero a mis hermanos y amigos: *Emifé aburo oré. Ati aburo.*

Quiero a mi país: *Emi fé ile mio.*

Quiero a mi «Santo» profundamente: *Mo fé bubú emio Orichamio.*

Señor dame suerte: *Olofi fumi roro.*

Te quiero mucho, muchísimo: *Mo fé tié biri biri.*

Amable: *Otito.*

Persona muy querida: *Eni ayo.*

Compatriota, coterráneo: *Ibile.*

Amigo: *Ore.*

Persona decente: *Iwo okorito.*

Amigo entrañable, «el mejor»: *Orégumá. Ayafé.*

Amigo inseparable: *Oré Kata Kata. Ore Ileya.*

Mi mejor amigo: *Ayafemi.*

Amigo que protege amigo: *Oré Oloré. Oreabo.*

Afectuoso: *Kolowo.*

Enemigo: *Kachéotá. Kupani.*

Favorita, predilecta: *Oregun-Ayana.*

Amada, amante: *Oyu Oyuwale. Olufe. Yale.*

Estar enamorado: *Afé.*

Coqueteo: *Chiré.*

Enamorado de verdad: *Afetán.*

Feliz, bien correspondido: *Inumidún.*

Desdichado: *Inumibayé.*

Para los desgraciados todos los días son Martes: *Lofún oró gbogbo oyo oyo.*

No tener nada. Nada: *Kosikan.*

Secreto de amor: *Fé Oyún Kiko.*

Amante, querido: *Olólufé-Okolomi.*

Querida: *Ayanfe.*

Felices: *Ayo.*

Desgraciados: *Binoyé. Koniyo.*

Bondadosos: *Enicheún. Eniegbe. Nire. Onire. Oníniere.*

Caritativos, compasivos: *Enirere.*

Malvados: *Ocho. Buru. Buburu. Burukú. Enikuro.*

Asesinos: *Olubako. Lacheran-Ofodá.*

Pescador: *Eleché. Loché.*

Brujos: *Ochono. Olougo. Ayé.*

Brujas: *Iyawiri. Mamá cheyé. Ayé biní.*

Valientes: *Onigboyu. Enida.*

Cobardes: *Foiña. Beru beru. Eniaoyo. Cherenaga.*

Cuando la conciencia remuerde sin sosiego: *Ofochuna.*

Traicioneros: *Buburo, buro. Okupani.*

Tiene el diablo en el cuerpo: *Lechú.*

Sinceros, dicen la verdad: *Nitoto. Totó. Ogbona. Enitoto.*

Generosos: *Yerere. Enire.*

Codiciosos: *Lawo. Eniaguo. Oyukóko.*

Avaros, envidiosos: *Loyú Kokoro. Okolara. Enilara. Chelara. Ekeni.*

Honrados: *Enitito. Omoito. Enatoto. Eniduro.*

Finos, educados: *Omowe. Olayu.*

Castas, pudorosas: *Iyeara-Obinimó.*

Viciosos: *Okobo-Nigüoro.*

Enredadores: *Arekuenda. Burutan.*

Majaderos: *Ogurú.*

Calumniadores: *Soroyín.*

Bribones, desvergonzados: *Buku. Oloyunte. Enituyé. Eniké. Enfikenia. Omoita. Dáyu. Olochá.*

Atrevidos: *Oguruyoni.*

Buenos: *Fenia. Enicheun. Okandara.*

Hipócritas, mentirosos: *Cheke. Enieke. Eletan. Abata.*

Sinceros: *Nitoto.*

«De una sola pieza»: *Atatá. Okan gán gán.*

Trabajador: *Chichéru.*

Haragán: *Olora.*

Falsos: *Areniyeo. Dakadeke.*

Descarados: *Dayu. Oloyute.*

Chusmones, «basura»: *Ikún.*

Severos: *Omiro. Emuno.*

Respetables: *Enilowo.*

Buenazos, benévolos: *Egbe. Chéu.*

Los que traen mala suerte: *Abaloriye.*

Los que dan suerte: *Koofó.*

Curiosos: *Efeyu.*

Serviciales: *Kolowo.*

Peleones: *Achoro.*

Ingratos: *Kosíope. Ailope.*

Hijos ingratos: *Omo Kosiope. Omo Aipe. Omo Koremora.*

Asesinos, crueles: *Oniparo. Nikano. Olupá.*

Compasivos: *Ilanu. Alano. Olulano.*

Coléricos, violentos: *Mobino.*

Inteligentes: *Nimó. Eniyé.*

Sabios: *Moyé.*

Mala cabeza, chiflado: *Fiforí. Wéri. Masekero.*

Estúpidos: *Onigó.*

Imbécil: *Omugo.*

Ignorantes: *Lo Chope. Igo.*

Hábiles: *Nijumo. Enimó.*

Pretenciosos, jactanciosos: *Lofó.*
Acheféfe. Féfe.

Vanidosos: *Lofo. Fufuléle. Ofofó.*

Ostentosos: *Lolá. Enifefe.*

Modestos, sencillos: *Enirele. Eninitiyú.*
Jereké.

Valiosos: *Nilari.*

Serios: *Eniró.*

Personas importantes: *Yánbanga. Onisi.*
Olayu. Oloye.

Corteses: *Moyi. Ibo. Iboya.*

Limpios: *Finyú. Wemo.*

Sucios: *Ilegbi. Enileni. Echerí.*

Ordinarios: *Taroko. Chakuno.*

Malas gentes: *Tuerayé. Ayati.*

Serias, honradas: *Eniro. Obiniro.*

Devotas: *Bolafuni.*

Los que nada les importa: *Obayé.*
Kobayé.

Mentirosos: *Ekelonso. Neke. Eletan.*
Chikeo. Irani.

Leales: *Lotito.*

Chismosos, intrigantes: *Eforo. Afofo.*
Fón Fón. Elenu. Lenú Kikiayé. Ekelonso.
Sorolejin.

Conversadores: *Asorósoro. Afañene.*
Onifró. Fulele. Babinu. Soro Sorupúpo.

Egoístas, «todo para mí»: *(Yunkan*
Gbogbo Fumí). Fife ara. Kosi Ferán.
Iferare. Ferafá. Araféfe.

Averiguador: *Lowariwari.*

Observador: *Eniwoye.*

Guasones: *AchEfé. Erigán.*

Rumberos, lujuriosos: *Abaniyé, Okora.*

Borrachos: *Omoti. Motimoti. Asiguare.*
Otipáro. Igukatiguate. Moyú Moyuoti.
Omutisubú.

Glotones: *Alayeyo. Poyu. Poyuyé.*
Oniyéunyéun.

Prudentes: *Moyé.*

Provocadores: *Toni. Iña oyu. Aroye.*

ReSpetuosos: *Isayu.*

Tímidos, comedidos: *Enisayu. Iloyu.*

Bobalicón: *Enifin. Mochiwere.*

Timorato, «casto José»: *Obinicha.*

Lujuriosos: *Okoiro Okó.*

Atrevidos: *Foleye. Itarunkuí.*

Celosos: *Yowu.*

Irritables: *Iyolariguó.*

Locos, arrebatados: *Kaloyu. Enikáka.*
Yedé.

Suaves: *Fuléfulé. Ninuire. Domó.*

Duros: *Okan Róro.*

Astutos: *Arékeréke.*

Confiados: *Pinfi.*

Desconfiados: *Lagbekele. Bekele.*

Chambones: *Yapayapa.*

Pendencieros: *Laroye.*

Pelear: *Yamberori.*

De mala intención: *Ifekufe.*

Los que son despreciables: *Ofó. Nilari.*
Iburu. Latiyú. Areniyé. Petepete.
Ofoyudi. Ichunu.

Formales, de buena conducta: *Lilé lowo,*
ochenia.

Tramposos: *Arakuenda.*

Jugadores: *Umpepe. Onipepe.*

Amables: *Nifé.*

Adulones: *Enitán.*

Delincuentes: *Igaro. Enikeni.*

Sinvergüenzas: *Bibaye.*

Asesinos: *Okurri. Buruku. Pani.*

Ladrón, eres ladrón que roba más que un
perro: *Ole le si ole le si bombo kamade*
ole le aya be ko wan ole ole aya be
ko wan.

Te voy a cortar la cabeza: *Mo be lori.*

Trabajadores: *Chiché.*

Haragán: *Lele. Enimele. Enichole.*
Sumbé. Dibule. Adele. Mele.

Estudiosos: *Kawe. Eniero.*

«Los que prometen y no cumplen»:
Cheleri. Abúso.

Tercos: *Chagidí.*

Porfiados: *Biafo.*

Despotas: *Onilara.*

Justos: *Okolododo.*

Injustos: *Leché.*

Buena reputación: *Lokidara.*

Chusmones, «arrastrados»: *Ofoyudi.*
Bayé Atiyú. Laiye. Chibayé. Abobiaye.
Ole.

Un mal engendro: *Obobíayé.*

Porquería: *Purupuru.*

Putas: *Panchaga. Atelarago. Obinílamo.*
Alubosa («cebollas»). Sarenbayá
(clandestinas). Ibola. Obini Chokán.
Obókan.

Lesbias: *Alakuata. Panchagayé. Alabua.*

Mujeres honradas: *Obinichá. Iyeara.*
Wándia.

Invertidos, afeminados: *Egbere. Adodi.*
Elenumeyi. Oko Terelago. Ba-vé. Baniyé.
Akenken.

Chulos: *Isu. Ale.*

Ricos: *Onilowo. Lowolowo. Onisese.*

Generosos: *Oloré.*

Pobres: *Talaka. Kosiowó. Anini.*

Pobrísimos: *Otochi. Latochi. Alegbo.*

Ripiados, mendigos: *Alakisa.*

Desgraciados: *Ikanu. Burewa. Olori*
Burukú.

Tristes: *Buru. Ikanu. Kanu. Isku.*
Alajoro. Orúyorúyo. Arabinoye.

Alegres: *Yóyó. Layó. Tayó. Oyo-Eniyó.*
Ariyá. (Estoy contento = Eminyó).

Simpáticos: *Enibanimo.*

«De sangre gorda»: *Ichariyé.*

Independientes: *Niara.*

PRONOMBRES

Yo: *Emi. Mo.*

Yo mismo: *Araenli.*

Tú: *Eyi, yi, ye. Eti. Iwo.*

Usted: *Igbo. Ejín.*

El, Ella: *On.*

Nosotros: *Ojún.*

Nosotros los negros: *Awa. Awon. Agba.*
Awa lo eru.

Ellos: *Awon. Agbón.*

Ellos los blancos: *Awón Loyibó.*

Este: *Awoyóni.*

Estos: *Awonyi. Wónyi.*

Ese: *Eyi.*

Aquel: *Eyiti.*

Cualquiera: *Enikunkán.*

PRONOMBRES POSESIVOS

Mío: *Mi, temí.*

Tuyo: *Etié, tiré.*

Nuestro: *Tiwá.*

Suyo, de ustedes: *Nyin, tinyín.*

De ellos: *Nwon, won.*

LOS ANIMALES

Animales: *Eranko.*

Los pájaros: *Eiyelé.*

Los peces: *Eyá.*

Las culebras: *Evó.*

Los insectos: *Kokono. Chinchin.*

Perro: *Ayá.*

«El perro muerde su cola»: *Ayatayotayo*
Mirumiru.

Gato: *Ologbo. Olojini. Olowini. Fitila.*

«Al gato le gusta comer pescado»:
Ologbo monyé Eyáoun.

El gato come ratón: *Ologbo onyé ekuté.*

Caballo: *Echín. Echinla.*

Potro: *Echin kekeré.*

Chivo: *Aukó. Euré. Ewure. Obuko.*
Kauré. Omuko.

Una vez nada más se capa el chivo:
Lokán lanyán epon ewure.

Carnero: *Agután.*

Oveja, ovejita: *Abo, agután. Omó*
agután. Agután kekere.

211

Conejo: *Oniro. Ejoro. Ureba.*

Cerdo: *Eledé.*

Venado: *Agbani. Abari. Oroní. Ekulu. Agbo. Yandupé. Awani. Osuo.*

Toro: *Malu. Mubi.*

Buey: *Okomalu. Arauba. Kufefe.*

Vaca: *Abo Malu. Eba. Aramayi. Arauba. Eba.*

Ternero: *Kéke malu.*

Buey criollo: *Makorún.*

Burro: *Teke. Terekuote. Terete.*

Mula: *Ibaka.*

Elefante: *Ayanakú. Elufán. Erinko.*

León: *Kinio. Ekonla. Efón. Eran Oba. Ekún.*

Leopardo: *Eta.*

Tigre: *Ayambeko. Ekun.*

Mono: *Obo. Onaoyo. Aya. Awero. Kisebo.*

Hipopótamo: *Okako. Erimi.*

Camello: *Bakasi. Mégo.*

Jutía: *Ekun. Ekuté. Ekueye. Okére. Agusán.*

Rata: *Ekuta. Eku.*

Ratón: *Ekute. Akufu. Agoró. Tere-Tere. Oluini.*

Más vale cabeza de ratón que cola de tigre: *Oriekute kierekereke ekun.*

Jicotea: *Ayapa. Ayura.*

Morrocoy, tortuga grande de mar: *Awokón.*

Caimán: *Oni. Iguele.*

Majá: *Eyó. Adagué. Edi. Ere. Kinkolo Kuá. Beéyo.*

Majá ciego: *Eyóere.*

Sapo: *Iguégueré. Opolo. Kuelu. Ajobo. Niyé. Alakualá.*

Rana: *Opolokéké. Akboro. Opoló. Alakuala.*

Lagartija: *Alaguema. Adamo. Chinchiwa. Olamo. Aguema.*

Iguana: *Oboniwa.*

Babosa: *Igbin.*

Cucaracha: *Kanyia. Añaí. Kanchá. Ñaí. Lebín.*

Araña: *Erundé. Iakúnla. Erá. Iká. Lantaku.*

Araña peluda: *Erá kikiro.*

Lombriz: *Ekolo.*

La lombriz le pide a Dios que llueva para ver a la gente: *Ekolo ju mi Olorun Omí mo ri enña.*

Grillo: *Tete. Entete.*

Mariposa: *Labalaba.*

Alacrán: *Akeko.*

Toro: *Malu. Mati.*

Cien pies: *Okun. Okuno.*

Gusano: *Kokoro. Kuku.*

Mosquito: *Yamu Yamu. Ñámi Ñámi. Emure. Sonsóla. Asansóla. Bogá Bogán. Kananamú.*

Abeja: *Oyi. Igo.*

Piojo: *Orina.*

Hormiga: *Ererá. Erumini. Erani.*

Chinche: *Idon.*

Nigua: *Itale.*

Avispa: *Ukuo. Odé. Sán Sán. Kechú.*

Mosca: *Aleke. Guñí Guñí. Fofolo. Folo. Bógan Bogán. Echinchi.*

Mosca casera: *Elube.*

Moscardón: *Echichilá.*

Mosca verde, venenosa: *Lataki. Iyánana.*

Gallo: *Akukó. Akikó.*

Gallo cantó en la loma: *Akuko Korín Loké.*

Gallo grifo: *Akuko Oriyaya.*

Gallo negro: *Akuko Fufuéru. Akuko Dridu.*

Gallo colorado: *Akuko Pupa.*

Gallo blanco: *Akuko fún fún.*

Córtale la cabeza al gallo: *Dumba Akuko Okuá. Akuko.*

Pollo: *Adié. Adire jío.*

Gallina: *Adiré. Adié Mayé.*

La gallina llama al pollo: *Adié ma wa jío jío.*

Guinea: *Etu.*

Paloma: *Eyelé. Eyilé.*

Codorniz: *Akuaro.*

Tojosa: *Rukuruku.*

Pato: *Pepeiye. Kué. Kuéye.*

Ganso: *Eiyemi. Agufá. Muraba.*

Pavo real: *Erurukán.*

Pavo: *Tolótoló. Gunugú. Kototo. Kuolo Kuolo. Tienko. Ogeté*

Pájaro: *Elye.*

Pájaro vuela: *Eiye folo folo.*

Pavo real: *Obaeiye. Awe. Aweni. Aguí. Ekuató.*

Avestruz: *Ogongo.*

Cotorra: *Soeiyé. Baluko. Lodé. Waka.*

Cotorro: *Sirero.*

Loro: *Awí. Odé. Odidé. Yedé.*

Plumas: *Ejujú.*

Plumas de loro: *Ilobe.*

Papagayo: *Chibó. Bopé.*

Aura tiñosa: *Kana Kana. Ikolé. Akalá. Arakolé. Kolé-Kolé. Akanasu. Gunukú. Koleyé. Eiye Unyé Bayé.*

Aura tiñosa no come aura tiñosa: *Oun Gunugú ko unyé Gunugú.*

Aura tiñosa no tiene casa: *Oun Gunugú Kon ilé.*

Aura tiñosa come animales muertos: *Oun Gunugú onyé eranko ikú.*

Flamenco: *Akere.*

Lechuza: *Owiwi. Ayé.*

La lechuza se bebe el aceite de los muertos y vuela al mar: *Ayé mamu adin ikú olo síle okún.*

Codorniz: *Akuaro. Ekuaro.*

«Pájaro blanco cuello largo, de agua»: *Akú* (¿cisne?).

Gavilán: *Awotí. Awodí. Awiodi.*

Cao: *Kete kete. Eiyeóle.*

Zorzal: *Guea-guea.*

Judío: *Sakusá.*

Totí: *Gronora.*

Sinsonte: *Awoíko. Daga-daga. Ololó.*

Como el sinsonte no canta el gallo: *Akukó ko akorín nié ololó.*

Tomeguín: *Kinikini.*

Canario: *Enagó. Eiyeyeyé. Morapepé.*

Murciélago: *Adá.*

El murciélago parece dormido, vienen a atacarlo, y no pueden: *Adá forí cholé úngbo inseye.*

Sabanero: *Nibaleke.*

Golondrinas: *Eiyépandedé.*

Pescado: *Eyá. Peyá.*

Morena: *Eyákida.*

Pez espada: *Okida.*

Guabina: *Eyáro.*

Pargo: *Eran Omidara.*

Bacalao: *Eyábibe.*

Camarón: *Ede. Edin. Pidin.*

Ostión: *Isa.*

Cangrejo: *Akán. Ayafán.*

Langosta: *Lakasa.*

Tiburón: *Eyakolu. Eránla Omiyo.*

Pez grande se come al chico: *Eyánla unyé eya kekére.*

EL PAIS

Nación, territorio, país: *Ile.*

Frontera: *Pínle. Opinle.*

Frontera de Cuba: *Okun.*

Ciudades: *Ilú.*

Pueblos: *Ileto.*

213

Ciudadanos, conciudadanos: *Ara-Ilú.*
Araoko.

Vecindario: *Adugbo. Enikiyi.*

Las casas de la ciudad: *Ile Ilu.*

Casas de piedras: *Ile Okutá.*

Bohíos: *Talaka. Ilélaka. Ilé Mariwó.*

Murallas: *Ilújíri.*

Las puertas de la ciudad: *Ilú lekun.*

El portero: *Oniguode. Onibode.*

Palacio: *Afin.*

El puerto: *Ibomó.*

El Morro y la Cabaña: *Odi La Habana.*

Torres: *Yivá.*

Castillos: *Ilélodí. Olodí.*

Castillo de Changó: *Olodi Changó.*

Cuarteles: *Ile Ogún.*

Cárcel: *Iléde. Ilemba. Iletubo. Ilé Ochosi. Ile Kieche.*

Plaza (mercados): *Oya. Olova.*
«Ve a la plaza a hacerme un mandado»: *Bá mi lo soya.*

Hospitales: *Ile Paro. Ile Aro.*

Las escuelas, la universidad: *Ile Oluko.*

Las tiendas: *Ilé ba ota. Ilenisowo.*

Fondas: *Buyé.*

Fonda de chino: *Ilé fulani.*

Cafés, tavernas: *Ile Otí.*

Posadas: *Ilelú.*

Casas de putas: *Ileiféara.*

El solar: *Biyoko.*

Vecindario, vecino: *Nikeyo.*

Templos lucumí: *Ilé Oricha.*

Templo católico: *Ile Babá Jesucristo. Ilé Olodumare. Ilé Olorun.*

Cementerio: *Ile Ikú. Ile Yánsa. Sinku.*

Las tumbas: *Iboyi.*

Puentes: *Faraodo. Wodé.*

Caminos: *Oná.*

Cuatro caminos: *Onarín.*

Tres caminos: *Itameta. Karila meta.*

Las cuatro esquinas de una casa: *Ilé otanela.*

Templo: *Ilé Oche. Ilere. Ilé be loricha.*

La puerta del cuarto sagrado: *Eleku yare Ocha. Eleko Igbodu.*

La Sacerdotisa o Madre de Santo: *Iyaloricha. Iyá wo che to ya Ocha. Mamaocha.*

La Iyá o Sacerdotisa Mayor: *Iyaré.*

La que cuida del neófito en la iniciación: *Oyugbona. Oyibona. Yubona.*

FIESTAS

Fiesta: *Odoyo.*

Bailes: *Iyo. Bembé.*

Cantos, toques, bailes: *Luluyo ikore.*

Bailarines: *Oniyo.*

Cantadores: *Korín.*

Tamboreros: *Onilú.*

Tambores: *Ilu.*

Saludo a los tambores: *Oribale.*

Espíritu de los tambores Batá: *Añá.*

Güiros: *Igba.*

Tocadores de güiros: *Alugba.*

Toques: *Lulu.*

Bautizos: *Komoyadé.*

Reuniones: *Unkuelu.* (En *egbado* dicen *apeya*).

Fiestas católicas: *Ibasenile Olodumare. Ichu.*

EL CAMPO

Guajiros, campesinos: *Araoko. Avabadé. Alaraoko.*

Sitieros: *Oloko.*

Fincas: *Irubioko. Irubin. Oko.*

Guardiero del monte, del bosque: *Achogbo.*

Campo para siembras de maíz: *Igbí Aguadó.*

Campo para siembras de yuca: *Igbí Baguda.*

Campo de caña, cañaveral: *Iyo eréke. Oko. Igberéke.*

Ingenio de azúcar: *Eroiyoréke.*

Maquinistas: *Elero.*

Máquinas: *Okórekéro. Eroréke.*

Azúcar: *Iyoereke. Firoché.*

Tronco de caña: *Ekukeréke.*

Guarapo: *Ereke Omí bibo.*

Bagazo: *Jaereke.*

Carretas: *Kekereke. Kekerú.*

Carretas de caña: *Iyoreke Kakerú.*

Carretero: *Aleni Malu.*

«Rueda dando vueltas»: *Kekelomeni.*

Tren de línea: *Pipoda. Ejun ero. Ojúnero. Onaoko. Sasasá. Okoilekeré.*

Volante: *Aga.*

Casa de vivienda: *Ilé yara. Ilé gán.*

Barracón: «*Baracó*» (sic).

Esclavitud: *Okaero.*

Esclavo: *Eru-Aguadá.*

Los esclavos de la dotación: *Erú. Enidudu. Ibeku.*

Del mismo apellido: *Daoruko. Kanaruko.*

Esclavos de una misma dotación: *Onilú. Erúnilú.*

Esclavo que huye (cimarrón): *Eru saló.*

Esclavos de otro ingenio: *Fofé.*

Negro que nació libre: *Bibinira.*

El dueño («l'amo»): *Olojún. Lokolona.*

Administrador: *Olorí.*

Mayoral: *Aláfisí.*

Contramayoral: *Okonika. Enipachá. Jenia* («ese era un omoita»).

Látigo: *Pachá. Ona. Biranko.*

Pegar duro: *Onápipo Erú.*

Perros para cimarrones: *Ayakó.*

Guardieros: *Lo olopá.*

Pueblo de campo: *Abuleko. Buleko.*

EL GOBIERNO

Reino: *Iyoba. Cheoba.*

Bandera: *Asia. Asiya.*

Bandera blanca: *Alamorere.*

Rey: *Oba. Obánla.*

Reina: *Ayabá. Iyaré. Aré. Ayati Oba.*

Príncipe heredero, príncipes: *Omó oba. Aremu. Alade. Onide. Omobeloyo. Alake.*

Princesa: *Omo Obiri Oba. Ayoba.*

Personajes «la plana mayor»: *Oloye.*

La corte: *Afinla.*

El palacio del Rey: *Afín Oba.*

Las grandes damas: *Abilola. Iyalode.*

Los altos jefes: *Olowo. Olvó.*

Personajes reunidos: *Yori yori.*

Los consejeros, ministros: *Olugo. Olukoni. Ologbo.*

Embajadores, mensajeros: *Onché.*

El gobernador: *Bale.*

El alcalde: *Oye. Obailú. Isaokun Losoko.*

El jefe del ejército: *Gaogún. Olúogun. Babalogún.*

Ejército: *Ogúnla.*

Estado mayor: *Ichefín.*

General: *Kafanfo.*

215

Comandantes, capitanes: *Oloricho.*

Soldados: *Akojún. Okogún.*

Batallones: *Egbegún.*

La caballería: *Elechín.*

Los jinetes: *Logún lechín.*

Trompeteros, cornetas: *Onifonpé. Eniperegún.*

Tamboleros: *Onilú.*

Guerra: *Iña. Iya. Ogun Ogun.*

Guerra con brujería: *Ebora.*

Revolución: *Koloya. Buruluyé. Yiyiko. Chaki chaki.*

Guerra a muerte: *Fobayé. Ikolu.*

Revolucionario: *Achagun.*

Insurrecto: *Ogúruyonsí* (mambi).

«Veterano de la guerra de independencia»: *Obonichi.*

Enemigos: *Otako. Olako.*

Victoria: *Ibori. Chelogún.*

El que gana: *Achegun. Yayógun.*

Derrota: *Lukulu. Ichubú. Okulokú. Bichubú.*

Vencido: *Adano.*

No se desespere: *Koyúsoun.*

«Y que tenga paciencia»: *Unsuru.*

El que ganó: *Ichegun.*

Heridos: *Arake.*

Presos: *Aratubo. Tubo.*

Paz: *Alafia.*

La marina: *Ogún Lokún. La Owokó. Okoénla.*

Marineros: *Atokokún. Atuku.*

Almirante, «jefe de los marineros»: *Olúokun.*

Jefe de la policiia: *Oloritoyu. Obachoilú. Alari kana. Bongwó.*

Policías: *Itoyu. Achélú. Achoilú. Onilú.*

Guardias, vigilantes: *Olucha. Olotuyú.*

Escopetas: *Ibo. Ebá.*

Revólveres, pistolas: *Chiori. Chichorí. Itubora. Buruku. Keké bonla.*

Fusiles: *Yulogun.*

Dinamita: *Obayé. Etubón. Itú. Ikan. Iná.*

Lanzas: *Echi.*

Flechas: *Ofá.*

«Ochosi con su flecha»: «*Ochosi tafa tafa».*

Escudos: *Asa.*

Machetes: *Obé. Yomo. Chá chá. Adá. Obe Fureye.*

Toletes: *Igui.*

Cañones: *Ibónla.*

LAS LEYES

Leyes: *Ache. Fulanche. Ofi.*

Las costumbres del país: *Acha. Asán.*

Los legisladores: *Fiofia. Yeniye.*

Jueces: *Onidayo.*

Abogados: *Oba feisita. Alagba. Eleri. Omafín. Amofi.* «La gente de leyes y pluma».

Secretarios: *Akofe. Feisita.*

Reunión: *Unekuele.*

Reunión de viejos: *Unkuele agbo.*

Consejos que dan los viejos: *Imoagbo.*

Todos los magistrados reunidos para dictar sentencia: *Igbimo. Ogbogbo. Arugbo.*

Sentencia: *Finipu.*

Justo. «Lo que es de justicia»: *Olododo.*

Culpable: *Enibubu.*

Te quiero cortar la cabeza: *Be ori etié.*

Ahorcarlos: *Fiko.*

¡A cortarle la cabeza!: *¡Be orí!*

Matarlo: *¡Pa! ¡Pa! ¡Okuá!*

Carcelero: *Elegba.*

LA FAMILIA

La familia: *Eyémi, dilemi, awore, amaya.*

Origen de la familia, fundación: *Orilé. Orayé. Idile.*

Nombre: *Oruko*

¿Cómo se llama?: *¿Kini Oruko?*

Antepasados: *Ikú. Tatatilende.*

Padre: *Babá.*

Madre: *Iyá.* (Las madres son sagradas para sus hijos, por eso el peor insulto era y es decirle a uno: *Oforidi Iyaré* - la puta de tu madre o *Idi Iyaré* - el culo de tu madre).

Fornicar (para formar la familia): *Indoko. Ayobi. Teyé. Ondokó. Choluyo. Okoyoko. Mafetó ayo. Cholúkana. Dafo. Awadapo. Motemóbirilogo inú.*

Parir: *Achupá. Ibimo. Machucho.*

Nacer: *Bi.*

Padres: *Obí.*

«Madre que me parió»: *Iya tó bi mi.*

Madre que me crió: *Iyá to wa mi.*

Las madres conversando: *Iya boti boti.*

Esposo: *Oko. Oko lo obini.*

Esposa: *Iyawo. Aya. Abileko. Abilola.*

Marido y mujer: *Tokotoya. Isure. Isumo.*

Marido muerto: *Okórún.*

Esposa muerta. *Yaworún.*

La que fue mi mujer: *Ore temi nani.*

Matrimonio: *Igbeyawo. Olobiri. Isuno.*

Mujer embarazada: *Obini Loyú. Alonú.*

Hijo: *Omó. Omo Bibiri.*

Hija: *Omo. Omobini.*

Hijo adorado: *Omó afeyú.* (Cuando nace un hijo se dice: *ekuabo* o *ekuató* - enhorabuena felicidades).

Llamo a mi hijo: *Mo pi omó mi.*

Hijos que nacen y mueren para volver a nacer: *Abiku.*

Hermano: *Arakori. Biara. Aburo. Abure. Amaya. Alamaeni* («en lengua Ota»).

Hermana: *Arabiri* («*Amaeni*, en egbado»).

Cuñado: *Okomo.*

Cuñada: *Arabirioko, alabinioko.*

Tío: *Akabiri. Arabiniyo.*

Tía: *Arabiri ita. Aburoiyá.*

Sobrino: *Omó Arakori Babá.*

Primos: *Omomó.*

Sobrina: *Omó ara Iyá.*

Abuelo: *Babánla. Babángo.*

Abuela: *Iyánla. Iyagba.* («*Yagba* es también una mujer ya mayor»).

Bisabuelo: *Babá. Babánla.*

Bisabuelo: *Iya Iyánla.*

Familia «de personas» distinguidas: *Oloruko.*

Nieto: *Omololorú Kore. Omoloyún.*

Nieta: *Omoloyú biri.*

Nietos: *Omó-omó. Omoyuri.*

Biznietos: *Omólánla.*

Parientes: *Batán. Ibatán. Ayobi. Acheli. Orégumi.*

Matrimonio legítimo: *Ibeíyawo.*

Matrimonio fuera de la ley (por detrás de la iglesia): *Pamóyawo.*

Concubina, amante: *Sere. Ale. Obinifé, Obiníriyá. Oregumí. Obinisáwa.*

Concubino: *Alé. Bále. Enifé. Okopamo. Oyu oyuale.*

Hombre con dos mujeres: *Alayé meyi.*

Mujer favorita de un padrino: *Erudale.*

Chulo: *Elefoyudi. Bánle.*

Hijos bastardos: *Omó Ale. Chomó ále.*

Hijos reconocidos: *Omó Chomó. Omowára.*

Hijos de puta: *Omó Pachaga.*

Hijos bobos: *Omósiwi.*

Padrino: *Baba Tobélorí.*

Madrina: *Iyá Tobimí.*

Honrar padre y madre: *Bolo Babá Iyá.*

SALUDOS, CORTESIA, LA CASA

Visitas: *Awoni. Eleyo. Alakesi.*

Se dice al tocar la puerta: *Agó. Agó onile.*

¿Quién está ahí?: *¿Tani wa ibe?*

Soy yo: *Eminio. Eminiyé.*

Pase: *Agó in. Kago.*

Gracias: *Dupe. Modupe. Titó.*

Bienvenido: *Ariyo. Ku abo. ¡Kini! ¡Ayo ayo!*

Esta es su casa: *Ayó ilé.*

Saludo, saludar: *Moki. Oku. Kabo. Iki. Okuyumá.*

Saludar al Oricha: *Ki Loricha.*

Reverencia: *Nowo.*

Saludar postrándose en el suelo: *Foribale. Dobale. Dale. Fidibale.*

Arrodillarse: *Kunlé.*

«Los devotos (*chayú*) saludaban antiguamente al *Babá*, diciendo: Nos arrodillamos ante tí, Padre: *Awa Kunle Babá.*

Que Dios lo bendiga: *Olofi yi busi ofuwo.*

Levántese del suelo: *Dide nile.*

Bendición: *Iferesi.*

Recibir la bendición de la Madrina: *Akuleyan.*

Con licencia: *Iwé Aché mi.*

Cuando se entraba en la iglesia a recibir la bendición del cura se decía: *Agó agó mi fun Babá.*

Dios le de tranquilidad, ventura: *Alafia.*

Lo que se desea a los amigos (*oré*) y a quienes se quiere: *Kınkamaché, Didara* (salud). *Oriré* (suerte). *Owó* (dinero). *Odonodé* (que se conserve joven). *Legbara* (fuerte, que viva mucho). *Gigunmi* y *Enifé* (querido).

Desear lo bueno se dice: *Nifé tiché.*

Para saludar el día: *Ogué kue duni Babo kué dumi se naín eduni.*

Buenos días: *Oyuma, agburo. Okusán. Okuaro, okuoyireo.*

Buenas tardes: *Okuoyimao.*

Buenas noches: *Odiaro.*

¿Cómo ha amanecido?: *¿Oyi ire?*

Amanecer bien: *Odaburo. Dara.*

¿Cómo estás?: *¿Yenko?*

Muy bien: *Aramidara. Emi kanga.*

¿Cómo están en su casa?: *¿Ilenko?*

¿Está usted bien?: *¿Ara e alé?*

Regular: *Ayiloro.* («Es mejor contestar regular que '*daradara*' o '*ilembe*', muy bien, para no hacerse mal de ojo»).

¿Cómo está su señora?: *¿Iyale uko?*

¿Cómo están los niños? *¿Bogbo omodé kno?*

Los niños bien, creciendo: *Dara mokekén tobi.*

¿Cómo está su esposo?: *¿Okori nko?*

Todos están bien: *Gbon Gbá.*

Gracias: *Dupe. Modupe. Lakue. Lakué boni, modigé. Emacheo.*

Conteste: *Fesi.*

Aquí estoy: *Niji.*

¿Quién está ahí?: *¿Tani wa nibe?*

¿Qué quiere?: *¿Ki lo fe?*

Quiero hablar con usted: *Mo fe ba soro iwo.*

¿Cuándo?: *¿Nigbati? ¿Bawo?*

Lo veré mañana: *Moyío lolá. Mo ba ri lolá.*

Ven acá: *Wa nibi.*

Ya me voy: *Ma wóle. Emi nlo. Ilo ilo.*

¿Dónde?: *¿Nibo?*

Hasta luego: *Adagbó.*

Vuelva: *Pada.*

Salga: *Yadé.*

Que le vaya bien: *Onareo.*

Dios lo acompañe: *Olodumare ogbeo.*

Le deseo que tenga suerte: *Mo fe che Alafia. Ire kari.*

Se le recordará con cariño: *Tiló okanifé.*

Buen viaje: *Korifé padé. Ogunle. Onareo. Maré.*

Gracias: *Emacheo. Modupué. Dupé.*

Tenga cuidado en el camino a su pueblo: *Chora lenulakokó Onaíle.*

¡Qué se vaya!: *¡Ma lo!*

¡Corre!: *¡Dain dain!*

El camino es seguro: *Ona daya.*

Camino fresco: *Ona tutu.*

El camino es ancho y no es peligroso: *Ona gboro kolewu.*

¡Aprisa, en camino!: *¡Fifale! Ló de lorun oyoumbo.*

Voy lejos: *Loyina. Idale yina.*

Subiendo: *Baloke.*

Cerca: *La wo. Itosi.*

Espéreme: *Duro de mi. Duro na.*

Espero: *Emide.*

Adiós, hasta la noche: *Babó.*

No se vaya, quédese: *Ko lo gbe nibi.*

¿Por qué?: *¿Nitori kini?*

No sé qué hacer: *Emi moyá.*

¡Qué sorpresa!: *¡Jepa!*

Que amanezca con salud: *Olo orún koyire.*

Siga su camino: *Nso ona. Titi ona. Tele.*

El que va por el camino: *Eroná.*

Es temprano: *Tete.*

Es tarde: *Lora. Eyuale.*

¿Cuándo llegó?: *¿Nigbe olode?*

Tarde: *Osa.*

Ayer por la tarde: *Mo de lale.*

Antier: *Iyeta. Yosí.*

Voy a la casa de mi tía: *Emi lo síle aburo Iya temi.*

Voy a casa de mi padre: *Mo wa ile Baba mio.*

Mi padre fue a la plaza: *Baba mi losíle isi ile Oyá.*

¿Ustedes se marchan?: *¿Awoló?*

¿El se va?: *¿Onló?*

Nosotros nos vamos: *Wonló. Awá. Nló.*

¿Ustedes se van?: *¿Eyinló?*

¿Ellos se van?: *¿Agbon lo? ¿Yenló?*

Que se vaya: *Maló.*

Adiós: *Ma wole.*

Huir a todo correr: *Sán Sán («de donde viene dar sansara»).*

Venga: *Wa.*

Lárgate de aquí perro: *Ma ló Ayá.*

Afuera: *Yaló.*

Cuando voy a casa camino de prisa: *Mo wa fifale ile mio.*

A mi casa: *Ni ile emi.*

¿Dónde está su casa?: ¿Ibo dá ile ne? ¿Bawo?

Se hace tarde para llegar: Ilensu.

Cerca: Tosi. Lode

Abajo: Lele.

Aquí: Nibi. Ibi.

Lejos: Loina.

Allí: Ibena.

Atrás: Lejin.

Los alrededores de mi casa: Ile Nibena.

Afuera: Lodé.

Entrada de la casa: Oyuona.

Dentro: Inú.

En casa: Nile.

Feliz sentado en casa: Mo yó yoko nile.

Fuera de casa: Ile lo dé.

Jefe de la casa: Olorí.

Dueño de la casa: Olú ile.

Protector de la casa: Ochalabó («un Oricha, un santo»).

Los que visitan la casa: Awoni. Kini. Keneudasa.

Casa segura: Ile daya.

Casa tranquila: ¡Lé farabalé!

Las paredes: Girí.

Techo: Role. Orule. Lokéile.

Suelo: Ile Ile. Ilebo. Fokuta.

Puerta: Ilekun Wode.

Portal: Ile Ode.

La tranca de la puerta: Ijánlekún.

La cerradura: Tiagadogo.

La llave: Chika. Aun omo chika. Lokokoro. Kuona.

Abrir la puerta: Chilekun.

El ojo de la cerradura: Oyú chika.

Ventana: Fese. Oyuile. Feresé.

Escalera: Ateile. Akaso ile.

Subir: Mofoyade.

Pilares, columnas: Opo ile.

Patio: Ibanbaló. Itangue.

Portal: Iyara.

La sala: Yaralé. Iyarayoko.

El salón: Yaranla. Eyaranló.

Habitación: Ifo. Ileyewo. Niyara.

Habitación de dormir: Ileoku. Yarabuso. Ilé lala.

Comedor: Yarayéun.

Tengo mucha hambre: Ebí mpa mi pupo.

Te doy de comer: Mo fun yéun.

Platos: Awó.

Cucharas: Ibako. Kuako.

Jicaritas para tomar café: Ajó. Isetié.

Cocina: Ilenyé. Ilé unyé. Lolease.

Fogones: Ileína.

Escoba: Chachará. Akisa. Ale.

Escoba barriendo: Igbalé.

Cuchillo: Obe.

Hacha: Ake.

Espumadera: Echonibako ile.

Cazuela: Ikoko.

Mortero, pilón: Odó. Bodó.

Porrón: Ama omí.

Botella: Igo.

Tengo mucha sed: Oún Bénbe mi.

Vasijas: Iyara.

Cesto: Agbon. Aban.

Baño: Ilemi. Ilewe. Alawala.

Ducha: Waroyo.

Bañaderas: Baluwé.

Ir al baño: Un ló wé.

Jabón: Eweno. Güeno.

Peine: *Elaeri.*

Lavabo o palangana: *Ichuché.*

Tohalla: *Acho Mowo. Fuponbé.*
Tobino. Tonowo.

Inodoro: *Ile chu.*

El patio: *Gbalá.*

El jardín: *Logba. Iká.*

Las flores: *Itana Ewe. Ododo Ile.*

Regadera: *Lubumíwo.*

Jaula de pájaros: *Ile Eiye.*

Agua que refresca la casa: *Omiyala.*
Omila.

Estanque con peces (en el jardín):
Kudimieyá.

Los muebles: *Echó.*

Armario: *Apoti.*

Un tablero: *Baikalú.*

Espejo: *Awoyi.*

Reloj de mueble: *Apotígogó.*

Campana: *Agogó.*

Campanilla (de Obatalá): *Adyá.*

¿Qué hora es?: *¿Agogó omeló?*

El reloj da la hora: *Alagogó kuiyo*
alameta kuele.

Cortinas: *Unkele.*

Lámparas: *Fitila. Atupa. Tinara.*

Velas: *Ataná.*

Pipa: *Oguso.*

Fósforos, cerillas: *Igi taná.*

**Armario (canastillero en que se guardan
las piedras del culto a los *Orichas*):**
Apotí. Apotí Oricha.

Armario, arca, baúl: *Apotipani. Ipamo.*
Lobipamo. Apotí achó.

Caja, estuche: *Ako.*

Tabla, tablero: *Akala Baikalú.*

Silla, taburete: *Apotí, agayoko,*
buyoku, akuatanko.

Sillón: *Buyoko.*

Mecedoras: *Lele. Apotí lele.*

Silla de mimbre: *Apotí páko.*

Banco: *Iyoko.*

Estera: *Eni.*

Cama: *Ibusu. Yarabusu. Aketé. Dibule.*
Eni. («Cama no es *eni*; *enité*, es estera.
a los *asayu*, los lucumí, les gustaba
dormir en esteras o tarimas y por eso
hoy muchos confunden *eni* con *aketé*»).

Ir a la cama: *Ló sun.*

A dormir: *Dubule.*

Voy a la cama, estoy cansada: *Ore mi*
che ló akete.

Almohada: *Lorori. Tintin.*

Cojín: *Ité.*

Sábanas: *Achó Akete. Alafún. Acholá.*

Frazada: *Achó Imu.*

Mesa: *Ye. Chiro. Fi yé. Ichiro. Lofíle.*

Copas: *Ago mimu.*

Güirita para el café: *Ado.*

Fuentes: *Awoko.*

Platos: *Awó. Awán. Gade.*

Tinaja: *Baraniso. Apoto. Otunde.*

Vasija, sopera: *Akoto.*

LO QUE SE COME

¿Qué desea?: *¿Ewo lo fe?*

Sopa: *Omiberán. Karalú.*

Comida: *Oka.*

Carne: *Eranyé.*

Pescado: *Eyá.*

Pan: *Akará.*

Manteca: *Epo. Eta. Orá.*

Arroz: *Chinkafo.*

**Arroz pilado, puesto en remojo y
secado, cernido y hervido para hacer
una pasta para Obatalá:** *Kamanakú.*

Polvo de ñame: *Elubó.*

Huevo: *Eyin Adié.*

Judías: *Ere. Ekuru.*

Col: *Ekuyá.*

Guiso: *Obé.*

Malanga: *Chika. Bagunda. Waguda.*

Tomate: *Ichoma.*

Frijoles: *Olelé. Erán. Ere. Pondó.*

Frijol de carita: *Ere. Erewe.*

Frijoles colorados: *Adalú.* (Frijoles colorados secos como munyeta, con ajo, tomate y cebolla, sofritos, se le ofrecen a Oyá en el cementerio).

Maíz: *Aguadó. Agbado.*

Maíz finado: *Ewo.*

Quimbombó: *Ilá.*

Cebolla: *Alubosa.*

Plátano: *Oguedé* (Fufú de plátano).

Todos los vegetales: *Eweko. Obedo.*

Frutas: *Eso.*

Manzanas: *Eleso Oibo. Eso Oyibo.*

Higo: *Opoto.*

Mangos: *Oro. Yimba.*

Melón: *Paki. Itakun.*

Piña: *Ayabon.*

Tamarindo: *Opé yimbo.*

Coco: *Obí.*

Limón: *Osan.*

Naranja: *Osán. Orumbo.*

Refresco de ekó: *Asara.*

Maní: *Eso gí.*

Aceitunas: *Ororo.*

Nueces: *Eleso.*

Yo soy comelón. Me gusta comer, por favor, vamos a sentarnos a comer: *Emi unyéun, mo fe yé, ono Kodakun, Yóko ké.*

Alimentos ácidos: *Kikan.*

Dulces: *Kikígun. Yodódara.*

Voy a comprar plátanos: *Mo mara oguedé.*

Las naranjas están muy sabrosas: *Osan yeyé odara pupo.*

Camina, ve a la plaza a hacerme un mandado: *Rin rin ba mi losoya.*

Iyawó va la plaza: *Iyawó ogba loya.*

Vino: *Otí* (Lucumí de maíz - Se tuesta maíz, se echa en una vasija con agua y azúcar morena. Se vierte luego en una botella o un garrafón y se entierra para que fermente y cure 30 días. Después se cuela. Calcúlese 1/2 libra de maíz para un garrafón de agua. Es bebida de Changó. El vino tinto es de Oyá, pero sólo para adorno. Eleguá lo toma también, aunque su verdadera bebida es vino seco. Come manteca sin sal, pero la comida le gusta con sal, mucha azúcar y vino dulce).

Quiero beber vino: *A fe mu ti.*

Quiero beber agua fresca: *Afé mu omí tuto.*

Pimienta: *Atare.*

Sal: *Iyo.*

Azúcar: *Iyoreke. Iyodó.*

Café: *Omi dudu. Chabakú.*

Café amargo: *Omidú kikoro.*

Hoy la situación es tan mala en Cuba que el pueblo no come*: *Loni onyé yé ilu kosi.*

No es cierto que está bien: *Kodayu. Ile Odara.*

Quien sabe: *Iro dayu.*

Hambre: *Ebi.*

Hágame un gran favor, deme de comer abundante: *Mo du kué sun, awaye polo-polo.*

Me muero de hambre: *Emi Ikú yeun.*

---

*En una carta de Cuba, 1969.

¿Qué desea, un buey? ¿*Ewo lo fe yeún malú?*

¡No es cierto, un buey entero!: ¡*Kodayu, malú gbogbo!*

Desayuno: *Unyeúro.*

Almuerzo: *Unyé osa.*

Comida: *Unyé ale.*

Lo que es sabroso: *Maimai.*

Mantel: *Achó iyé.*

Servilleta: *Ele.*

Poner la mesa: *Da le chilo.*

EL VESTUARIO

En cueros, desnudos: *Ayoara.*

Hombres elegantes: *Okorídon.*

Mujeres elegantes: *Obiní idara.*

Vestir con lujo: *Li achó niye.*

Traje de lujo, de reina: *Achó Ayaba.*

Vestidos: *Achó, Achobura.*

Vestidos de mucho lujo: *Dondónye.*

«Espléndido el vestido de la buena moza»: *Obiri acho Yanyú.*

Traje de mañana: *Achówuro.*

Traje de luto: *Acho Nbawe. Acho Ofó. Achóawé.*

De luto cerrado: *Achochefo.*

Telas: *Acho bora. Apopó.*

Telas de calidad: *Achóbora wé. Dikoto.*

Terciopelo: *Acho eran.*

Muselina, holán clarín: *Fele.*

Traje blanco («como se vestía Orula»): *Achó tala. Achofún.*

Abrigo: *Acholeke. Kiyipa.*

Camisa: *Eworin.*

Camisón: *Achoteté.*

Pantalón: *Mijéle.*

Camisa: *Ewori. Wawótele.*

Camisa de dormir: *Achorú. Achosú. Ewerí Aketé.*

Ropa interior de mujer, refajo: *Achó obini.*

Saya: *Eba. Awotele.*

Medias: *Tele.*

Pañuelo: *Gelé.*

Zapatos: *Batá.*

Chancletas: *Batá. Lobosé.*

Traje largo: *Achó oga.*

Traje corto: *Achó Ikuro.*

Traje bordado: *Lisonachó.*

Aguja para coser: *Abere.*

Color: *Awo.*

Colores de los trajes

Blanco: *Funfun* (El color de Obatalá).

Azul: *Fefeni, Awoyu Aró* (El color de Yemayá) Alaro.

Amarillo: *Pupa, Yéyé* (Es el color de Yeyé, de Ochún).

Rojo: *Pupa Awo Ina* (Color de Changó).

Rosado: *Ala Ododo.*

Verde: *Wobedo* (Color de Ochún y de Orula).

Negro: *Dudu* (Color de Echu).

Traje de muchos colores: *Acho barabá* (de Oyá).

Traje que se estrena: *Achó tún tún.*

El traje salió barato: *Acho yoworadara. Yowora.*

Pañuelo: *Gelé. Achó Omi imu. Luwele.*

Velo, mantilla: *Boyu.*

Mantón: *Achó Losítutu. Ileke.*

Abanico: *Abebe. Abebena.*

Bolsa: *Apó.*

Parasol del rey: *Iborunke.*

Paraguas: *Agbiyi.*

Sombrilla: *Akatéyouro.*

Traje del muerto, vestido negro: *Achu Iku.*

Adornos: *Güodu. Achodudu. Acho-ocho.*

Cascabeles: *Ichabaró.*

Joyas: *Otán dara yebiyé.*

Joya suntuosa, «de mucho precio»: *Otanbiyé yenwó.*

Collar: *Ileke. Eleke. Iwayi.*

Sortija: *Oruka.*

Aretes: *Oruka eti.*

Manilla: *Chablá.*

Pulseras: *Bopa.*

Oro: *Oura. Wura.*

Plata: *Fadaka.*

Piedras preciosas: *Otán iyebiyá.*

OFICIOS Y PROFESIONES

En el mercado hay de todo: *Oya Ojun Gbogbo.*

Compro esclavo: *Eru ni mo ra.*

¿En que trabaja Ud?: *¿Iche kini nse?*

Licencia: *Iwe ache.*

Trabajo: *Iche.*

Negocio: *Iche.*

Trabajar: *Ché.*

Jugar: *Si se.*

Yo trabajo: *Mo ché.*

Ellos trabajan: *Awoniche.*

Todos trabajan: *Gbógbo iche.*

Muchos trabajan con los músculos, algunos con la cabeza: *Gbogbo iché nipa san, elomiran ché nipa oye.*

Trabajo difícil: *Chiché chicharo.*

Trabajo fácil: *Lichoro.*

Trabaja bien cualquier cosa: *Eni keni iche dara.*

Hacer bien el trabajo: *Fi oye ché.*

Trabajadores: *Chicheru.*

Obreros: *Alagbache. Chiché iche.*

Hábil. Industrioso: *Alapon.*

Vender: *Tita.*

Vendo mi casa: *Mo ilé ita.*

Comerciantes: *Isowo.*

Negociante: *Chiche lowó.*

Tendero: *Enichura. Oloilé sura. Alachó.*

Socio: *Legbe fi owó.*

Comerciante honrado: *Isowotito.*

Empresa: *Chiché.*

Mal negocio: *Iche cheru, ichegbako.*

Comprador: *Opana.*

Comprar: *Orá.*

Deuda: *Igbese.*

Regalar: *Toré*

Pedir: *Taoro. Be.*

Pedir dinero: *Be owo.*

Dar: *Fun.*

Dame: *Fumí*

Yo compro: *Mo ra.*

Vendedor de machetes: *Ota obe afeleye.*

Pagar: *Safu.*

Cantidad, mucho: *Falá falá.*

¿Cuánto?: *¿Melo?*

Clientes: *Iloro. Orana. Alabara.*

Vendedor: *Lopese. Eniyapa.*

Traficantes: *Onichowo.*

Comprador revendedor, «va por los pueblos»: *Eni orá.*

Yerbero: *Eléwe. Omósaín* (Osain, el dios de la vegetación).

Jardinero: *Ologba («Baba Taná»).*

Maquinista: *Léro. Firoché.*

Vigilante de almacén: *Toyu.*

Barbero: *Alabé. Afarí.*

Afeitar: *Faoyu.*

Afilador de dientes: *Pajín* («A los esclavos y horros africanos les gustaba lucir sus dientes afilados en punta. El pajin, en los ingenios se ocupaba de eso»).

Lavandero: *Oriwé. Enilochó.*

Lavador de coches, etc.: *Onifó.*

Lavandería: *Ile foso. Ilefilandi.*

Pocero: *Okorénkanga.*

Leñador: *Achegita.*

Alfarero: *Amo Koko.*

Carpintero: *Onigi.*

Pintor: *Kunsé.*

Escultor —«hace *ere*, imágenes de santos»: *Agbeguí.*

Bordadora: *Guna.*

Joyero: *Olokuta dára yebiyé.*

Zapatero: *Onibatá.*

Sastre: *Achoni. Arantá.*

Vendedor de sombrero: *Alaté.*

Campanero: *Alagogo. Luagogo.*

Músico: *Olorín.*

Cantante («cantador de oficio»): *Akorí. Korin Korin.*

Solista: *Apwón.*

Tamborero: *Onilú. Fún ilú. Alukoso.*

Tocador de tambor batá: *Olubatá.*

Bailarín: *Alariyo. Eniyo.*

Herrero: *Alaguedé.*

El que trabaja el hierro: *Alágberin.*

El que trabaja el oro: *Alagbeura.*

El platero: *Alagbéfadaka.*

Ganancia, sueldo, utilidad: *Owo Ochiche.*

Salario, sueldo: *Wóché.*

Pagar: *Sanfú.*

Necesito dinero: *Emi afé owo.*

No tengo dinero: *Koni Owo. Beko moni owo.*

Yemayá dame dinero: *Yemavá fumi owo.*

Tengo dinero: *Emi ni owo. Moni owo.*

Carnicero: *Eleran. Alápata.*

Pescador: *Pá evá.*

Cazador: *Ode. Ode pá. Eivé.*

Disparo, tiro: *Fibo.*

Carretonero: *Kon Koto.*

Panadero: *Alakara. Oponvé. Aluyan.*

Cocinero: *Alayé. Alase.*

Peluquero: *Olúiro.*

Cochero: *Eleni. Babá echin.*

Caballericero: *Atoyú.*

Calesero: *Olotuyu. Toyuchin.*

Paje: *Atoyuchin. Toyuchin.*

Criado: *Odibo. Iranché Omodo. Lofebeleke.*

Portero: *Alaru. Onibode.*

Cachanchán, «lleva y trae»: *Yiché.*

Boyero: *Oluso.*

Labrador: *Kore.*

Aguador: *Olomi.*

Placero: *Oloya.*

Vendedor de sombreros: *Alaté.*

Tabaquero: *Alachá.*

Albañil: *Imole. Oúnakule.*

Ingeniero: *Ilero.*

Vendedor de muebles: *Otaeru.*

El que hace muñecos (escultor): *Abeguí.*

Perfumería: *Ilé orundindon.*

Vendedor de perfumes: *Oloya.*
Fiorundón.

¿Qué perfume es ese?: *¿Kini didón?*

Corazón de Juanita: *«Okán Juanita».*

Sándalo (perfume de Ochún):
Salubatatí.

Compro sándalo: *Mo ra salubati.*

Compro carne: *Mo ra erán malu.*

Marinero: *Atuko.*

Militar, guardia civil: *Okogún.*

Escribano: *Kowe.*

Licenciado: *Omafín.*

Pordiosero («un oficio como otro
cualquiera»): *Achabé. Alabé.*

Compañero, colega: *Elegbemi.*

Cuando toca la campana para terminar
el trabajo: *Agogó chiwó.*

DICHARACHOS Y REFRANES
DE VIEJOS OLORICHAS

Un solo palo no hace monte: *Ikikan
kuin inché igbo.*

El buey que no tiene rabo Dios le
espanta la mosca: *Malu tioñiro Olorun
lonlé eschín.*

La jicotea no tiene cintura y vive bien,
así que yo que la tengo tengo que vivir
mejor: *Biajapla tionidí ungba ayapá
emí osincán.*

El perro tiene cuatro patas y escoje un
solo camino: *Ajá oní elese merin
onakán lomu.*

La tiñosa estaba pelando a todos los
pájaros para ponerles el cogote igual al
suyo, y se enteró el gavilán y vino a que
lo pelaran, pero la tiñosa le dijo: ya la
navaja no corta, y no lo peló: *Gunugún
un fari nigbá agbo didé omi abe omun.*

La muerte no elige día ni la enfermedad
mes: *Ikú adayo arun do cho.*

Si mi cabeza no me vende, nadie
me puede comprar: *Mieri eñi atae
enña alerae.*

Abre los ojos y mira a tus enemigos:
Bounle gbota.

Dios dijo, vine al mundo y me fui.
Emín ungba layé motunlo.

Una vez nada más se capa al chivo:
Lokán lanyan epón motunlo.

El murciélago parece que está dormido
y cuando un pájaro viene a hacerle
algo, no puede: *Adan forichole
ungbo inseye.*

Oreja no pasa cabeza: *Etí combelerí.*

A veces hablando se resuelve mejor que
con dinero: *Bologbo bolenu bologbo
aché lenu.*

El pez grande se come al chico: *Eyaula
unje eyá kekere.*

Todavía no he llegado adonde tengo
que llegar: *Atipla temi combrelin.*

No se recueste en dinero de nadie, sino
en su bolsillo: *Ogbo locheni fachó.*

No saque muerto de la casa ni que
venga de la calle: *Kana boku yade
kama boku bode.*

El que tiene que ir adelante que vaya y
el que detrás, detrás: *Eni aguayo
caguayo eni agueji ke agueji.*

El cochino no puede ser marinero
porque no puede mirar para arriba:
*Imado bache bielede abaluyé eru bajaba
enña obako.*

Dios en el cielo, yo en la tierra: *Olorun
loké emí inlei.*

Tiene título y no sabe sostenerlo: *Oún
lanché oún kono.*

El sombrero que cae al agua se hunde,
la jicara flota: *Kosi kakalodo lojún.*

Si se hace bien es para uno mismo, y si
se hace mal también: *Igbón chefa eche
fa burukú igbón che ire fumí.*

El chivo come y guarda: *Gani gani agbure um ya bi egbe.*

El Santo es uno solo: *Ocha Olodumare kan chocho.*

Todos los días jugando no se puede ganar: *Araya iya i arasike sike ijai.*

Estamos entre dos platos; entre el cielo y tierra el cielo no se ve: *Ara yity ayibo igbanla meyi.*

Cómo él va a marear a Yemayá si Yemayá es el agua: *Temí lerí lojún taye.*

La silla no busca a la nalga, la nalga va a buscar a la silla para sentarse: *Idico birijoco apotí.*

La lombriz le pide a Dios que llueva para ver a la gente: *Ekalo fumi oyó Olorun emí mori en ña.*

El que de una loma se tira se rompe la cabeza: *Big egbón subu loke eri elonfó.*

El que no tiene corazón no ve a la guerra: *Ochu niko okán enlo ejo.*

Hoy es hoy y ayer fue ayer: *Loni aun loni lana enlo lana.*

Lo que fue ya no es: *Kilana kaun loni.*

Hoy es hoy y mañana será mañana: *Loni aun loni lolá aun lolá.*

Cuando el día se va viene la noche: *Oyo unlo wale lale.*

La lechuza bebe el aceite de los muertos y vuela al mar: *Ayé omu mamu adin ikú oló silé okoto.*

Más vale ser cabeza de ratón que cola de tigre: *Eri ekuté ki ereke reke ekún.*

Mujeres son la enfermedad y la muerte: *Oro lo meta obiní arón ikú.*

Para los desgraciados todos los días son martes: *Lofun orogbobo ojo ojó ogún.*

El gallo no canta como el sinsonte: *Akuko ko akorin nie ololo.*

El brazo del mulato sirve para cuero de tambor: *Una oun apla oun apla kukundukú fun agbore ilú.*

El gato caza ratón: *Oun ologbo gbaa ekuté.*

El caracol habla cuando muere: *Idilogún nigbati ikú soro.*

Si no llueve el maíz no crece. *Oyonu sokoni aguadó.*

Notas

1. *Anagó. Vocabulario lucumí. El yoruba que se habla en Cuba.* Prólogo del Prof. Roger Bastide. La Habana. Edic. C.R. 1957.

2. Aprender lucumí (*anagó*). Hablar el idioma de sus antecesores. Estudiar, aprender.

3. No hace más que cuidar al Santo.

4. Véase también Lydia Cabrera, *El Monte*, página 386 y anteriores, las instrucciones de un *Oloricha* matancero. Por error aparecen en este libro de modo incorrecto las letras del *obí: Alafia* representado por cuatro círculos negros que debían ser blancos. *Oyekún* por cuatro blancos que debían ser negros. *Otawe* por tres negros y uno blanco en vez de tres blancos y uno negro.

5. Adjetivo que se daba a sí mismo un *omó ifá* del pueblo de Bemba criticando a ciertos santeros de La Habana para diferenciarse de ellos. «*Oloto* es el que se da a respetar porque no engaña y no roba.»

6. Polvos consagrados por el *Babalawo*.

7. Hablan Changó y Eleguá.

8. Doce de cada ofrenda.

9. Hechizar.

10. Guano.

11. Al oscurecer. El *Angelus*. Esta advertencia nos retrotrae a la vida apacible de Cuba en los comienzos de siglo, cuando a las seis de la tarde sonaban las campanas de las iglesias.

12. Abortado.

13. Consultante.

14. Amuleto, talismán.

15. Mayombe.

16. Certero.

17. $1.05 era en Cuba el derecho de adivino.

18. Decía: *Adie alumbolo*.

19. Con frecuencia los *Orichas* recomiendan que los devotos tengan animales en su casa —que no se sacrifican— para protegerlos. A medida que la oveja —«carnerita» dice el pueblo— se desarrolla la persona en cuestión prosperará, «su suerte crecerá a la par que el animal».

20. Semilla africana que se importaba a Cuba y que tiñe de rojo.

21. Las Animas del Purgatorio han sido asimiladas en el sincretismo de los adeptos del culto a los *Orichas Yoruba* a algunos aspectos «caminos» o procedencias de *Echu-Eleguá*.

22. Véase Lydia Cabrera, *Yemayá y Ochún*.

23. Otros rezan al matar esta variante: *Yakina Barayakina lo ún. Ogún choro choro Eyebale karo. Eyé Ogún moyuré. Ebí ama eye. Ogún moyuré ebí ama. Eleguá dekun. Eye dekunyé Olodumare eye. Eye Odumare eye.* Y al derramar el agua: *Ero kosowé owo somó Ero koisé ero arikú Babwá.*

24. Caer en trance.

25. Sano.

26. Se refiere a los que llevan más años ejerciendo el sacerdocio.

27. Para más detalles véase Lydia Cabrera, *El Monte.*

28. Varilla de metal blanco o de plata sobre base redonda con un gallito o un pájaro en el extremo superior. La vara debe tener la altura del *Babalawo* y lo protege, y guarda también el templo. Osu no es un *Oricha* pero recibe también sacrificios.

29. Véase, Lydia Cabrera, *Yemayá y Ochún.*

30. Lo que no observé en mis negras viejas es lo que podría llamarse recogimiento, concentración —la meditación, que se supone es tan importante en nuestra religión. No me refiero a las que muy devotas de nuestros Santos y asiduas a la Iglesia rezan sus rosarios, recitan sus oraciones con fervor. Las descendientes directas de africanos aunque con barniz católico se dirigen a sus *Orichas* hablando con ellos como hijos con sus padres, les llaman Papá y Mamá y les piden en alta voz, mezclando el lucumí con el español.

Indice

CPSIA information can be obtained at www.ICGtesting.com
Printed in the USA
BVOW04s2145310114

343657BV00001B/15/A